HÅKAN NESSER
IL COMMISSARIO
E IL SILENZIO

Traduzione di Carmen Giorgetti Cima

UGO GUANDA EDITORE
IN PARMA

HÅKAN NESSER

IL COMMISSARIO E IL SILENZIO

Titolo originale:
Kommissarien och tystnaden
Traduzione di Carmen Giorgetti Cima

© 1997 by Håkan Nesser
First published by Albert Bonniers Förlag, Stockholm, Sweden.
All rights reserved. Published by arrangement with
Linda Michaels Limited, International Literary Agents
© 2004 Ugo Guanda Editore S.p.A., Parma

Edizione su licenza di Ugo Guanda Editore S.p.A.
Superpocket © 2007 R.L. Libri s.r.l., Milano

ISBN 978-88-462-0863-7

Immaginatevi una ragazzina di dodici anni.
Immaginatela violentata, umiliata e
uccisa. Prendetevi pure tutto il tempo.
Immaginatevi poi Dio.

M. Barin, poeta

I

15 luglio

1

La ragazza del letto numero dodici si svegliò presto.

Mattino d'estate. Nel dormitorio la luce tenera dell'alba filtrava insinuandosi attraverso le tende leggere: cominciava cautamente a dissolvere la notte; sollevava il buio dagli angoli, sfiorava i sogni ignari delle altre ragazze. Il loro russare leggero, tranquillo. Lei rimase stesa nel letto ancora un momento, ad ascoltarle. Cercò di distinguerle una dall'altra. Kathrine dormiva sulla schiena come il suo solito e russava piano con la bocca aperta. Belle sibilava come un serpente. Marieke alla sua destra sbuffava; aveva anche un braccio penzoloni oltre il bordo del letto, e la folta capigliatura rossa aperta come un ventaglio sul cuscino. Dall'angolo della bocca le colava una goccia di saliva; per un attimo pensò di asciugarglielo con un lembo del lenzuolo, ma poi lasciò perdere.

Avrebbe voluto confidarlo a Marieke. Almeno a Marieke. Dirle due parole; lasciarle un messaggio o qualcosa del genere. Ma adesso era il momento, e la sera prima non aveva ancora realmente deciso. Ci aveva riflettuto un bel po'. Non era una decisione facile. Quasi ci aveva perso il sonno; si era girata e rigirata nel letto di ferro cigolante fino a notte inoltrata, tanto che sia Marieke sia Ruth le avevano domandato se per caso non si sentisse bene, e Belle l'aveva pregata più volte di piantarla di fare casino.

Belle era un tipo irascibile, ma aveva un padre che in qualche modo era molto vicino a Jellinek e perciò valeva la pena di tenersela buona. O almeno così si diceva. Si dicevano tante di quelle cose, lì a Waldingen.

Era stata molto combattuta. Non sapeva quando si fosse finalmente addormentata né che ora fosse in quel momento, ma ore di sonno non doveva averne in corpo granché, se lo sentiva.

Meglio alzarsi, in ogni caso. Il suo orologio interno aveva funzionato come al solito, ma ovviamente non c'era nulla che garantiva che l'avrebbe anche tenuta sveglia. Proprio nulla.

Con cautela scostò la pesante coperta e si mise seduta. Rovistando nell'armadietto, tirò fuori jeans, T-shirt e scarpe da ginnastica e si vestì rapidamente. Notò che all'altezza del diaframma le si era risvegliata l'inquietudine, ma la soffocò con l'aiuto della collera.

Della collera e del senso di giustizia.

Afferrò altri indumenti con fretta trattenuta; difficile trovare posto per tutto, ma ci riuscì. Chiuse lo zaino con un nodo e si allontanò alla chetichella. La porta cigolò come al solito quando la aprì e un paio di gradini scricchiolarono tristemente al suo passaggio, ma in meno di mezzo minuto era fuori.

Trotterellò sopra l'erba umida di rugiada risalendo verso il margine del bosco, e non si fermò fino a che non ebbe raggiunto la piccola cresta e non fu scesa nella prima valletta. Lontano dalla vista della casa, fuori portata.

Per un attimo rimase ferma in mezzo ai cespugli di mirtillo, esitante; ferma a rabbrividire nella frescura notturna che ancora impregnava l'aria, mentre rifletteva su punti cardinali e direzioni. Si accorse che effettivamente stava battendo i denti. Le bastava proseguire dritta attraverso il bosco: prima o poi sarebbe sbucata per forza sulla strada principale, questo lo sapeva. Ma era lunga. Anche se fosse riuscita a seguire una linea più o meno retta, avrebbe impiegato almeno una mezz'ora, e ovviamente non era detto che sarebbe stata capace di evitare di muoversi in cerchio. Nient'affatto detto. Per tutta la vita aveva abitato in città, foreste e natura non erano il suo ambiente usuale.

Terreno sconosciuto, come si diceva.

In casi normali avrebbe recitato una preghiera, ovviamente. Avrebbe pregato Dio di assisterla e di aiutarla almeno per un tratto di strada, ma quel mattino non le sembrava giusto.

Né giusto e, in qualche modo, neppure del tutto onesto.

Dio aveva cambiato volto negli ultimi tempi. Sì, era successo questo, più o meno. Era diventato grande; difficile e insondabile, e, anche se non le piaceva pensarlo, un po' terrificante. Il

8

vecchio zio mite e barbuto della sua infanzia adesso era oscurato da un'ombra.

Da un velo di tenebra.

E, a ben pensarci, capiva che era proprio a causa di questa tenebra che adesso lei era lì in mezzo ai mirtilli, esitante.

Esitante e in lotta con la paura e la rabbia. E in lotta anche per il senso di giustizia, come si diceva.

Proprio a causa di questo.

Sulla destra il paesaggio declinava. Verso il lago e la tortuosa strada sterrata che portava alla fattoria dei Fingher, dove la sera andavano a turno a prendere il latte. Latte, patate, verdure e uova.

Sempre a gruppi di quattro e con le due carrette sgangherate e Jellinek alle calcagna. Nessuno aveva davvero capito perché anche Jellinek dovesse sempre partecipare a quelle escursioni. Non bastava una delle sorelle? Anche se forse era solo per sorvegliarle affinché non corressero pericoli. Probabilmente era così. La fattoria dei Fingher era l'unico contatto che avevano con l'Altro Mondo, come Jellinek era solito chiamarlo nelle sue conversazioni, sia mattutine che serali.

L'Altro Mondo?

Adesso sono nell'Altro Mondo, pensò. Non ho fatto più di duecento metri, e già sono incerta sulla direzione. Forse era proprio come diceva lui. Forse era proprio il Dio di Jellinek quello vero, e non il suo; il suo Dio buono che perdonava, il suo Dio gioioso, quasi un po' infantile...

All'inferno! borbottò, e rabbrividì nuovamente, questa volta soprattutto per via dell'imprecazione. A che cavolo serviva un Dio che non era buono e gentile?

Ma dove sarebbe andata effettivamente a parare, se adesso fosse riuscita a raggiungere la strada principale? Ecco, a quell'interrogativo né lei né nessuna delle possibili divinità aveva alcuna risposta.

In qualche modo si risolverà, come usava dire sua nonna. A tempo debito. Gettò un'ultima occhiata sopra il crinale, nella direzione degli edifici; era solo la parte più alta del tetto appuntito del refettorio a spuntare fra gli alberi.

E poi la grande croce nera, naturalmente, che avevano aiutato a fabbricare il primo giorno. Tirò un respiro profondo, voltò le spalle a tutto quanto e cominciò a scendere verso il lago. Era più sicuro prendere la strada sterrata già nota.

Vi sbucò proprio all'altezza della betulla gigante, dove lei e Marieke avevano parlato di incidere i loro nomi prima di andarsene di lì.

Se riuscivano a sgattaiolare via, si capisce, quello era il presupposto. Se riuscivano a rubare venti minuti al tempo della Vita Pura; e a uscire e rientrare senza essere viste. In realtà grandi speranze non ne avevano mai avute, erano soprattutto cose che si dicevano così per dire, ma adesso lei era lì e faceva scivolare le mani lungo la superficie liscia e bianca della corteccia.

La Vita Pura? pensò. Il Pastore della Buona Luce?

L'Altro Mondo?

Cazzate.

Il vocabolo le passò rapido per la mente, come già le era successo il giorno precedente. Cazzate. Allora non era riuscita a soffocarlo, le era solo scappato di bocca come una piccola rondine incollerita e disubbidiente, e d'un tratto si era gonfiato in una nuvola nera.

Sì, proprio così. Una nuvola nera e minacciosa che era rimasta sospesa sopra tutte loro, là nella Sala della Vita. Che aveva fatto trattenere il respiro alle ragazze e indotto Jellinek a puntare gli occhi pallidi su di lei per secondi che erano sembrati giorni.

«Voglio parlare con te, dopo» aveva detto alla fine, e poi le aveva staccato lo sguardo di dosso e aveva continuato a parlare nel suo solito tono sommesso. Della Purezza e del Candore e della Nudità e via dicendo.

Dopo, nella Stanza Bianca.

Ma nemmeno lì aveva sprecato troppe parole per lei. Si era solo limitato a constatare l'accaduto.

«Il diavolo, ragazzina. Tu hai il diavolo dentro. Domani lo cacceremo con un esorcismo.»

Poi l'aveva mandata a dormire con un gesto stanco della mano.

Di esorcismi aveva sentito parlare, ma non sapeva come si

svolgessero. Aveva creduto che fossero cose che riguardavano solo gli adulti, ma evidentemente non era così. Chiunque poteva essere posseduto dal demonio, perfino un bambino, questo l'aveva imparato la sera prima.

E adesso lo dovevano scacciare. Di sicuro non era un'esperienza piacevole. Certamente molto peggio delle frustate per punire i peccati. E, benché fosse lì ormai da più di due settimane, non era ancora riuscita ad abituarsi alle punizioni corporali. Ogni volta doveva spargere qualche lacrima di nascosto, dopo; non aveva mai visto nessuna delle altre ragazze fare altrettanto.

D'improvviso la voglia di piangere l'assalì anche in quel momento. Senza preavviso sentì un bruciore in gola, e poi le lacrime cominciarono a scorrere, inducendola a sedersi sul ciglio della strada. Qualche minuto soltanto, fino a che non le fosse passata. Era ridicolo camminare in mezzo alla strada frignando. Anche se dovevano essere al massimo le sei, sei e mezzo – e anche se difficilmente correva il rischio di incontrare anima viva – era comunque ridicolo.

Frugò nello zaino alla ricerca di un fazzoletto e si soffiò il naso. Rimase seduta ancora un paio di minuti per sicurezza, e fu proprio mentre stava per alzarsi in piedi e proseguire che sentì un ramoscello spezzarsi nelle vicinanze. Con un'intuizione che rapidamente si fece sempre più concreta, capì di non essere affatto così sola come si era immaginata.

II

17–18 luglio

2

«E chi è che l'ha detto?» fece Jung, aprendo la lattina di Coca-Cola. «Che avrebbe intenzione di smettere?»

Ewa Moreno alzò le spalle.

«Non so da dove venga la notizia» rispose. «Ma Rooth e Krause ne parlavano giù in mensa ieri... Non mi stupirebbe, comunque.»

«Cosa?» chiese Jung. «Cos'è che non ti stupirebbe?» Beve un paio di lunghe sorsate e cercò di non ruttare.

«Che lui ne abbia abbastanza, si capisce. Saranno trentacinque anni che fa questo mestiere, come minimo. Per quanto tempo hai pensato di continuare, tu?»

Jung rifletté, mentre con discrezione liberava uno sbuffo di anidride carbonica attraverso il naso.

«Ci si può anche beccare una pallottola prima del tempo» disse. «Se si è fortunati. No, io cerco di tenermi in buona salute evitando di pensarci su troppo. Vuoi favorire?»

Allungò la lattina e Moreno la scolò fino in fondo.

«Che caldo spaventoso» disse. «Credo di aver bevuto tre litri di liquidi, da stamattina. Puoi sempre chiedere a Münster. Se c'è qualcuno che ne sa qualcosa, è senz'altro lui.»

Jung annuì.

«Quanti anni ha?»

«Chi? Münster?»

«Il commissario, è ovvio. Non deve aver compiuto ancora i sessanta.»

«Non ne ho idea» disse Moreno. «Quanto dobbiamo rimanere qui ancora a girarci i pollici, tanto per cambiare argomento? Non succede nulla. Tranne che il cervello comincia a friggere.»

Jung guardò l'orologio.

«Ancora un'ora, secondo gli ordini.»

«Facciamo un altro giro» propose Moreno. «Così almeno si muove un po' l'aria. Non ha senso che stiamo seduti qui a prenderci un colpo di sole. Lei che ne dice, ispettore?»

«Bisogna essere pronti a morire al proprio posto di guardia» disse Jung, e avviò la macchina. «C'è scritto nel regolamento. Penso che sarebbe un gran peccato se lui smettesse sul serio... È vero che certe volte è come è, ma ad ogni modo... Allora, dove vuoi andare?»

«Al chiosco, a comperare altra Coca-Cola» rispose Moreno.

«Ogni tuo desiderio è un ordine» disse Jung. «Però personalmente credo che prenderò qualcosa di non gassato, questa volta. Guarda lassù! Anche se è stato al sole, ovviamente...»

Indicò il gigantesco termometro sulla fiancata della piscina coperta.

«Trentasette gradi» lesse Moreno.

«Esatto! Stessa temperatura del sangue, né più né meno.»

«Ho sete» ribadì Moreno.

Il commissario Van Veeteren si infilò in macchina e chiuse gli occhi.

«Quella donna!» borbottò. «E io che le ho dedicato la mia vita.»

Gemette. La macchina era rimasta parcheggiata per più di un'ora sotto il sole torrido della piazza, e quando lui poggiò le mani sul volante ebbe una fulminea sensazione di carne bruciata. Geenna, pensò. Tutti ci dovremo passare.

Il sudore colava a rivoli. In faccia, sul collo e sotto le braccia. Abbassò i finestrini e si deterse accuratamente la fronte con un fazzoletto piuttosto stazzonato.

Osservò il rettangolo di stoffa bagnato. Di sicuro c'era anche qualche goccia di sudore freddo.

«Venticinque anni della mia vita!» si corresse, e avviò il motore. Uscì dal parcheggio. «Un quarto di secolo!»

E adesso lei aveva cercato di rubargli altre due settimane. Cominciò a rievocare la loro conversazione.

Un cottage fuori, a Maalvoort. Ah, grazie tante... Un sacco di spazio. Quattro stanze e cucina. Dune e spiaggia e mare... Renate e lui. Jess con i gemelli...

Si domandò con quanta cura avesse programmato la cosa. La conversazione si era protratta parecchio; seguendo col vento in poppa la rotta imposta da lui, all'apparenza; e poi d'improvviso le domande e la proposta erano arrivate, in maniera del tutto naturale... e dire che avrebbe dovuto impararlo. Sa il cielo se non avrebbe dovuto impararlo! Lui aveva le ferie in agosto, non è così? Proprio quando Jess sarebbe finalmente venuta a casa per un paio di settimane. I nipotini con il nonno e la nonna tutti insieme... (Il diavolo e sua nonna! gli venne da pensare, e stava quasi per sorridere nel bel mezzo dello sconforto.) La casa era comunque sovradimensionata, lei si era mossa un po' troppo tardi e la maggior parte dei posti erano già al completo. Se lui voleva starsene in pace, non c'era nessun problema, spazio in abbondanza per la privacy, come già detto. Sia dentro casa che fuori...

Sì, di sicuro c'era una certa pianificazione, dietro. Era un falso invito, pensò. Un caratteristico falso invito da parte di una ex moglie che pescava in vecchie acque torbide. All'inferno.

Accese lo stereo e poi lo spense di nuovo.

Jess e i bambini...

Purtroppo non posso, aveva risposto.

Ed Erich aveva promesso di venire anche lui, per un paio di giorni, almeno.

Purtroppo, mia cara. Sei arrivata troppo tardi. Ho già prenotato.

Prenotato? I suoi sopraccigli si erano alzati in un'espressione di incredulità. Tu, prenotato?

«Creta!» aveva sparato lui a casaccio. «Due settimane a partire dal primo agosto.»

Lei non gli credette. Lo vide subito; uno dei sopraccigli tornò ad abbassarsi fino a zero, ma l'altro rimase sospeso sulla fronte come un muto rimprovero.

«Creta» ripeté lui del tutto inutilmente. «Rétimo, ma pensavo di fare un giro anche nella parte meridionale... e, be'... »

«Ci vai da solo? »

« Da solo? Chiaro come il sole che ci vado da solo. Che diavolo ti sei messa in testa? »

Urtò contro il bordo di uno spartitraffico con la ruota anteriore sinistra e imprecò fra sé.

Un quarto di secolo! Poi cinque anni di libertà, e lei era ancora lì a tendere i suoi agguati. Qual era il suo scopo, in realtà? Rabbrividì nel bel mezzo della calura estiva. Si diede una passata con il fazzoletto anche sul collo. Svoltò in Rejmer Plejn e riuscì a trovare un parcheggio libero sotto uno degli olmi.

Creta? pensò, smontando. Perché no?

Sì, davvero. Perché no? Se si poteva ricostruire una verginità con nuove membrane, doveva pur essere una faccenda abbastanza semplice lavare una verità retroattiva dalla sabbia della menzogna.

Ma come mi esprimo elegantemente oggi, constatò. Il diavolo e sua nonna! Verità retroattiva! Dovrei cominciare a scrivere le mie memorie, un giorno o l'altro.

Attraversò diagonalmente la piazza. Si infilò uno stuzzicadenti in bocca e fece il suo ingresso nell'agenzia di viaggi all'angolo.

La donna seduta davanti al bancone gli voltava la schiena e gli ci volle qualche secondo prima di capire chi fosse. I suoi capelli castano scuro erano diventati un briciolo più castano scuro dall'ultima volta, e la sua voce aveva un timbro considerevolmente più chiaro.

Grazie tante.

Ulrike Fremdli. Quando l'aveva incontrata la prima – e unica – volta, suo marito era appena stato assassinato. Fece un rapido calcolo e giunse alla conclusione che doveva essere stato in febbraio. Lo scorso febbraio, quel mese gelido dimenticato da Dio. Il periodo fidanzato con la disperazione, come lo chiamava Mahler. Erano stati seduti nel soggiorno ordinario e confortevole di una villetta a schiera ordinaria e confortevole dalle parti di Loewingen. Lui e Ulrike Fremdli, fresca vedova. Le aveva servito il solito piatto di domande clinicamente fredde ed era rimasto colpito dal suo modo di gestirle.

Di gestire le domande e il suo dolore traumatico.

Quando l'aveva lasciata, si era reso conto che quella era una donna della quale avrebbe potuto innamorarsi. Trent'anni prima. Ai tempi in cui era ancora capace di innamorarsi. Ci aveva pensato su un bel po', dopo. Certamente sarebbe stato possibile.

Se lui non avesse buttato via la propria vita con un'altra, cioè.

E adesso eccola lì che prenotava un viaggio. Ulrike Fremdli. Cinquanta o poco più, per quanto potesse giudicare. Con una nuova sfumatura di castano nei capelli.

C'erano degli schemi...

Prese un numero e si accomodò sulla poltroncina di sottili tubi d'acciaio alle sue spalle, senza farsi riconoscere. Non c'era naturalmente nulla che potesse far presumere che lei si ricordasse di lui altrettanto bene di quanto lui si ricordava di lei. O che si ricordasse di lui in generale. Aspettò. Cominciò a sfogliare uno dei cataloghi disposti sul tavolino di vetro davanti a sé. Spostò lo stuzzicadenti all'angolo destro della bocca e cercò di non dare l'impressione di uno che stesse origliando.

Come se fosse solo un comunissimo aspirante a qualche viaggio organizzato. Oppure un pezzo insolitamente sudato dell'arredamento.

Ma invece ascoltava. Con le orecchie tese al massimo. Al tempo stesso cominciò anche a essere roso da una sensazione sorda e inquietante. Sia a livello dello stomaco che dietro la laringe, dove da tempo aveva stabilito che dovesse aver sede l'anima. Almeno nel suo caso specifico.

Perché era di Creta che stavano parlando. Chiaro come il sole, lui lo capì immediatamente. L'agente di viaggi dall'elegante abbronzatura menzionava Teseo e Arianna, e il villaggio delle Vedove. E poi Spili e Matala e la gola di Samaria.

E adesso, Rétimo.

Il commissario Van Veeteren deglutì. Tirò fuori il fazzoletto e si asciugò nuovamente il collo; nonostante i lenti ventilatori che muovevano l'aria sul soffitto, faceva caldo come dentro un forno.

«Non bisogna sottovalutare le correnti» stava dicendo l'agente.

Esatto, pensò Van Veeteren.

«Hotel Christos» propose il giovane adone. «Semplice ma ben tenuto. Si trova nel centro della città vecchia... a un minuto soltanto dal porto veneziano.»

Ulrike Fremdli annuì. Il semidio sorrise.

«Partenza il primo allora? Due settimane?»

Van Veeteren sentì arrivare un capogiro, e poi passare rapido. Un turbine quasi puberale. Appoggiò il catalogo e si mise lestamente in piedi. Ho bisogno di un po' d'aria, pensò. Al diavolo. Qui si sente puzza d'infarto a un chilometro.

Fuori in strada, si fermò sotto l'ombra di un tiglio. Sputò lo stuzzicadenti e si morse forte il labbro. Constatò che non si svegliava, e che quindi non aveva nemmeno sognato.

All'inferno, pensò. Sono troppo vecchio per queste cose.

Comperò una bottiglia da mezzo litro di acqua minerale al chiosco e la bevve tutta d'un fiato. Quindi rimase fermo ancora un minuto a discutere fra sé. È da stupidi entusiasmarsi troppo, pensò.

Ancora più da stupidi non fidarsi dei segni disseminati lungo la strada, pensò poi. Fra parentesi, dal momento che sono già qui...

Uscì di nuovo nel sole accecante. Attraversò a passo rapido e agile la piazza e piegò in Kellnerstraat. Passò davanti a un paio di librerie antiquarie, prima di fermarsi all'angolo con il vicolo Kupinski. Si asciugò la fronte e sbirciò dentro la vetrina sovraffollata. Con cautela, come se si fosse trattato di una mano di poker.

Sì, il cartello c'era ancora.

CERCASI COLLABORATORE
EV. COMPROPRIETÀ
F. KRANTZE

Doveva essere lì da almeno... Ci pensò su: sei settimane. Tirò un cauto sospiro di sollievo. Sì, era certamente passata metà estate da quando lo aveva visto la prima volta.

Esitò ancora un attimo, poi cominciò lentamente a fare ritorno verso la piazza. Masticando uno stuzzicadenti e osservando con la coda dell'occhio le vecchie facciate in stile liberty d'inizio secolo. Decadenti ma ancora in possesso della loro bellezza. Il caffè Yorrick all'angolo. Di fronte, il Winderblatt. Un grosso San Bernardo ansimante sotto uno dei tavoli, con la lingua penzoloni fin sul marciapiede.

Sì, pensò. Altroché se sarebbe piacevole vivere qui.

E quando salì in macchina, aveva preso una decisione.

Se il cartello sarà ancora lì in agosto... bene, allora lo farò.

Più difficile di così non era.

Ancora più facile fu poi guidare a più non posso fino a casa a Klagenburg e prenotare per telefono una vacanza organizzata di due settimane per Rétimo, Creta... Hotel Christos, che gli era stato raccomandato da un buon amico. Camera singola. Partenza il primo agosto, ritorno il 15.

Quando ebbe finito, guardò l'ora. Erano le undici e quaranta. Era il 17 di luglio.

Non valeva quasi la pena di andare alla centrale prima di pranzo, constatò, e cercò di provare una certa rassegnazione. Non gli riuscì molto bene. Invece fece un giro per l'appartamento sventolandosi con l'«Allgemejne» del giorno prima. A grandi linee, era altrettanto inutile. Sospirò. Si tolse la camicia attaccaticcia, prese una birra dal frigorifero e mise un CD di Pergolesi.

La vita? pensò.

Arbitrarietà oppure ordine?

3

«Il caldo rende la gente meno incline al crimine» disse de-Bries.

«Stronzate» ribatté Reinhart. «È esattamente il contrario.»

«Che volete dire?» domandò Rooth, sbadigliando.

«Che non ce la fanno» rispose deBries.

«Certo che ce la fanno» obiettò Reinhart. «Con l'aumentare della temperatura le barriere si allentano, e poi l'essere umano è fondamentalmente una creatura criminale. Leggete *Lo straniero*. Leggete Schopenhauer.»

«Non ce la faccio a leggere» disse Rooth. «Non con questo caldo infernale.»

«Acuisce anche gli istinti» continuò Reinhart, e accese la pipa. «Niente di cui meravigliarsi. Guardate tutte quelle donne che se ne vanno in giro mezze nude per la città, non è poi così strano se ai poveri maschi frustrati viene l'acquolina in bocca.»

«Maschi frustrati?» gli fece eco Rooth. «Che cazzo...?»

«Sì, sì» borbottò deBries. «Quelli cui piace ammazzare le donne dovrebbero ovviamente risvegliarsi con questo tempo, ma noi, finora, non abbiamo avuto nessun caso del genere.»

«Aspetta e vedrai» disse Reinhart. «L'alta pressione non dura che da quattro giorni. Dove cavolo è il commissario, fra parentesi? Credevo che ci saremmo riuniti dopo pranzo. È già quasi l'una e mezzo.»

DeBries alzò le spalle.

«Starà giocando a badminton con Münster.»

«No» disse Rooth, addentando una mela. «Münster è entrato da me un momento fa.»

«Non parlare con la bocca piena» lo rimproverò Reinhart.

«Allora non direbbe quasi più niente» intervenne deBries.

«Chiudi il becco» sibilò Rooth.

«Per l'appunto» disse Reinhart.

La porta si spalancò e Van Veeteren fece il suo ingresso con Münster al seguito.

«Buongiorno, commissario» salutò Reinhart. «Dormito bene?»

«Ho tardato un po' per via del caldo» spiegò Van Veeteren, sprofondando dietro la scrivania. «Allora?»

Seguì un attimo di silenzio.

«Che cosa intende con 'allora', commissario?» domandò Rooth dando un altro morso alla mela.

Van Veeteren sospirò.

«Rapporto!» disse. «Di che cavolo vi state occupando? Reinhart per primo. Il piromane di Vallaste, suppongo?»

Reinhart mise su una ruga dritta come un filo a piombo e succhiò la pipa. Annuì un po' vagamente. Gli incendi dolosi di Vallaste a quel punto avevano già due anni e mezzo sulle spalle e l'inchiesta era stata sospesa un sacco di volte, ma in mancanza di altri crimini gravi lui aveva l'abitudine di ripescare quel caso; lui aveva tenuto i fili ed era il suo onore a perdere qualche punto fin quando il colpevole fosse rimasto a piede libero.

Non erano più in molti nella squadra a pensare in questi termini, il commissario se ne rendeva conto, ma Reinhart sì.

«Ho un paio di piste aperte» riconobbe. «Pensavo che poteva valere la pena darci un'occhiata più da vicino. Se non c'è nient'altro che richieda l'intervento di un cervello un po' più grosso...»

«Mmm» fece Münster.

«Talune parti del corpo si dilatano, col caldo» disse deBries.

«Ma per favore» borbottò Van Veeteren. «Continua pure a ficcare il naso, tu.»

Si abbandonò contro lo schienale e osservò i suoi sottoposti con temprata indulgenza. Non era certo una squadra omogenea, in ogni caso non esteriormente. DeBries era separato da un mese e aveva impiegato quel primo periodo di libertà per ringiovanire il proprio guardaroba: il risultato era qualcosa che più che altro faceva pensare a uno yuppie anni Ottanta ibernato e depravato. Oppure a un artista rock degli anni Sessanta tolto dalla naftalina e ricompensato con quattro soldi, come aveva suggerito Reinhart. La mummia di Woodstock. Per parte sua, Rooth, forse in virtù dell'attuale ondata di calore, si era finalmente deciso a tagliarsi la barba disordinata, e la parte inferiore del suo viso, rosea come il culetto di un bebè, formava un netto contrasto con l'abbronzatura di guance e fronte.

Sembra l'anello mancante, pensò il commissario.

Münster invece sembrava semplicemente Münster, ancorché con ampie chiazze di sudore sotto le ascelle, e Reinhart aveva sempre fatto venire in mente al commissario proprio quello che probabilmente nel suo intimo era: uno scaricatore di porto intellettuale.

Quanto a lui, non era di certo una bellezza. Meno male che abbiamo anche un lato interiore, constatò sbadigliando.

«Quand'è che andate in ferie, tanto per cambiare argomento?» domandò. «Magari è un'alternativa più praticabile del fare rapporto.»

«Il cinque» rispose Reinhart.

«La settimana prossima» disse deBries. «Sarei grato se non venissi coinvolto in nessuna storia.»

«Lo stesso vale per me» disse Münster. «Ma Jung e Heinemann saranno certamente in grado di mandare avanti la baracca in agosto, se dovesse esserci qualcosa. E Rooth e Moreno, ovviamente.»

«*Sure*» confermò Rooth.

«Sai il francese?» domandò deBries. «L'hai imparato per corrispondenza?»

Rooth si grattò la barba fantasma.

«*Fuck off*» ribatté. «Proverbio tedesco. Andiamo avanti con questo pasticcio alberghiero oppure il commissario ha qualcos'altro per noi?»

«Sparite» intimò Van Veeteren. «Ma vedete di beccare Pompers e Lutherson. Lo sanno tutti che sono loro.»

«Grazie per il suggerimento» disse deBries.

Lui e Rooth lasciarono la stanza.

«La gente diventa suscettibile col caldo» notò Münster

quando la porta si fu richiusa. «Niente di cui stupirsi, del resto.»

«Proprio quello che cercavo di spiegare» disse Reinhart. «C'è qualcos'altro, o mi posso ritirare? Potete sempre chiamare, se c'è bisogno.»

«Sparisci» ripeté il commissario, e Reinhart si allontanò flemmatico.

Münster andò alla finestra e lasciò scorrere lo sguardo fuori. A spaziare sopra la città e la calura che tremolava sui tetti.

«Purché non ci capiti addosso un omicidio o qualcosa proprio adesso» disse, poggiando la fronte contro il vetro. «Subito prima delle vacanze e tutto il resto, ricordo ancora com'è stato due anni fa...»

«Zitto» lo interruppe il commissario. «Non svegliare le potenze invidiose. A proposito, io sarò via la prima metà di agosto... irrevocabilmente. Quindi passerò ogni cadavere di queste settimane a te e a Reinhart.»

Forse anche per tutto il futuro, pensò. Si tolse faticosamente le scarpe e cominciò a scartabellare di malavoglia tra i fogli che giacevano a mucchi sulla sua scrivania.

«Grazie tante» disse Münster. «Io comunque sono irreperibile a partire da lunedì.»

Il commissario cambiò stuzzicadenti e intrecciò le mani dietro la nuca.

«Tutto sommato, potrei figurarmi un bel caso da due settimane» mormorò. «Preferibilmente un po' fuori città e da solo.»

«Lo credo» disse Münster.

«Come?»

«Me lo posso immaginare» chiarì l'intendente.

«Cosa vorresti dire?»

«Niente di particolare» disse Münster. «Fuori sul mare, magari?»

Van Veeteren rifletté.

«Non esattamente» rispose. «Che ne so, piuttosto qualche laghetto, credo. Ho già il Mediterraneo in prospettiva... ce l'hai la racchetta sotto mano, intendente?»

Münster sospirò.

«Naturalmente. Ma non fa un po' troppo caldo?»

«Caldo?» sbuffò Van Veeteren. «A Creta hanno una media di quaranta gradi, in questo periodo. Come minimo. Allora, vogliamo andare?»

«Dal momento che il commissario me lo chiede con tanta grazia» sospirò Münster, staccandosi dalla finestra.

«Ti offrirò un birra, dopo» chiarì Van Veeteren magnanimo. Si alzò e fece un paio di tiri per finta nell'aria. «Se vinci, si capisce» aggiunse.

«Credo di potermi arrischiare a ringraziare in anticipo» commentò Münster.

Umore insolitamente allegro, pensò poi, mentre scendevano in garage con l'ascensore. Veramente umano, deve essergli successo qualcosa di assolutamente straordinario, oggi.

Spili, pensava il commissario a sua volta. La fonte della giovinezza... una mezz'ora di macchina da Rétimo, su fra le montagne... Il vento nei suoi capelli e via dicendo.

Perché no?

E poi la libreria antiquaria Krantze.

In senso squisitamente fisico, la mattina del 18 luglio era una mattina perfetta.

Il cielo sgombro di nubi, l'aria limpida e ancora gradevolmente fresca; l'acqua scura del lago era liscia come uno specchio e l'aspirante agente Merwin Kluuge era riuscito a completare il suo percorso di sette chilometri lungo le rive coperte di ontani in un nuovo tempo record: ventisei minuti e cinquantacinque secondi.

Riprese fiato soddisfatto giù vicino al porticciolo turistico, poi alternando stretching e jogging risalì verso la sua villetta a schiera, dove fece la doccia, mise sul fuoco il bollitore e svegliò la sua bionda consorte carezzandola piano e amorevolmente sul ventre, dove da sei mesi portava il suo frutto e le sue speranze.

La villetta a schiera era di data ancor più recente. Solo otto settimane erano trascorse da quando – con il benevolo aiuto dei risparmi dei suoceri – ne avevano preso possesso; ed era ancora con una sensazione di virginale sorpresa che vi si svegliava la mattina. Che metteva giù i piedi sulla moquette color vinaccia della camera da letto. Che girava per le stanze e passava le dita sulla tappezzeria e sui rivestimenti di pino, intorno ai quali il profumo di legno aleggiava ancora come una promessa di possibilità inattese e di successo ben meritato. E quando bagnava le aiuole fiorite o tagliava il piccolo prato dalla parte del bosco, non poteva fare a meno di provare una calda e genuina gratitudine verso la vita stessa.

Senza preavviso, tutto si era di colpo raddrizzato. Infilando un nuovo binario luminoso, dove lui e Deborah erano gli unici vagoni che in realtà significassero qualcosa in un treno di per sé solido e tutto d'un pezzo, indirizzato verso il futuro; tutte le tessere erano andate a posto a partire dalla constatazione della gravidanza di Deborah; o dell'annuncio pubblico della gravidanza, piuttosto. Le nozze erano state celebrate solo due settimane dopo, e quando Merwin Kluuge quella bella mattina d'estate si mise piano a giocherellare con i morbidi ciuffetti di peluria, quasi invisibile a occhio nudo, sul ventre teso della sua donna, mancò poco che si lasciasse sopraffare da un sentimento che era quasi religioso.

« Tè o caffè? » domandò dolcemente.

« Tè » mormorò lei senza aprire gli occhi. « Lo sai che sono tre mesi che non bevo caffè. Perché me lo chiedi ancora? »

Sì, certo, pensò Kluuge e andò in cucina a preparare il vassoio. Poi fecero colazione a letto insieme, mentre guardavano un programma mattutino sul nuovo televisore da ventisette pollici; Kluuge carezzò di nuovo con dita leggere la pelle tesa, alla ricerca di calci e altri segnali evidenti da Merwin junior, e alle sette e quarantacinque in punto lasciò la sua casa e la sua tenera felicità.

Prese dal garage la sua bicicletta a dodici rapporti, fissò le clip ai pantaloni, la ventiquattrore al portapacchi e partì.

Esattamente undici minuti dopo, frenò in Kleinmarckt. La piazza era ancora quasi completamente deserta; tre o quattro bottegai erano occupati ad alzare le serrande e a sistemare frutta e verdura nelle bancarelle davanti al municipio, e intorno alla fontana gorgogliante alcuni grassi piccioni passeggiavano con fiacca indolenza. Kluuge parcheggiò il velocipede nel portabiciclette fuori della stazione di polizia, lo chiuse con doppio lucchetto e si asciugò una goccia di sudore dalla fronte. Quindi entrò attraverso le porte di vetro semitrasparenti, salutò la signorina Miller in segreteria e prese possesso della stanza del commissario.

Si sedette dietro l'ampia scrivania, si tolse le clip dai pantaloni e aprì alla prima pagina il taccuino che stava accanto al telefono.

Ragazza scomparsa??? c'era scritto.

Guardò fuori della finestra, che la signorina Miller aveva lasciato aperta per uno spiraglio, e osservò il sambuco in fiore.

Che si trattasse di un sambuco gliel'aveva detto il commissario, e che fosse in fiore lo poteva vedere chiunque.

In senso squisitamente fisico, era ancora una mattina perfetta, ma per quanto concerneva i compiti di Merwin Kluuge nella sua funzione di commissario supplente, si andavano indubbiamente profilando delle nubi inquietanti.

O almeno una.

A essere precisi, solo una.

«Ferie» aveva detto il commissario Malijsen, picchiettandogli con due dita sulla clavicola. «Lo saprai bene, no, cosa si intende per ferie? Riposo e tranquillità. Privacy e nessuno che ti rompe le scatole. Pinete e aria limpida e nuove acque in cui pescare. Ho preso in affitto quel dannatissimo chalet con i soldi guadagnati col sudore della mia fronte e ho intenzione di rimanerci tre settimane, anche se dovessero invaderci i giapponesi. Hai capito bene, aspirante?»

Che i giapponesi prima o poi avrebbero esposto il mondo a una nuova – e molto meglio inscenata – Pearl Harbor, era stato il credo di Malijsen negli ultimi trent'anni, e non perdeva mai l'occasione di ricordarlo al suo prossimo.

«A mandare avanti la baracca ci penserai tu. È ora che cominci a reggerti sulle tue gambe, se un giorno vorrai essere qualcosa di più di un semplice scribacchino e guardiano di quel Marckx.»

Mettere insieme e spedire le relazioni mensili dal distretto di polizia di Sorbinowo rappresentava effettivamente il grosso delle occupazioni ordinarie di Kluuge; era stato così fin da quando aveva preso servizio circa tre anni prima, e probabilmente così sarebbe stato almeno fino al giorno, lontano ancora un decennio, in cui Malijsen per diritto d'età avrebbe potuto lasciare il suo posto per godersi invece il proprio ozio, seduto comodamente a guardare la TV. O a preparare esche da pesca. O a progettare sistemi di difesa in vista del sempre più inevitabile attacco da parte dei musi gialli con gli occhi a mandorla.

Per come Kluuge vedeva il mondo, il commissario di polizia Malijsen non era del tutto sano di mente; opinione probabilmente condivisa anche da qualche altro cittadino di Sorbinowo, ma assolutamente non da tutti. Malijsen aveva la fama di essere, nonostante una certa misura di originalità, un uomo comunque adatto alla sua posizione, capace di mantenere aperto e ben marcato nel distretto il confine tra giusto e sbagliato, tra mascalzoni e gente perbene. Perfino una figura così losca come Edward Marckx – piromane, sempre dentro e fuori di prigione, tossicomane irascibile e attaccabrighe – aveva una volta, probabilmente in concomitanza con uno dei tanti arresti, espresso il suo amaro apprezzamento per il commissario: «Un bastardo schifoso come ce ne sono pochi, ma con un cuore in petto e il culo al suo posto!»

Forse, in fin dei conti, Kluuge era pronto a sottoscrivere questa descrizione sommaria.

Sulla porta, Malijsen era poi tornato serio per qualche secondo. Aveva messo un freno alla parlantina e alzato un sopracciglio.

«Ce la farai, vero?»

Kluuge aveva prodotto uno sbuffo ben calcolato. Non troppo smaccato. E senza ombra di nervosismo.

«Ovvio.»

Malijsen ad ogni modo aveva messo su un'espressione un po' dubbiosa, e pescato un biglietto da visita dal portafogli.

«Guardati bene dal disturbarmi per niente! Certo, c'è un telefono giù in paese, ma ho bisogno di queste settimane per poter elaborare la faccenda di Lilian.»

Lilian era la moglie di Malijsen che, malata di cancro, si era liberata di tutte le sue sofferenze, dopo diversi anni, lasciando questa vita terrena. Imbottita di medicinali e ridotta all'ombra di un'ombra... Era successo a metà marzo; Kluuge era stato presente alle esequie in compagnia di Deborah, che aveva notato che il commissario aveva sì versato qualche lacrima, ma non oltre misura.

«Se dovesse capitare qualcosa di grosso, puoi sempre chiamare VV invece» spiegò Malijsen. «È un mio vecchio collega, e mi deve un favore.»

Allungò il biglietto a Kluuge che se lo mise in tasca senza

dargli neanche un'occhiata. Un quarto d'ora dopo si sprofondò dietro l'ampia scrivania, si reclinò all'indietro e cominciò a gustarsi quelle tre settimane di incarico tranquillo e prestigioso.

Questo accadeva sei giorni prima. Venerdì della settimana precedente. Oggi era giovedì. La prima telefonata era arrivata martedì.

La seconda, il giorno dopo.

All'inferno, pensò Kluuge, fissando il biglietto con il nome ben noto. Rimase seduto a sgualcirlo fra le dita mentre con il pensiero tornava indietro di due giorni.

«C'è una donna che vuole parlare con lei.»

Lui aveva notato che la signorina Miller evitava di aggiungere «commissario». L'aveva fatto per tutto il tempo; all'inizio la cosa lo aveva un po' irritato, ma adesso non ci faceva più caso.

«Al telefono?»

«Esatto.»

«La prendo.»

Sollevò la cornetta e premette il tasto bianco.

«È la polizia?»

«Sì.»

«È scomparsa una ragazza.»

La voce era così sommessa che lui doveva fare uno sforzo per capire le parole.

«Una ragazza? Con chi sto parlando?»

«Non glielo posso dire. Ma è scomparsa una ragazza da Waldingen.»

«Waldingen? Può parlare un po' più forte?»

«Il campo estivo della Vita Pura a Waldingen.»

«Intende quella setta?»

«Sì. È scomparsa una ragazza dal loro campo delle cresimande a Waldingen. Non posso dire altro. Dovete occuparvi della cosa.»

«Aspetti un attimo. Chi è lei? Da dove telefona?»

«Adesso devo riattaccare.»

«Un momento...»

31

Poi la conversazione era stata interrotta. Kluuge era rimasto venti minuti a riflettere. Quindi aveva chiesto alla signorina Miller di cercare il numero di telefono di Waldingen – a conti fatti, c'era soltanto quella vecchia colonia là fuori – e un po' più tardi aveva chiamato di persona.

Alla serena voce femminile che gli aveva risposto, aveva spiegato di aver avuto notizia che una delle partecipanti al campo estivo era scomparsa. La donna dall'altra parte del filo era sembrata genuinamente sorpresa, e aveva detto che non mancava nessuno a pranzo, due ore prima.

Kluuge aveva ringraziato e appeso.

La seconda telefonata era arrivata il giorno precedente. Una mezz'ora prima della fine della giornata di lavoro. La signorina Miller era già andata a casa e il numero del centralino era stato collegato all'apparecchio del commissario.

«Sì. Parla il commissario Kluuge.»

«Non avete fatto niente.»

La voce si sentiva un po' più forte, questa volta. Ma si trattava senza dubbio della stessa donna. La stessa calma tesa, artefatta. Quaranta o cinquant'anni, verosimilmente, ma Kluuge era consapevole di non essere granché bravo a giudicare l'età.

«Con chi parlo?»

«Ho telefonato ieri per dire che era scomparsa una ragazza. E voi non avete fatto niente. Probabilmente è stata uccisa, se non intervenite, sarò costretta a rivolgermi ai giornali.»

Era a questo punto che Kluuge aveva sentito la prima fitta di panico. Aveva deglutito e preso febbrilmente a riflettere.

«Come fa a sapere che è scomparsa una ragazza? Mi sono informato, effettivamente. Ma non manca nessuno a Waldingen.»

«Ha telefonato per chiedere? È chiaro che loro negano.»

«Abbiamo fatto i nostri controlli.»

Personalmente gli sembrava una risposta ben formulata, ma la donna non si lasciò congedare così facilmente.

«Se non intervenite, ne uccideranno altre.»

Poi si sentì un *clic*. Kluuge rimase seduto un attimo con il telefono in mano, prima di mettere giù e passare a fissare il ritratto di Lilian Malijsen in abito da sposa nella cornice dorata nell'angolo più lontano della scrivania.

Mio Dio, gli passò per la mente. E se stesse dicendo la verità?

Aveva sentito parecchie cose sulla Vita Pura. E ne aveva lette. Da quanto aveva capito, facevano un po' di tutto.

Cadevano in estasi recitando litanie senza senso.

Praticavano esorcismi.

Riti erotici.

Anche se forse erano solo voci malevole. Lingue malvagie e comuni invidiosi. Idiozie! pensò Kluuge e passò a osservare di nuovo il sambuco, ma da qualche parte del suo animo – forse nel «torsolo stesso della sua sensibilità», per prendere in prestito una delle ultime espressioni di Deborah – si rendeva conto che comunque era una faccenda seria.

Seria. C'era qualcosa, nella voce di quella donna. C'era anche qualcosa nella situazione stessa: la sua esistenza spudoratamente ben ordinata; Deborah, la villetta a schiera, la supplenza come commissario, le mattine perfette... in realtà, era solo giusto se saltava fuori una storia di questo genere.

Perché dev'esserci un equilibrio, diceva sempre suo padre. Fra più e meno. Fra successi e sconfitte. Altrimenti non si vive.

Si infilò un lapis in bocca. Cominciò distrattamente a mordicchiarlo mentre cercava di immaginarsi le reazioni di Malijsen, se fosse stata trovata una ragazza assassinata nel suo distretto, dopo che la polizia era stata avvertita ma aveva ignorato la cosa. Poi cercò di immaginarsi le conseguenze dell'aver disturbato senza ragione la sua pace celestiale sopra le sacre acque pescose. In nessuno dei due casi furono visioni particolarmente allegre, quelle che si disegnarono davanti all'occhio della mente di Merwin Kluuge. E nemmeno particolarmente utili, nella prospettiva di eventuali, future possibilità di carriera.

La Vita Pura? pensò. Una ragazza scomparsa?

Non mi stupirebbe.

Neanche un po'.

Con decisione, afferrò il telefono e compose il numero della centrale di polizia di Maardam.

5

«Una bomba a mano?» chiese il capo della polizia.

«Senza il minimo dubbio» rispose Reinhart. «Una sette e quarantacinque. L'ha buttata dentro attraverso una finestra aperta, è rotolata sul pavimento ed è esplosa sotto il palcoscenico. Un colpo di fortuna, solo otto feriti e se la caveranno tutti. Se fosse esplosa sulla pista da ballo, avremmo avuto una dozzina di cadaveri...»

«Come minimo» disse deBries, aggiustandosi la sciarpa di seta color vinaccia che era andata un po' fuori posto.

«Bisogno di aiuto con la sciarpetta?» domandò Rooth.

«Altro?» si affrettò a tamponare Münster.

«Ha crivellato delle macchine con un'automatica» riprese Reinhart. «Un tipo simpatico, affatto privo di inibizioni.»

«Dio mio» mormorò Ewa Moreno. «Ed è ancora a piede libero?»

«Si starà caricando per la serata» suggerì Rooth. «Dovremmo metterlo dentro.»

«Militare di professione?» domandò Jung.

«Molto probabile» disse Reinhart.

«Scusatemi» esordì Heinemann, che era arrivato in ritardo. «Potremmo riprendere un attimo dall'inizio? Ho sentito solo quello che hanno detto alla radio.»

Il capo della polizia, Hiller, si schiarì la voce e si passò un fazzoletto di carta sulle tempie.

«Sì, forse sarebbe il caso» disse. «Reinhart, credo che potresti fare tu tutto il resoconto, visto che sei stato sul posto. Poi naturalmente bisognerà distribuire i compiti...»

Reinhart annuì.

«Discoteca Kirwan» attaccò. «Giù a Zwille, all'altezza di

Grote Torg. Piena di gente. Subito dopo le due e mezzo di stamattina – il locale chiude alle tre – uno sconosciuto ha gettato una bomba a mano dentro una finestra aperta. L'esplosione si è sentita in tutto il centro, ma, come ho già detto, i danni sono stati limitati perché l'ordigno è esploso sotto il palcoscenico. Che naturalmente è andato distrutto. Il complesso che aveva suonato là sopra fino a dieci minuti prima, invece, è ancora intero... anche se sono un po' scossi, si capisce. »

La porta si aprì e Van Veeteren fece il suo ingresso.

«Continua» disse, lasciandosi cadere su una sedia. Il capo della polizia guardò l'orologio. Reinhart alzò un sopracciglio prima di riprendere a parlare.

«Otto feriti in maniera abbastanza seria, ma nessuno in pericolo di vita. Una ventina di loro, con ferite di poco conto, è stata ricoverata al Rumford e al Gemejnte, ma la maggior parte probabilmente potrà fare ritorno a casa già in giornata. Ci sono un paio di testimoni che hanno visto un uomo allontanarsi di corsa dal luogo dell'esplosione...»

«Non molto su cui basarsi» constatò Jung. «Era buio, e l'hanno visto solo da lontano. Sono sicuri che si trattava di un uomo, in ogni caso. »

«Le donne non si comportano a quel modo» disse Rooth. «Non quelle che conosco io, almeno. »

«Tipico comportamento maschile» confermò Moreno. «Sono d'accordo. »

Il capo della polizia Hiller picchiettò irritato sul tavolo con la Ballograf.

«E poi?» chiese Münster. «Le macchine?»

Reinhart sospirò.

«Circa mezz'ora dopo c'è stato qualcuno – speriamo lo stesso, altrimenti abbiamo a che fare con due idioti – che ha sparato su alcune automobili in sosta nel parcheggio fuori della chiesa di Keymer. Presumibilmente da una postazione all'interno del parco Weiver. Anche stavolta si è sentito in tutta la città... la musica è durata per non più di quindici, venti secondi, e nessuno ha visto un accidente. Arma automatica. Due, tre raffiche. Circa trenta colpi, calcolo approssimativo. »

«Klempje, Stauff e Joensuu sono là che strisciano fra le

macchine» spiegò Jung. «E Krause si sta occupando dei proprietari.»

«Bel lavoro» commentò deBries.

«Indubbiamente» confermò Reinhart. «Penso che Krause abbia bisogno di un po' di assistenza. Sono in dodici, fra cui due famiglie tedesche di passaggio.»

«Mercedes bianche» spiegò Jung.

Van Veeteren si alzò.

«Scusate» disse. «Ho dimenticato gli stuzzicadenti giù da me. Torno fra un attimo.»

Sparì lungo il corridoio e nella stanza scese il silenzio.

«Bene» fece Hiller dopo un momento. «Una vera seccatura, questa storia. E in pieno periodo di ferie.»

Gli altri rimasero impassibili. Jung trattenne il respiro.

«Bene» ripeté Hiller. «Ovviamente dobbiamo mettere un bel po' di gente a occuparsi di questa cosa. Tutte le risorse disponibili; è ovvio che si tratta di un pazzo che potrebbe mettersi in testa di colpire di nuovo. In qualsiasi momento. Allora? Chi abbiamo a disposizione?»

Reinhart chiuse gli occhi e Münster si guardò le unghie. De-Bries andò alla toilette.

«Merda» sibilò Rooth.

«D'accordo» disse Reinhart venti minuti dopo, girando con aria tetra il cucchiaino nella tazza del caffè. «Me ne occuperò io. Posso prendermi Jung e Rooth. E Münster, almeno all'inizio.»

«Bene» disse Van Veeteren. «Vedrai che te la caverai.»

Reinhart sbuffò.

«Che cosa aveva in serbo il 'giardiniere' per te, allora? Ho sentito qualcosa.»

Van Veeteren alzò le spalle. «Non so.»

«Non sai?»

«No. Pensavo di pranzare prima di affrontarlo.»

«Pranzare?» chiese Reinhart. «E che cosa sarebbe?»

Van Veeteren esaminò uno stuzzicadenti tutto masticato e lo lasciò cadere nel bicchiere di plastica vuoto.

«Conosci il maggiore Greubner?»

Reinhart rifletté.

«No. Dovrei?»

«Ogni tanto ci gioco a scacchi. Un uomo pieno di buon senso. Forse non sarebbe una cattiva idea chiedergli di pensarci un po' su...»

«Riguardo al pazzoide?»

Van Veeteren annuì.

«Qui in città in fondo c'è un solo reggimento. E credo che non abbiano ancora cominciato a vendere le bombe a mano nei negozi di alimentari.»

Reinhart tenne un attimo lo sguardo fisso sui suoi fondi di caffè.

«Sono male informato forse?» continuò Van Veeteren.

«Non si sa mai» disse Reinhart. «Ce l'hai il numero?»

Van Veeteren lo cercò e lo trascrisse su un foglio.

«Grazie» disse Reinhart. «Bene, il dovere mi chiama. Posso augurare al signor commissario un gradevole pranzo?»

«Ma prego!» esclamò il commissario.

«Entra» disse Hiller.

«Sono già entrato» ribatté Van Veeteren e si sedette.

«Prego, accomodati. Siete d'accordo che sia Reinhart a occuparsi di questo squilibrato?»

«Certamente.»

«Mmm. Tu vai in ferie l'ultimo del mese?»

Van Veeteren annuì. Hiller si fece vento con un promemoria del ministero degli Interni.

«E dopo? Non farai mica sul serio?»

Van Veeteren non rispose.

«Hai già avuto i tuoi dubbi altre volte, lo sappiamo tutti. Che cos'è che dovrebbe spingerti a decidere, stavolta?»

«Vedremo» rispose Van Veeteren. «Avrai una conferma definitiva in agosto, ma l'intenzione è quella... pensavo solo che fosse giusto informarti. Si sa che a te piace essere sempre informato.»

«Mmm» fece il capo della polizia.

«Cos'è che volevi?» chiese Van Veeteren.

«Ah, sì, c'era una cosa.»

«Reinhart me l'ha accennato.»

«Ha telefonato un commissario da Sorbinowo.»

«Sorbinowo?»

«Sì.»

«Malijsen?»

«No, doveva essere un sostituto estivo...»

Hiller tirò fuori un foglio da una cartelletta.

«... un certo Kluuge. Sembrava un po' inesperto e, a quanto pare, gli è capitata fra capo e collo una scomparsa.»

«Una scomparsa?»

«Sì.»

«Avrà pure la possibilità di trovare aiuto un po' più vicino?»

Hiller si piegò sopra la scrivania e cercò di corrugare la fronte.

«Certo. Ma questo Kluuge ha palesemente ricevuto l'ordine di rivolgersi a noi, se succedeva qualcosa... dal commissario titolare. Prima che andasse in vacanza. Wilfred Malijsen... è qualcuno che conosci, eh?»

Van Veeteren esitò.

«Vagamente, sì.»

«Lo sospettavo» disse Hiller, e si riportò nella posizione di prima. «Perché è proprio te che vorrebbe mandassimo laggiù. Francamente parlando... Insomma ho la sensazione che qui ci sia sotto qualcosa, ma se sei riuscito a convincere Reinhart, tanto vale che tu ci vada.»

Van Veeteren non replicò. Spezzò uno stuzzicadenti e guardò in cagnesco il suo superiore.

«Solo per esaminare il caso, naturalmente» aggiunse Hiller. «Un giorno o due, al massimo.»

«Una scomparsa?» borbottò il commissario.

«Sì» rispose Hiller. «Una ragazzina, da quanto ho capito. Be', che cosa pretendi adesso? Un posto più idilliaco di Sorbinowo è difficile da trovare, in questa stagione...»

«Che cosa intendevi dicendo che dev'esserci sotto qualcosa?»

Per un attimo il capo della polizia parve arrossire.

Anche se forse è solo la sua emorragia cerebrale quotidiana, pensò Van Veeteren, e si rese conto che era un'espressione che aveva preso in prestito da Reinhart. Si alzò.

«*All right*» disse. «Allora vado laggiù a dare un'occhiata.»

Hiller gli porse il foglio con tutti i dati. Van Veeteren lo guardò per due secondi e se lo cacciò in tasca.

«Quell'ortensia ha l'aria scontenta» constatò poi.

Il capo della polizia sospirò.

«Non è un'ortensia» spiegò. «È un'aspidistra... no, dovrebbe sopportare bene il caldo, ma è evidente che non è così.»

«Probabilmente è qualcos'altro che non sopporta» disse Van Veeteren, voltandogli la schiena.

6

Fra i dati c'era anche il numero di telefono privato dell'aspirante Kluuge, e il commissario aspettò a chiamarlo fino a quando non fu a casa. Rispose una giovane donna, che gli comunicò diligentemente che il commissario supplente al momento era sotto la doccia, ma che poteva senz'altro richiamare un po' più tardi. Van Veeteren spiegò chi era e propose che fosse il commissario supplente a farsi vivo piuttosto, se davvero aveva in mente qualcosa.

Kluuge telefonò tre minuti dopo, e la conversazione fu breve. Da sempre, Van Veeteren aveva poca simpatia per i telefoni, e quando si fu reso conto che la storia poteva contenere almeno un granello di verità, si accordò per un incontro il giorno seguente.

Se non altro, poteva valere la pena di controllare quella storia della bellezza idilliaca, pensò il commissario rianimato.

«Prendo la macchina» spiegò. «Arriverò verso mezzogiorno. Potrai darmi tutte le informazioni a pranzo.»

«Volentieri» disse Kluuge. «Grazie di essersi reso disponibile, commissario.»

«Di nulla» ribatté Van Veeteren, e appese.

Poi rimase seduto un momento, esitante. Alla fine decise che sarebbe rimasto a casa; tirò fuori pane, birra, salsiccia, formaggio e olive e andò a piazzarsi sotto il tendone, fuori sul balcone. Dopo il primo sorso si alzò e tornò all'interno dell'appartamento. Esitò di nuovo prima di pescare Erik Satie in mezzo ai CD. Mise su le *Gymnopédies* e tornò fuori nella sera d'estate.

Wilfred Malijsen, pensò. Quello stupido babbeo.

E mentre era lì seduto e sentiva un profumo di tigli in fiore insinuarsi attraverso la ringhiera del balcone, e mentre il sole calava sopra il tetto di tegole della fabbrica di birra Kroelsch, ritornò con la mente all'unica precedente occasione in cui aveva incontrato quel suo lontano collega.

Erano passati già quasi vent'anni, si rese conto, e forse poteva valere la pena di ripescarla dal pozzo torbido dell'oblio.

1978, credeva di ricordare. O forse '79.

Convegno di una settimana per funzionari di polizia e detective in carriera. Stagione: tardo autunno, ottobre o novembre. Luogo: un albergo turistico a una o due stelle, fuori sul mare, a Lejnice. Scopo: perso nelle tenebre del passato.

L'episodio, ciò che aveva reso quella settimana più memorabile di altre lugubri riunioni di quel tipo, era successo, se ben ricordava, il mercoledì, dopo tre o quattro giorni di conferenze con psicologi con tanto di barba e sandali, e svogliati lavori di gruppo e serate in bar e bettole, sempre più lungamente protratte. Un giovane desperado, che era sceso allo stesso albergo del contingente di poliziotti, si era trincerato nella sua stanza insieme con una giovane donna che era stata costretta a seguirlo sotto la minaccia di un'arma.

Quest'arma – fu chiaro abbastanza presto – era un kalashnikov, e la richiesta del giovanotto era che la polizia portasse lì la sua ex fidanzata insieme a un milione di gulden, altrimenti avrebbe fatto polpette del suo biondo ostaggio (che per di più era incinta al terzo mese) e di chiunque fosse stato tanto temerario da rimanere nelle vicinanze.

I limiti di tempo imposti non lasciavano molto spazio a calcoli strategici da parte della polizia: due ore, non un secondo di più.

Siccome le condizioni erano di fatto impossibili da soddisfare – fra l'altro, l'antica fidanzata si trovava in viaggio da qualche parte in Italia, e probabilmente non era molto interessata a collaborare – la direzione della polizia locale decise, di concerto con un gruppo dei partecipanti più autorevoli alla conferenza, di compiere una sorta di blitz. Un piano fu approntato in tutta fretta tra pareri contrastanti, Van Veeteren fu giudicato adatto ad assumere uno dei ruoli principali e, dopo una serie di mosse più o meno riuscite, si ritrovò d'improvviso nella stessa stanza con il desperado e l'ostaggio. L'idea era che a quel punto avrebbe dovuto sospingere il giovane verso la finestra e protrarre le trattative per almeno dieci secondi; abbastanza perché qualcuno dei tiratori scelti appostati sul tetto di fronte lo inquadrasse nel mirino e lo liquidasse con due o tre colpi ben piazzati nella testa e nel petto.

Il desperado ovviamente, non Van Veeteren.

Il giovanotto tuttavia dimostrò di non essere molto d'accordo con questa sceneggiatura. Invece di andare a piazzarsi accanto alla finestra, spinse lui, Van Veeteren, nell'angolo della stanza e gli intimò di chiudere gli occhi e indirizzare un'ultima preghiera al proprio creatore, se riteneva di averne uno.

Nella fretta, Van Veeteren non riuscì a farsi venire in mente nessuna divinità confacente; in mancanza d'altro, cominciò a contare fino a dieci, e fu quando era arrivato a sette che dal balcone venne un gran fracasso e Malijsen fece la sua entrata, secondo un piano che nessun altro aveva collaborato a tracciare e di cui nessun altro era al corrente. Van Veeteren aprì gli occhi giusto in tempo per sentire Malijsen far fuoco e vedere la testa del giovanotto trasformarsi in qualcosa del quale era difficile dare una definizione e sul quale, tantomeno, si poteva mettere un cappello, ma che ancora molti anni dopo era capace di svegliarlo nel bel mezzo della notte, se gli capitava di sognarla.

«Ti è andata bene che stessi giusto passando da queste parti» fu il primo commento di Malijsen.

Avevano trascorso gran parte delle successive serate insieme, e l'impressione costante che Van Veeteren aveva del suo salvatore era che si trattasse di un babbeo piuttosto ottuso, equipaggiato di una serie di idee e principi – intesi più o meno seriamente – un po' su tutto quanto. Purtroppo. Un boy scout di mezz'età, come l'avrebbe probabilmente definito Reinhart: spavaldo, tonto e con la fissazione della guerra. Van Veeteren si era cordialmente stancato della sua compagnia già dopo mezz'ora, ma se in effetti doveva ringraziare quell'ispettore di polizia falso magro per la sua vita, allora doveva ovviamente rassegnarsi a offrirgli una o due birre.

Durante le rimanenti giornate della conferenza, si erano fatte un bel po' di discussioni su competenza e libero campo all'iniziativa individuale nel lavoro di polizia qualificato, e solo un paio di mesi dopo l'incidente di Lejnice, Van Veeteren aveva letto sul giornale di categoria che Wilfred Malijsen aveva appena assunto l'incarico di commissario a Sorbinowo.

Non era da escludere che ci fosse un collegamento.

Malijsen, pensò Van Veeteren, e prese due olive. Tempo di pagare un vecchio debito?

Quindi rivolse i pensieri in un'altra direzione. Prima a Creta e poi a una variante di difesa scandinava di cui aveva letto e che forse poteva valere la pena di arrischiarsi a provare.

I locali del circolo nel Vicolo dello Squartatore erano semideserti e spopolati per via delle ferie estive, e l'aria sotto le volte tonde si rivelò piacevolmente fresca quando il commissario superò la porta d'ingresso. Mahler era seduto come il suo solito sotto l'incisione di Dürer; ma, contrariamente al solito, aveva un'aria cupa e Van Veeteren si ricordò che doveva essere appena rientrato da Chadòw e dal funerale di una zia.

«Senti la sua mancanza?» gli domandò sorpreso. «Mi sembrava che dicessi che era come un callo sull'anima.»

«Dispute ereditarie» spiegò Mahler. «Una faccenda deprimente. Se è con quei bastardi che sono imparentato, probabilmente non c'è molta speranza neanche per me.»

«Mai avuto molte speranze su di te» disse il commissario, sedendosi. «Ma io offro il primo giro se tu sistemi i pezzi. Ho intenzione di ucciderti con una nuova apertura, stasera.»

Mahler si illuminò un attimo.

«Uccide bene chi uccide ultimo» sentenziò, sistemando la scacchiera.

La prima partita andò avanti per un'ora e mezzo, e si accordarono per un pareggio solo dopo quasi ottanta mosse.

«Quell'alfiere all'inizio era forte» commentò Mahler tirandosi la barba. «Stava quasi per sorprendermi.»

«Hai avuto fortuna» disse il commissario. «Mi considero il vincitore morale... A proposito di morale, fra parentesi, che cosa ne sai della Vita Pura?»

«Vita Pura?» Mahler assunse per qualche secondo un'aria interrogativa. «Non ti starai riferendo a quella dannata setta?»

«Sì, temo proprio di sì» rispose Van Veeteren.

Mahler rifletté.

«Perché me lo chiedi? Ragioni di lavoro, voglio sperare. Oppure hai intenzione di aggregarti?»

Van Veeteren non rispose.

«Orrendi» disse Mahler dopo una nuova pausa di riflessione. «Sì, non perché io ne sappia granché, ma non sceglierei i miei amici nelle loro file. Un capo astuto, che attira a sé individui labili e spaventati... li robotizza e probabilmente ci fa un sacco di porcherie. Anche se all'esterno sono discreti e riguardosi e con lo sguardo dolce come angioletti, si capisce. Soprattutto dopo quello che è successo.»

«Mmm» fece Van Veeteren. «Mi hai rubato le parole.»

«Di che si tratta?»

Il commissario alzò le spalle.

«Ancora non lo so. Forse è solo un falso allarme. Vado via per un paio di giorni. A Sorbinowo.»

«Ah» disse Mahler. «Dovrebbe essere piuttosto piacevole in questa stagione. Con i laghi e tutto il resto.»

«Ci vado per lavoro» fece osservare Van Veeteren.

«Credo bene» replicò Mahler sorridendo. «Ma se dovessi avere una mezz'oretta libera... Ricordo un bravo giornalista di quelle parti.»

«Davvero?»

«Ha commentato le mie prime raccolte. Un tipo assennato e positivo. Sembra che abbia un'idea di che cosa sia questa stramaledetta vita. Credo sia ancora caporedattore.»

Van Veeteren annuì.

«Come si chiama? Sai, nel caso avessi bisogno di una testa pensante.»

«Przebuda. Andrej Przebuda. Ormai sarà sulla settantina, ma di sicuro manterrà la sua posizione sulle barricate della cultura fino a che non spargeranno le sue ceneri al vento.»

Van Veeteren prese nota del nome e vuotò il bicchiere.

«Bene» disse. «Forse può anche essere piacevole staccare un attimo.»

«Certamente» confermò Mahler. «Basta evitare i funerali.»

«Cercherò di tenermene lontano» promise Van Veeteren. «Abbiamo tempo per un'altra partita?»

Mahler guardò l'ora.

«Credo di sì» rispose. «Fra poco non dovresti andare in ferie? Oppure hanno abolito questo genere di privilegi?»

«Il primo d'agosto» spiegò il commissario, voltando la scacchiera. «Vado a Creta, e con parecchie aspettative.»

«Non ci posso credere» esclamò Mahler. «E che genere di aspettative?»

Ma il commissario continuò solo a guardare la sua regina nera con espressione indecifrabile.

«Anche se ho dei brutti presentimenti» riconobbe dopo un momento.

«Su Creta?»

«No, su Sorbinowo. Sembra si tratti di una ragazzina scomparsa, e non mi piace questo genere di storie.»

Mahler vuotò il suo bicchiere.

«No» disse. «I ragazzini non devono sparire. E soprattutto non devono morire. Finché Nostro Signore non sistemerà questo dettaglio, mi rifiuto di credere in lui.»

«E io lo stesso» disse Van Veeteren. «Prego, tocca a te.»

III

19–23 luglio

7

Il concerto per violoncello di Elgar terminò cento metri prima del cartello con il nome della città. Spense il lettore CD e si infilò in un'area di sosta con un tabellone di informazione turistica e una bella vista sul paesaggio sottostante. Frugò nel vano portaoggetti e tirò fuori il pacchetto di West mezzo pieno a cui aveva continuato a pensare nell'ultima mezz'ora. Accese una sigaretta e scese dalla macchina.

Raddrizzò la schiena e fece qualche cauta torsione del busto mentre lasciava scorrere lo sguardo sul panorama. Il sistema lacustre – praticamente, il fiume Meusel che si allargava tre o quattro volte formando dei laghi scuri, lunghi e stretti – si sviluppava in direzione sud-est attraverso una vallata piatta estesamente coltivata. Dal suo punto di osservazione la città di Sorbinowo si stendeva fra i laghi numero due e tre e intorno a essi; riuscì a contare una mezza dozzina di ponti sopra il corso d'acqua, prima che questo scomparisse dalla sua vista in mezzo a colline coperte di boschi ottocento metri più in là. Barche a vela, canoe e natanti di ogni genere ballonzolavano sull'acqua nella brezza indolente; proprio sotto di lui, alcuni pescatori erano intenti a pescare da un vecchio ponte di pietra, e circa un chilometro più a ovest, all'altezza di uno stabilimento balneare, orde di bambini sguazzavano allegri e vocianti.

Un posto idilliaco, certamente, su questo Hiller e Mahler avevano ragione. Acque scure, scintillanti. Campi di grano maturo. Gruppi sparsi di latifoglie e abitazioni disseminate in un paesaggio gradevolmente aperto. Il tutto cinto dalla quieta foresta di conifere. Le armate del silenzio.

E una calura estiva tremolante, che faceva sembrare invitanti le acque lievemente increspate perfino a un bagnante dubbioso come il commissario Van Veeteren.

Sì, un idillio, pensò tirando una profonda boccata di fumo. Da lontano e prima di aver grattato la superficie, la maggior parte delle cose poteva sembrare bella e sistemata al meglio, era una vecchia verità sempre certa.

E mentre stava lì ad ascoltare i consueti segnali dell'osso sacro dopo un lungo viaggio in automobile, si risvegliò dentro di lui un groviglio di pensieri più volte rimuginato: quello sulla distanza e la vecchiaia. Perché quando un giorno (agosto? la libreria antiquaria Krantze?), con il diritto incontrovertibile dell'età, si sarebbe ritirato a vita privata... Quando una volta per tutte avrebbe smesso con il suo sconsolato scavare nei depositi d'immondizie dell'esistenza, ecco, era proprio la distanza – la posizione elevata del distacco – che aveva intenzione di raggiungere e fare propria. La prospettiva dell'osservatore. Di accontentarsi finalmente della superficie, scintillante o no, e interpretare tutti i segni in senso positivo. O non interpretarli affatto, piuttosto. Lasciare che il disegno sia solo un disegno. E lasciare in pace il mondo e se stesso.

Starsene solo seduto lì a guardare. Con una birra e una scacchiera allo Yorrick o al Winderblatt. La ricompensa della virtù dopo una vita intera sul lato oscuro dell'esistenza?

Sa il diavolo, pensò, schiacciando il mozzicone. Ci sono così tanti ma. Tutti questi stramaledetti ma.

Tempo di alzare il coperchio della sonnacchiosa Sorbinowo, in ogni caso.

Ragazzina scomparsa?

La Vita Pura?

Pure corbellerie, ecco cosa! pensò, e bevve l'ultimo sorso tiepido dell'acqua minerale che era stata troppo a lungo a sciabordare sul sedile del passeggero. Le fantasie paranoiche di un supplente estivo e nient'altro... ma se adesso riusciva a trascinare la cosa per un paio di giorni e al tempo stesso liberarsi del debito verso quel babbeo di Malijsen, allora non aveva certo tanti motivi di lamentarsi.

C'erano tempi peggiori del tempo sprecato... Forse era proprio questa la ricchezza della prospettiva dell'osservatore? Fra le altre, almeno.

Così pensava il commissario nella sua tranquilla riflessione, mentre si asciugava il sudore dalla fronte. Poi si infilò di nuovo in macchina e cominciò ad avviarsi piano verso l'abitato.

Occorsero solo cinque minuti per raggiungere a piedi il ristorante Florian dalla stazione di polizia di Kleinmarckt, e Van Veeteren capì immediatamente che non era una delle mete ordinarie delle pause pranzo dell'aspirante Kluuge. Tovaglie bianche, camerieri discreti in divisa da pinguini e un'aria condizionata che sembrava funzionare anche fuori sulla terrazza, dove Kluuge aveva fatto riservare un tavolo.

E totalmente deserto, tra l'altro.

«Accipicchia» esclamò il commissario gentilmente, accomodandosi.

«Sì, ovvio che offriamo noi» spiegò Kluuge un po' imbarazzato e senza nessuna necessità. «Ordini pure quello che vuole!»

Van Veeteren lasciò scorrere lo sguardo sull'acqua, che si stendeva imperscrutabile e sempre scintillante una ventina di metri sotto di loro, e pensò ancora una volta a quella faccenda delle superfici. Quindi passò a studiare il menu che uno dei pinguini aveva silenziosamente portato.

«Forse potremmo parlare un po' di... di queste telefonate» azzardò Kluuge dopo qualche boccone di involtino di salmone. «È proprio per questo che è qui, no, commissario?»

«Mmm» annuì Van Veeteren. «Attacca pure. Io riesco a mangiare e ascoltare contemporaneamente, è un talento che ho sviluppato con gli anni.»

Kluuge rise cortesemente e poggiò le posate.

«Ecco, ci sono state solo queste due conversazioni, ma ho avuto la sensazione... la sensazione...»

Con un cenno del capo, Van Veeteren lo sollecitò a continuare.

«...che poteva trattarsi di qualcosa di serio. C'era qualcosa, nella voce di quella donna; non mi sembrava la voce di una pazza, o qualcosa del genere.»

E tu avresti questa grande esperienza, di pazzi? pensò Van Veeteren, ma non disse nulla.

«Va da sé che ho telefonato a quel posto per controllare, ma parevano genuinamente perplessi. Poi ho cercato di informarmi un po' su che cosa facciano realmente, ma non sono riuscito a ottenere granché. Waldingen è di proprietà di una vecchia fondazione che l'affitta a gruppi di una certa consistenza, soprattutto durante il periodo estivo, si capisce. Quelli della Vita Pura sono già stati lì l'anno scorso, e quest'anno hanno prenotato praticamente per tutta la stagione. Da metà giugno ai primi di settembre, se ho capito bene...»

«Mmm» annuì Van Veeteren, bevendo un sorso di birra.

«Sono andato a fare un giro di ricognizione, ieri pomeriggio. Trenta chilometri da qui, grossomodo. Ci sono solo passato davanti, senza fermarmi. È un posto molto tranquillo, in effetti, solo foresta e lago, e di sicuro almeno un chilometro dal vicino più prossimo... be', sicuramente un posto ideale se si vuole stare in pace, suppongo. Credo di ricordare che ci facessero delle gite, ai tempi in cui andavo a scuola, ma personalmente non ci sono mai stato.»

«Quella donna» disse Van Veeteren. «Quella che ha telefonato. Chi pensi che fosse?»

Kluuge assunse un'aria perplessa.

«Non ne ho idea.»

«Fa' un'ipotesi.»

Kluuge alzò le spalle.

«Se in effetti dice la verità» continuò il commissario asciugandosi gli angoli della bocca con un tovagliolo, «dobbiamo naturalmente partire dal presupposto che abbia saputo in qualche modo della cosa. O no?»

Kluuge annuì pensieroso.

«Sì, suppongo di sì... E voi non avete uno di quegli apparecchi dove si può vedere il numero di chi ha chiamato?»

Kluuge scosse la testa e assunse di nuovo un'aria imbarazzata.

«Ne avremo uno dopo l'estate. Malijsen l'ha ordinato, ma evidentemente c'è stato un ritardo con la consegna.»

Van Veeteren cambiò binario.

«Sai in quanti sono, laggiù?»

«Di preciso no. È comunque un gruppo che ha a che fare con la cresima. Solo ragazze, credo... sì, e poi naturalmente hanno qualche sorvegliante, più quel famoso prete.»

«Prete?»

«Oscar Jellinek. È lui che ha messo in piedi la setta, se non ho capito male. Ho fatto qualche indagine, ieri. Iniziarono dieci o dodici anni fa, e sono attivi soprattutto a Stamberg, anzi, quasi solo laggiù, a quanto pare. Non più di novecento adepti, in totale, e l'unica chiesa, o come la si voglia chiamare, è lì a Stamberg. Ce n'è stata una anche a Kaalbringen per un breve periodo, ma l'hanno chiusa. Si è anche scritto parecchio su di loro, ci fu uno scandalo qualche anno fa. Jellinek rimase al fresco un paio di mesi, ma ultimamente non se n'è quasi più sentito parlare...»

Van Veeteren mandò giù l'ultimo boccone di salmone con un mezzo bicchiere di birra. Kaalbringen... rammentò. Il commissario Bausen? L'assassino della scure...

Ricacciò il ricordo. Fissò lo sguardo sul lago e sui gruppetti di bambini che facevano baccano sulla riva. Colonie, pensò invece. Tutta la regione è invasa di colonie... Per un attimo, un paio di altri ricordi cupi cominciarono ad agitarsi nella sua mente, ricordi che risalivano alla sua infanzia, ma riuscì a soffocare anche quelli.

«Però non sei entrato a dare un'occhiata?» domandò. «Già che ci passavi davanti?»

«No» rispose Kluuge, «non l'ho fatto.»

«E perché?»

«Ho pensato che prima fosse meglio aspettare lei, commissario. In fondo avevo già telefonato per chiedere, e loro mi avevano detto che non mancava nessuno.»

Magnifico, pensò Van Veeteren. Ardimento di prim'ordine.

«Capisco» disse. «Forse sarebbe meglio se andassimo a controllare. La tana del lupo e via dicendo.»

Kluuge annuì pieno d'entusiasmo. Si raddrizzò e assunse l'aria di volersi mettere in marcia all'istante.

«Frena, frena» disse il commissario. «Ogni cosa a suo tempo. Prima vediamo se in questo posto è possibile avere anche un dessert decente.»

«Hai parecchio da fare, in generale?» domandò il commissario dopo che ebbero fatto ritorno all'ufficio color albicocca del commissario. (Albicocca? pensò Van Veeteren. Ci scommetto la testa che l'ha pitturato di persona!)

«Non proprio» rispose Kluuge. «Qualche rapporto ovviamente, e roba del genere.»

Van Veeteren lasciò cadere uno stuzzicadenti dietro il termosifone.

«Suggerisco di raccogliere un po' più di informazioni su questa setta. Telefona alla polizia di Stamberg e chiedi a loro, è la cosa più semplice. Di Waldingen mi occuperò io, se non ti spiace. Hai il numero? Così posso fare uno squillo prima di andarci...»

Kluuge lo trascrisse.

«Penso di fermarmi qui anche a dormire... così possiamo andare a fondo con questa faccenda. Che cosa puoi consigliarmi?»

Kluuge esitò.

«Lo Stadshotell o il Grimm» disse. «Il primo probabilmente è migliore, ma il Grimm è proprio in riva al lago. Più o meno cento metri dal Florian, dove abbiamo mangiato. Forse non così d'alta classe, però...»

«Il Grimm andrà benissimo» decise il commissario, alzandosi. «Puoi telefonarmi se c'è qualcosa, altrimenti ci vediamo qui domani mattina.»

Kluuge si alzò e gli strinse la mano.

«Grazie» disse. «Sono molto grato che abbia accettato di occuparsene, commissario.»

«Di nulla» ribatté Van Veeteren, e lasciò l'aspirante Kluuge al suo destino.

La stanza era un'infelice mistura di vecchio e di nuovo, ma c'era una vasca da bagno spaziosa e un balcone con una bella vista sul lago e sull'abitato che si arrampicava verso il margine della foresta sulla riva opposta. Van Veeteren ne prese possesso, sistemò il suo borsone nell'armadio di quercia sbilenco e compose il numero di Waldingen.

Dopo dieci squilli non aveva ancora risposto nessuno e lui mise giù. Invece, passò a studiare la cartina che gli aveva dato Kluuge. Waldingen non era quasi nemmeno un villaggio, aveva spiegato l'aspirante agente, in pratica solo il nome di quella vecchia colonia per bambini, costruita negli anni Venti, ma era comunque segnato sulla carta. Un quadratino nero lungo una strada che si diramava da una più grande intorno a due piccoli laghi, per poi tornare a congiungersi con la strada principale.

Trenta o quaranta chilometri in mezzo ai boschi. Ecco. Ripiegò la cartina e fece nuovamente il numero.

Nessuna risposta. Guardò l'ora. Le tre e cinque. Fuori sul lago dardeggiava il sole. All'interno della stanza c'era ombra, è vero, ma comunque non meno di una trentina di gradi. Rimase seduto un momento, a discutere titubante con se stesso.

Che cavolo fare?

Poi si ricordò di avere intravisto una qualche specie di bar all'aperto sotto ombrelloni panciuti, dalla parte del lago. Tirò fuori le *Osservazioni senza punto di vista* di Klimke dal borsone, prese con sé le sigarette e lasciò la stanza.

Due birre scure e quattro sigarette più tardi fece un nuovo tentativo con il telefono, ma con lo stesso risultato.

Che diavolo staranno facendo? pensò. Se si occupano di un'intera frotta di ragazzine adolescenti, dovrebbero pur preoccuparsi di rispondere al telefono, almeno.

Oppure poteva anche essere che Kluuge avesse sbagliato a dargli il numero, per puro nervosismo.

Telefonò al servizio informazione abbonati per controllare; il numero era assolutamente corretto.

Guardò l'ora.

Le quattro e mezzo. Che fare adesso?

Una doccia, e poi una lenta passeggiata per Sorbinowo, decise. Preferibilmente lungo qualche vicolo ombroso, se ce n'erano. Per stimolare l'appetito in vista della cena, se non altro. La visita al gregge prescelto da Dio sembrava dover essere rimandata al giorno dopo. Non aveva proprio nessuna voglia di andare fuori in mezzo ai boschi senza aver prima stabilito un minimo di contatto.

E poi. Se effettivamente era un caso da due settimane quello che voleva, allora senza ombra di dubbio non c'era fretta.

Si liberò dei vestiti ed entrò nella stanza da bagno gialla e blu.

Cazzo, pensò.

Poi rimase sotto la doccia dieci minuti al buio.

8

Impiegò trentacinque minuti per arrivare a Waldingen. Gli ultimi cinque chilometri correvano lungo una strada sterrata stretta e irregolare che sembrava poco utilizzata come il suo istinto sessuale. La foresta era fitta e profumata, gli insediamenti umani molto radi. Quando arrivò al lago e agli edifici della colonia, non aveva contato più di quattro poderi da che aveva lasciato la strada principale, e non aveva incrociato un solo veicolo. Infilò la macchina fra un paio di tronchi di pino illuminati dal sole e parcheggiò.

Una donna in sari grigio chiaro gli si fece incontro prima ancora che avesse fatto in tempo a smontare. O almeno pareva un sari, ma quando lui ebbe modo di guardarlo più attentamente si rese conto che si trattava solo di un taglio di spesso cotone grezzo. La carnagione, i capelli e le labbra della donna avevano più o meno la stessa tonalità sbiadita, e nel cervello di Van Veeteren passò rapidamente la visione di una pappa di semolino rimasta lì per tutta la notte.

Quarantacinque, valutò. Vagamente fuori di testa. Odia gli uomini.

«Il commissario Van Veeteren?» chiese lei, tendendo una mano molliccia.

«Van Veeteren. Sì, ho telefonato ieri sera. Per un incontro con il signor Jellinek.»

«Mi segua.»

Lo precedette verso gli edifici, che formavano un ferro di cavallo intorno a un pezzo di giardino allo stato brado, in mezzo a cui spuntavano isolotti di mirtilli e di lamponi selvatici. Solide costruzioni di legno scuro con tetti di lamiera rifatti: una casa più grande a due piani con veranda e comignoli, e poi due edifici più piccoli su ognuno dei lati; semplici scatole quadrangolari di data molto più recente. Il lago cominciava proprio dall'altra parte della strada, solo una cinquantina di metri più in basso, e quando lui gettò un'occhiata in quella direzione, si accorse anche dei corpi nudi che popolavano la spiaggia.

Una dozzina di ragazze che gironzolavano tranquille, oppure erano sedute ad arrostire al sole sopra degli asciugamani, mentre all'apparenza chiacchieravano tra loro.

Ma niente sguazzare. Niente schiamazzi; niente allegria e spruzzi d'acqua e risate. In mezzo alle ragazze riuscì anche a distinguere altre due donne, vestite allo stesso modo di quella che lo accompagnava; si fermò con un piede a mezz'aria e osservò il quadro – perché più d'ogni altra cosa pareva proprio un quadro – mentre nella testa gli passavano rapide le associazioni.

Nessuna tuttavia si fermò abbastanza a lungo per rimanere; tranne una sensazione di stupore un po' inquieto, e quando l'uomo si schiarì la gola su in veranda, lui voltò le spalle e se ne scordò.

«Benvenuto nella nostra casa.»

«Grazie.»

«La sua visita non ci è gradita, ma ciò nonostante la accogliamo e siamo pronti a rispondere alle sue domande.»

«Magnifico» commentò Van Veeteren. «Lei è Oscar Jellinek, suppongo?»

L'uomo chinò leggermente il capo senza rispondere. Era più anziano di quanto Van Veeteren avesse immaginato, probabilmente intorno alla sua stessa età. Non molti anni di meno, in ogni caso. Esile e un po' curvo. I capelli, color topo e lunghi fino alle spalle, erano raccolti sulla nuca con un elastico. La barba gli ricadeva sul petto in ciocche e i suoi abiti probabilmente provenivano dalla stessa balla di tessuto di quelli delle tre donne. Ampia camicia grigiastra e braghe larghe, che terminavano un po' sopra gli stinchi. Sandali.

Un profeta senza dubbio, pensò Van Veeteren seguendolo dentro casa. Si sedettero uno di fronte all'altro a un grande tavolo tondo di legno circondato da una decina di semplici sedie. Jellinek inforcò un paio di occhiali con le stanghette tenute insieme con il nastro adesivo e guardò il commissario.

« Le concedo quindici minuti » disse. « Alle undici abbiamo il momento di preghiera. »

Van Veeteren inarcò un sopracciglio e lo lasciò in quella posizione per qualche secondo.

« Si dà il caso » spiegò « che io sia della polizia giudiziaria, e penso di usare tutto il tempo che riterrò necessario. Se sarà collaborativo, non vedo nessun motivo perché la mia visita debba durare più di un quarto d'ora. »

Oscar Jellinek non replicò.

« Come descriverebbe la sua congregazione? »

Jellinek si tolse gli occhiali e li ripose in una custodia di pelle marrone.

« Lei non ha sicuramente intenzione di diventare membro della nostra Chiesa, signor commissario. Posso chiedere che si utilizzi il tempo per parlare piuttosto del motivo che l'ha condotta qui? »

« Ha precedenti esperienze con la polizia? »

« Purtroppo. »

« E riconosce la nostra autorità? »

« Solo quando non è in contrasto con la volontà di Dio. Posso pregarla di venire al dunque, adesso? »

Van Veeteren alzò le spalle.

« Lo sa bene di che cosa si tratta. Ci è giunta informazione che una ragazza è scomparsa dal vostro campo estivo. Vogliamo solo controllare se è vero. »

« Da qui non è scomparso nessuno. »

« Quanti partecipanti avete? »

« Dodici. »

« Soltanto ragazze? »

« Noi non crediamo nella promiscuità incontrollata in età adolescenziale. »

« Mi sembrava di averlo capito » disse Van Veeteren. « Dunque, qui c'è una dozzina di ragazze. Quanti anni hanno, e qual è lo scopo del loro soggiorno? »

Jellinek intrecciò le mani davanti a sé sul tavolo.

« Fra i dodici e i quattordici anni » spiegò. « Lo scopo è di prepararle a essere accolte nella Vita Pura. »

« Una sorta di cresima? »

«Se vuole.»

«Quanto tempo si fermano?»

«Sette settimane.»

«Avete affittato questo posto per tutta l'estate?»

«Sì. Abbiamo anche due settimane di ritiro spirituale per gli adulti, in agosto. Le nostre ragazze sono circa a metà del loro periodo di soggiorno.»

«Dodici, ha detto?»

«Sì, dodici.»

«E di che cosa vi occupate?»

«Preghiera, Rinuncia, Purezza. Questi sono i nostri pilastri fondamentali, ma non credo che a lei interessi questo genere di spiritualità, commissario.»

Aspetta a dirlo, pensò Van Veeteren. La questione è piuttosto che cosa diavolo significhi, e se una tredicenne normalmente equipaggiata si possa interessare a questo genere di cose, pensò anche.

«Quanti adulti?»

«Quattro. Io, e tre persone che mi danno una mano per gli aspetti pratici.»

«Tutte donne?»

«Sì.»

Van Veeteren rifletté.

«Può fornirmi un elenco delle ragazze che avete qui attualmente?»

Jellinek scosse la testa.

«Perché no?»

«Non è nel nostro interesse. E nemmeno in quello delle ragazze o dei loro genitori.»

«Che cosa vorrebbe dire?»

«Abbiamo una certa esperienza, della polizia. Come lei stesso ha fatto rilevare.»

«Si rende conto che posso obbligarla, vero?»

Jellinek non batté ciglio. Fece solo una piccola pausa, mentre fingeva di osservarsi i pollici incrociati.

«Naturalmente. Ma non le darò nessun nome a meno che lei non ricorra alla violenza.»

«Si considera al di sopra della legge?»

«Esiste più d'una legge, signor commissario.»

«Idiozie.»

Van Veeteren si lasciò andare contro lo schienale della sedia e frugò nel taschino in cerca di uno stuzzicadenti. Ne trovò uno e lo alzò un secondo contro la luce per ispezionarlo, prima di infilarselo fra gli incisivi inferiori. Jellinek osservava le sue manovre con palese scetticismo.

«Intende dire che dovrei accontentarmi della sua parola?»

Qualcosa di giallastro baluginò in mezzo alla barba del profeta. Forse era un sorriso.

«Sì. È quello che intendo.»

«Vorrei parlare con qualcuna delle ragazze. Almeno un paio, per essere più preciso.»

Jellinek alzò un dito imperioso e scosse la testa.

«Non consentiamo che abbiano contatti con l'esterno. È importante che vengano lasciate in pace, durante questo periodo.»

Van Veeteren estrasse lo stuzzicadenti.

«Sta dicendo che le tenete isolate per sette settimane?»

«Lei queste cose non le capisce, commissario. In certi casi è indispensabile proteggere l'aspetto spirituale. Non lasciare che sia esposto a scossoni. In questo stadio particolare della loro istruzione è semplicemente indispensabile.»

«Si rifiuta di farmi parlare con qualcuna di loro? Per due minuti?»

«È facile guastare ciò che si è costruito in un lungo periodo. So che questo può suonare duro, commissario, ma deve capire che il fine è buono. Noi crediamo in ciò che facciamo. Noi esercitiamo la nostra religione; è facile schernire e deridere, ma il nostro diritto è sancito dalla legge... dal momento che sembra così appassionato di leggi e diritti.»

Guardò l'ora. Van Veeteren mise via lo stuzzicadenti. Passarono cinque secondi.

«E le telefonate?» domandò. «Questa sconosciuta che afferma che una delle ragazze è stata uccisa: che cosa ne pensa?»

«Malevolenza» rispose Jellinek immediatamente. «Non è la prima volta che ci prendono di mira, commissario. Abbiamo una certa esperienza, come ho già detto.»

Van Veeteren rifletté.

« Le signore, allora » tentò. « Le sue collaboratrici. Se mi accaparro una di loro un momento, anche questo frantumerebbe il vostro palazzo spirituale? »

« Naturalmente no » rispose Jellinek. « Ora la devo lasciare, è arrivato il momento della preghiera. Se aspetta qui, chiederò a una di loro di raggiungerla. »

Lasciò la stanza. Van Veeteren chiuse gli occhi e intrecciò le mani. Dopo un attimo cambiò posizione e le mise giunte.

Beata ingenuità, pensò. Signore, dammi la forza!

Durante il viaggio di ritorno, prese una decisione.

Non per mettere in moto indagini più estese e non per mandare a picco il vascello spirituale di Jellinek. Ma per rimanere a Sorbinowo ancora qualche giorno.

Magari soltanto uno. Forse di più.

Perché c'era qualcosa. Non gli era chiaro cosa, ma da qualche parte dentro quella storia – che probabilmente non era nemmeno tale – c'era qualcosa che gli ricordava... già, che cosa?

Non lo sapeva. Un insidioso e immotivato sacrificio di pedone? Un mostro celato dietro una fesseria?

Oppure era soltanto immaginazione. La donna che aveva parlato con lui per dieci minuti era la stessa che gli era andata incontro alla macchina. Si era presentata come sorella Madeleine e non gli aveva detto molto di più di quanto già gli aveva comunicato Jellinek.

A parte che era stata un'aderente della Vita Pura fin dall'inizio. A differenza di sorella Ulriche e sorella Mathilde, che erano arrivate un po' dopo.

Che erano un collettivo, ma che Jellinek era la loro guida spirituale.

Che la sua vita era dunque cambiata undici anni prima e che da allora lei viveva nella luce e nella purezza.

Che le tre sorelle si spartivano tutte le occupazioni durante il campo estivo; che le ragazze, tutte e dodici, brancolavano ancora nel buio, ma erano avviate verso la luce, e che tutto quanto era nelle mani di Dio.

E di Oscar Jellinek.

E, per finire, che tutte queste erano cose di cui il commissario probabilmente non poteva farsi un'idea, dal momento che non era un iniziato.

Van Veeteren sputò uno stuzzicadenti maltrattato fuori del finestrino e lanciò una lunga imprecazione ad alta voce. E cercò di capire che cosa fosse l'oscura sensazione che era rimasta in agguato dentro di lui fin da quando era uscito in retromarcia dallo spazio fra i due pini.

Per tutto il tempo, a dire il vero. Mentre parlava con Jellinek. Mentre era stato seduto ad aspettare e aveva visto le ragazze risalire in gruppo dalla spiaggia. Mentre era rimasto ad ascoltare le pie esternazioni di sorella Madeleine.

Poco a poco capì che probabilmente si trattava di impotenza.

Pura e semplice impotenza.

Con uno sforzo di volontà la fece tacere e invece accese una sigaretta.

Ci sono troppi ingredienti sconosciuti in questa minestra, constatò. Troppi davvero. E non so nemmeno se sia una minestra.

No, adesso non sto più pensando, si rese conto un paio di secondi dopo. Adesso sto solo gonfiando delle parole. Come un qualunque personaggio da teleschermo o roba del genere.

«Parola per parola?» domandò Kluuge, corrugando la fronte. Il commissario notò che era una fronte piuttosto alta, con spazio per un sacco di rughe, e decise di non sottovalutare ciò che doveva esserci dietro.

«Possibilmente» rispose. «O come meglio te le ricordi.»

«La prima volta ha detto soltanto che una ragazza era scomparsa» spiegò Kluuge. «E che dovevamo fare qualcosa. La seconda volta ha detto un po' di più.»

«Che cosa?»

«Ecco, sosteneva che non avevamo fatto nulla. Che forse si sarebbe rivolta ai giornali e che loro potevano ucciderne ancora un'altra...»

«Uccidere?»

«Sì.»

«Questo sei sicuro che l'ha detto?»

«Assolutamente sì.»

Kluuge annuì diverse volte per sgombrare il campo da eventuali dubbi.

«Qualcos'altro?» domandò il commissario.

Kluuge rifletté.

«Non credo.»

«Età?»

«Difficile dire. Fra i quaranta e i cinquanta, ma non ne sono sicuro... forse anche più vecchia. Non sono bravo a giudicare le voci.»

«Che impressione faceva?»

«Gliel'ho già detto. Parlava abbastanza sottovoce, soprattutto la prima volta... Il tono era molto serio, come se intendesse davvero quel che diceva. È per questo che ho giudicato che fosse meglio interpellarla, commissario.»

«Mmm» fece Van Veeteren. «Sei riuscito a sapere qualcos'altro su questa setta, allora?»

Kluuge si grattò nervosamente sul collo.

«Ho parlato con i colleghi di Stamberg... Hanno promesso di raccogliere un po' di dati e di trasmettermeli via fax, ma non è arrivato ancora niente.»

Van Veeteren annuì.

«*All right*» disse. «Torno al mio albergo, naturalmente puoi informarmi se ci sono novità. Credo che mi fermerò un paio di giorni.»

«Bene» disse Kluuge, assumendo un'aria un po' imbarazzata. «Le sono grato, come ho già detto.»

«Non c'è bisogno che mi ringrazi in continuazione» disse il commissario, alzandosi. «Ho la sensazione che ci sia qualcosa di marcio in questa storia, e comunque sono pagato.»

«Capisco» disse Kluuge.

Quando il commissario fu di ritorno nella sua stanza al Grimm erano già le due e mezzo del pomeriggio, e il sole cadeva diagonalmente attraverso la finestra aperta. Tirò le tende e fece una lunga doccia fresca, questa volta senza curarsi della combinazione di colori.

Quando il suo corpo raggiunse una temperatura accettabile, si stese sul letto e telefonò alla centrale di polizia di Maardam. Dopo un momento ebbe Münster dall'altra parte del filo.

«Come va?» chiese Van Veeteren.

«Con che cosa?» disse Münster.

«E io che ne so. Con quel pazzo che spara, per esempio.»

«L'abbiamo preso stamattina. Non ascolta la radio, commissario?»

«Ho parecchio da fare» spiegò Van Veeteren.

«Aha» disse Münster.

«Allora forse sarebbe possibile avere un po' di assistenza?» domandò Van Veeteren in maniera retorica. «Dal momento che adesso la vostra preda l'avete catturata.»

Münster tossicchiò nervosamente, e il commissario si ricordò delle ferie imminenti. Poi spiegò ciò che voleva, e Münster promise di fare tutto il possibile: informarsi su ciò che probabilmente valeva la pena di sapere sulla Vita Pura, e quindi spedire il tutto senza indugio via fax all'hotel Grimm di Sorbinowo.

«Più in fretta fai, meglio è» spiegò Van Veeteren, e mise giù la cornetta.

Gettare qualche amo in più non guasta, pensò, cominciando a vestirsi.

Nel caso Kluuge avesse telefonato alla persona sbagliata, o cose del genere.

Un quarto d'ora dopo, era di nuovo in macchina, armato di un pacchetto di sigarette intonso e di qualche fuga di Bach. Mete precise non ne aveva... a meno che una tranquilla ora di guida lungo le sponde dei laghi e attraverso i boschi profumati non potesse essere considerata una meta.

E attraverso le variazioni straordinariamente logiche di Bach.

*

Alle cinque era di ritorno. Fece un'altra doccia e, prima di uscire alla ricerca di un luogo passabile dove rifocillarsi, si informò
alla reception se ci fossero messaggi per lui.

Non ce n'erano.

Niente da Kluuge.

Niente da Münster.

Be', pensò, ogni giorno ha la sua croce.

E mentre si avviava verso il centro della cittadina, si chiese
che cosa diamine ciò potesse significare.

9

Nonostante la massiccia affluenza di turisti amanti della natura – probabilmente la città in quel periodo dell'anno aveva il doppio della popolazione rispetto ai mesi invernali, suppose Van Veeteren – Sorbinowo aveva i suoi limiti. Il numero di ristoranti decenti (che dal suo punto di vista comprendeva tutti i posti dove uno poteva sedersi a un tavolo e mangiare senza essere costretto ad ascoltare musica elettronica diffusa a un volume più o meno insopportabile) ammontava a ben guardare solo a cinque. Inclusi il Florian, dove aveva pranzato con Kluuge, e l'hotel Grimm, dove era alloggiato.

Quella seconda sera, il commissario scelse il numero quattro della lista; una cosa semplice, pseudo-italiana, in uno dei vicoletti che da Kleinmarckt conducevano su verso la chiesa e la stazione ferroviaria. La pasta era un po' collosa e la birra tiepida, risultò poi, ma il locale era tranquillo e silenzioso, e lui poté starsene seduto in pace con i suoi pensieri.

I quali erano piuttosto insoliti, innegabilmente.

Preghiera? pensò.

Rinuncia? Purezza?

Ci aveva pensato anche ascoltando le fughe, durante il viaggio in macchina.

E gli tornò alla mente l'immagine dei placidi corpi delle ragazzine sulla battigia. E delle pallide donne avvolte di cotone.

Di che cavolo si trattava?

Una domanda legittima, senza dubbio. C'erano voci dentro di lui, forti, che lo esortavano piuttosto testardamente a fare piazza pulita. A non aspettare neanche un secondo a ritornare a Waldingen, meglio ancora in compagnia di un Kluuge in uniforme, e mettere tutti sotto torchio.

Fare le pulci a Oscar Jellinek e frantumare quella finta devozione a colpi di mazzuolo. Scoprire come si chiamava ogni ragazza e poi rispedirle tutte a casa col primo treno.

Voci forti.

Ma c'era anche qualcos'altro. Bevve un sorso di birra e cercò di focalizzare che cosa fosse esattamente.

Qualcosa che aveva a che vedere con libertà e diritti, probabilmente.

Con il diritto di poter esercitare in pace e senza intromissioni la propria religione. Di non avere la polizia sempre dietro l'angolo, e di non doversela trovare addosso non appena si usciva dai confini del conformismo.

Con il dovere di difendere, o almeno di non schiacciare, una minoranza.

Sì, qualcosa del genere, senza dubbio.

Nonostante l'avversione istintiva che aveva provato per Jellinek, non poteva purtroppo far altro che essere d'accordo con lui sull'essenza della questione. Che diritto aveva proprio lui, lo scettico, di ergersi a giudice di questi sbalestrati adepti di sette?

Due telefonate anonime. Una ragazza scomparsa? Era una ragione sufficiente?

Probabilmente si poteva asserire che prima occorreva avere un terreno un po' più solido sotto i piedi.

La bionda cameriera arrivò con il suo caffè e il suo cognac. Si accese una sigaretta.

Per non parlare dell'incomodo. Forse in realtà era proprio questo a frenarlo. L'incomodo. Sull'altro piatto della bilancia la comodità e il calore; perché se veramente si fosse deciso a intervenire, non era forse plausibile che Jellinek e la troica femminile gli lasciassero da gestire anche le conseguenze? Costringendolo ad assumersi anche la responsabilità di tutto il gregge di ragazzine, e a provvedere che ognuna di loro facesse ritorno a casa propria?

E poi non c'era nemmeno il minimo indizio che lasciasse presumere che i genitori delle ragazze avessero una disposizione tanto più benevola nei confronti del potere di polizia di quanto aveva mostrato la loro guida spirituale. In fondo avevano spedito le loro pargolette a quel campo estivo, e che fossero ignari oppure no, di sicuro non si sarebbero limitati a ringraziare e a riprendersi le loro adolescenti cresimate a metà con tre settimane d'anticipo. Questo lo poteva capire chiunque. Perfino Kluuge. Perfino un agnostico commissario di polizia che ne aveva ancora per poco.

Al diavolo, riassunse Van Veeteren facendo cenno che gli portassero il conto. Me ne sto seduto qui come un somaro titubante a perdere tempo in cretinate!

Per un caso che non esiste!

Probabilmente almeno, aggiunse. Dev'essere il tempo.

Devono essere la mia età avanzata e la mia crescente indolenza.

Pagò e lasciò Il Pino. Forse un bicchiere di vino accettabile avrebbe aiutato un po' a sistemare le coordinate, gli passò per la testa. Bianco, si capisce, considerate le temperature; erano da poco passate le otto e mezzo e il calore del giorno gravava ancora sopra Kleinmarckt, dove qualche raro turista (e forse anche qualche indigeno) gironzolava nel crepuscolo sempre più scuro.

Mersault, magari? Oppure anche solo un semplice bicchiere di Riesling? Probabilmente era più facile da trovare.

Sentì che l'umore cominciava già a migliorare.

Era pur sempre soltanto nell'attesa di Creta che era venuto lì. L'hotel Christos, la fonte della giovinezza e quei capelli castano scuri.

Nient'altro.

Il cinema si chiamava Rymont e la sola presenza di un simile locale a Sorbinowo era tanto sorprendente quanto il programma che offriva. Chiaramente, nel corso dell'estate aveva luogo qualcosa che andava sotto la denominazione di «Festival del film d'essai», e quando lui scoprì che di lì a due minuti sarebbe cominciata la proiezione di *Kaos* dei fratelli Taviani, non rimase molto tempo per l'esitazione.

Entrò in sala nell'attimo stesso in cui le luci iniziavano ad abbassarsi, ma c'era comunque il tempo di salutare il resto del pubblico, che era composto da cinque persone, comodamente sparse sulle file più arretrate. Quattro uomini e una signora, tutti un po' in là con gli anni, sul viso la particolare espressione temprata degli autentici cinefili, constatò Van Veeteren tutto contento.

Con un sospiro di soddisfazione sprofondò in una poltrona un paio di file più avanti; una soddisfazione che certo non diminuì quando fu chiaro che non ci sarebbe stato neanche un briciolo di pubblicità, e che il film sarebbe cominciato esattamente all'ora stabilita.

C'è ancora qualche granello di qualità al mondo, pensò. Perfino una gallina cieca può riuscire a goderne, talvolta.

Dopo, nessuno degli spettatori aveva granché fretta di lasciare la sala. Due degli uomini attaccarono subito a discutere animatamente del film. Fecero paragoni con i testi di Pirandello e con altri film dei due fratelli italiani, e Van Veeteren capì che non era un gruppo di persone qualsiasi, quello in cui era capitato. Quando si alzò, un altro degli spettatori gli si fece incontro; un signore minuto con i capelli brizzolati, che sprizzava energia da tutti i pori.

«Un viso nuovo nella nostra cerchia. Ossequi.»

Tese la mano e Van Veeteren la strinse.

«Przebuda. Andrej Przebuda. Presidente del cineclub di Sorbinowo.»

«Van Veeteren. Sono qui solo per un caso...»

Intanto frugava nella memoria.

«La vita è un susseguirsi di casualità.»

«Certamente» convenne il commissario. «Senza dubbio, mmm... mi fa piacere che la passione per la cinematografia sia viva anche al di fuori delle grandi metropoli.»

«Be'» disse Przebuda, «si fa quel che si può, ma come vede non siamo poi così tanti...»

Fece un gesto verso gli altri.

«...e non siamo nemmeno dei giovincelli.»

Si aprì in un sorriso e si passò la mano con aria di scusa sul cranio quasi pelato.

«Andrej Przebuda?» s'illuminò finalmente il commissario.

«Sì.»

«Credo che abbiamo una conoscenza in comune.»

«Davvero? E chi sarebbe?»

«W.F. Mahler.»

«Il poeta?»

Van Veeteren annuì.

«Sostiene che lei capisce la sua poesia.»

Przebuda scoppiò in una risata e assentì entusiasticamente. Doveva essere di sicuro più vicino ai settanta che ai sessanta, valutò Van Veeteren. L'intensità dei suoi occhi scuri sembrava tuttavia quella di un eterno ventenne e, guardandolo più attentamente, il commissario trovò anche che aveva una fisionomia di stampo abbastanza ebraico. Capì, o in ogni caso intuì, che aveva davanti una di quelle rare persone che sono state nobilitate dalla sofferenza. Che sono passate attraverso le fiamme e si sono indurite anziché coprirsi di una ragnatela di crepe.

Anche se naturalmente era soltanto una supposizione. Una di quelle congetture fulminee che esigevano la precedenza, e alle quali era abbastanza vecchio per accordarla.

«Un poeta molto raffinato, Mahler» disse Przebuda. «Sobrio e limpido come un laghetto alpino. Sì, credo di aver recensito tutte le sue raccolte, fin dall'inizio. Come mai voi due...»

Passarono altri dieci minuti prima che Van Veeteren riuscisse a lasciare il cinema Rymont, e solo dopo aver accettato l'invito insistente di Andrej Przebuda per un nuovo e più approfondito incontro uno dei giorni immediatamente successivi; su alla redazione del giornale, oppure a casa sua nello stesso quartiere.

Se era proprio vero che il commissario era venuto a Sorbinowo per ragioni di lavoro e non come turista, allora probabilmente, con tutta modestia, non era impossibile che lui, Andrej Przebuda, forse avrebbe potuto essergli d'aiuto con qualche informazione.

Se ce ne fosse stato bisogno. Erano pur sempre quarantacinque anni che viveva lì.

E, se non altro, avrebbero forse potuto parlare un attimo di cinema e di poesia.

Perché no? pensò Van Veeteren dopo essersi congedato sia da Przebuda sia dagli altri membri del cineclub di Sorbinowo. Poteva sicuramente valerne la pena sia sotto l'uno sia sotto l'altro aspetto.

Tutto sommato, una serata ben spesa, riassunse mentre dirigeva i suoi passi verso il Grimm, ma quando finalmente si fu coricato, furono comunque le immagini del mattino a infiltrarsi di soppiatto nella sua mente e a prenderne possesso. E a tenerlo sveglio fino a notte inoltrata.

I corpi nudi delle ragazzine.

Le donne smunte.

La barba del profeta.

10

Le informazioni su Jellinek e la sua attività ecclesiastica erano arrivate la domenica mattina. Sia da Münster sia da Stamberg. Dopo una passabile colazione in camera accompagnata dalla lettura di due quotidiani, Van Veeteren dedicò un'ora della mattinata a esaminare il materiale presso la stazione di polizia di Sorbinowo.

E a riflettere su che cosa si sarebbe dovuto fare in seguito.

Nella misura in cui ci sarebbe dovuto essere un seguito. Kluuge era tornato a casa per assistere la sua consorte in attesa, che a quanto pareva si era sentita poco bene durante la notte. Il commissario sudava. Il sole aveva superato un angolo, e stava lentamente riscaldando la stanza del commissario Malijsen trasformandola in qualcosa che ben presto sarebbe stato tanto insopportabile quanto un'albicocca fritta. Non c'era niente da fare, nonostante la presenza e di tapparelle e di tende.

Forse si poteva discutere se la Vita Pura fosse una faccenda molto più sopportabile.

Oscar Jellinek era nato nel 1942 a Groenstadt. Aveva studiato teologia e aveva superato l'esame di pastore ad Aarlach nel 1971. Era stato attivo come padre spirituale e pastore aggiunto in una mezza dozzina di posti diversi, finché nel 1984 non si era staccato e aveva fondato la libera congregazione della Vita Pura. Principale luogo di reclutamento Stamberg, dove Jellinek abitava e lavorava dall'inizio degli anni Ottanta.

Nei suoi primi anni, la Vita Pura aveva condotto un'esistenza piuttosto anonima, così risultava. Non aveva fatto parlare di sé in nessun modo, effettivamente; il numero dei proseliti (cifre del tutto attendibili non ce n'erano) non doveva superare la trentina di anime; la maggior parte erano donne, un dato che sarebbe rimasto caratteristico anche in seguito. Gli incontri e i servizi divini si tenevano in una serie di svariati locali, che sovente erano presi in affitto solo per una settimana o perfino per una singola riunione.

Gradualmente si era tuttavia sviluppato nel movimento un profilo più populistico. Insieme con un vecchio compagno di studi, Werner Wassmann (che più tardi tuttavia avrebbe lasciato la congregazione in seguito a uno scisma interno), Jellinek cominciò a organizzare incontri di piazza e a fare la sua apparizione in contesti più o meno pubblici.

Il messaggio era semplice, il tono accattivante:

Abbandonate il peccaminoso mondo materialista! Unitevi a noi! Vivete nella purezza e nell'armonia di fronte all'unico Dio!

Il numero dei proseliti aumentò, affluì anche un po' di denaro e nel 1988 la prima chiesa della Vita Pura fu pronta; più tardi fu ampliata per poter ospitare fra l'altro una certa attività scolastica, che poco a poco fu abbastanza qualificata da comprendere dal primo al settimo anno di corso del normale ordinamento scolastico.

Fin dall'inizio erano fiorite voci sulla creazione di Jellinek, e di tanto in tanto si accendevano dibattiti sui giornali e alla radio locale. I punti di attacco variavano; c'era di tutto, dal lavaggio del cervello al fascismo fino alla misoginia e al sessismo, e nel dicembre del 1989 la madre di un'adepta fuoriuscita dalla Chiesa – una ragazza diciassettenne – aveva intentato causa contro Jellinek per abuso sessuale.

Il caso aveva fatto scalpore, e possedeva innegabilmente molte qualità gradite ai mass media: manifestazioni estatiche. Mortificazioni obbligate. Assemblee generali dove tutti i partecipanti erano nudi e dove Jellinek aveva scacciato il demonio dal corpo di tutti. Ragazze che erano state frustate sul fondoschiena nudo. Oltre una serie di altre attività con vaghe, o marcate, connotazioni sessuali. Sui giornali, la Vita Pura era descritta ora come setta erotica, ora come setta diabolica, e il tutto si era concluso con la condanna di Jellinek a sei mesi di carcere per abuso sessuale non grave e costrizioni illecite.

Abuso sessuale non grave? pensò il commissario, facendosi vento con un vecchio giornale. Ma esisteva veramente un reato così? In ogni caso, non ricordava di essersi mai imbattuto prima in una definizione del genere.

In concomitanza con la condanna e con l'incarcerazione di Jellinek, si poteva rilevare paradossalmente un certo cambiamento di tendenza nell'opinione pubblica, da quanto emergeva dalle carte spedite da Münster. Intorno al prete incarcerato venne a crearsi una certa aura di martirio, e la nomea della Vita Pura parve – almeno temporaneamente – sollevarsi un po' dal fango. In attesa del ritorno della loro guida spirituale, la maggior parte degli adepti sparì dalla circolazione, ma non ci fu nessuno scioglimento e, sorprendentemente, furono pochi quelli che scelsero di abbandonare la congregazione.

Dopo sei mesi di diaspora, il pastore fece dunque ritorno al suo gregge, e l'attività fu ripresa, a grandi linee, per quanto si sapeva, secondo gli stessi schemi di prima. Grandi rinnovamenti non se ne videro; tutt'al più, ci fu una più marcata presa di distanza dalla gente e dalla vita pubblica, una chiara tendenza all'isolamento e alla chiusura rispetto agli sguardi esterni, sia dei giornalisti sia di altri. Eppure il numero dei proseliti era aumentato lentamente ma in maniera significativa, e a metà degli anni Novanta doveva raggiungere circa le mille unità. Probabilmente, la posizione di Jellinek come unico leader spirituale non era mai stata più forte.

Quanto al punto di vista di altre congregazioni riguardo alla Vita Pura, era quasi al cento per cento critico: nella dottrina di Jellinek non c'era mai stato posto per alcun interesse verso la comunanza e l'ecumenismo, ed esperti commentatori consideravano palesemente la setta come un fenomeno piuttosto promiscuo e genericamente losco.

Fra le informazioni che Kluuge aveva ricevuto dalla polizia di Stamberg c'erano anche diversi accenni alla cosiddetta sindrome da defezione, per cui ex adepti sarebbero stati oggetto di vessazioni di diverso genere dopo che avevano abbandonato la setta. Il fenomeno non era affatto insolito in contesti similari, ma per quanto concerneva la Vita Pura pareva essersi trattato principalmente di voci e di qualche trafiletto sulla stampa locale; in nessun caso si era arrivati a denunce o ad altre forme di intervento da parte delle autorità.

Ma che le voci critiche riguardo Oscar Jellinek e la sua congregazione fossero parecchie, su questo non c'era alcun dubbio. L'opinione comune sembrava tuttavia essere che si trattava di un fenomeno abbastanza innocuo, una compagnia di meditabondi fragili e confusi, cui si poteva concedere di fare quel che volevano finché lasciavano in pace la gente normale e perbene.

Cosa che dovevano aver fatto anche dopo il ritorno di Jellinek dalla prigionia. Niente raduni pubblici. Niente pubblicità sui giornali né altrove. Niente attività missionaria. L'eventuale reclutamento di nuovi proseliti era senza dubbio curato dall'interno o tramite canali nascosti.

Nessuno però osava affermare di avere una visione attendibile dell'attività e delle idee della Vita Pura.

Né gli informatori di Münster né quelli di Kluuge.

Così dunque stavano le cose. Van Veeteren spinse da parte i fascicoli e si deterse la fronte. Si guardò intorno alla ricerca di qualcosa di potabile, ma evidentemente non faceva parte delle abitudini del commissario Malijsen offrire un drink ai suoi occasionali visitatori. Oppure aveva messo sotto chiave le bottiglie in qualche posto sicuro, fuori dalla portata del sostituto e di altri possibili scrocconi.

«Un comportamento losco» borbottò il commissario.

Se con ciò si riferisse a Jellinek o a Malijsen, nemmeno lui lo sapeva. Probabilmente a tutti e due. Sospirò. Alzò la cornetta e cominciò a comporre il numero di casa di Kluuge, ma poi s'interruppe. Tanto valeva lasciare che dedicasse le proprie forze alla famiglia, decise.

Tanto valeva, inoltre, concedersi la possibilità di discutere l'organizzazione con se stesso e una bella birra fredda nel giardino dello Stadshotell.

Nella misura in cui fosse davvero necessaria un'organizzazione.

E, nella misura in cui fosse necessario, due birre. Il giardino dello Stadshotell non era un posto malvagio in una giornata come quella, l'aveva già capito quando vi era passato davanti per raggiungere la stazione di polizia quel mattino. Nient'affatto malvagio.

Si mise in piedi. Purezza? pensò, per la cinquantesima volta da quando si era congedato da Jellinek fuori da Waldingen. Nemmeno oggi risvegliava in lui alcuna associazione positiva.

Probabilmente sono vissuto troppo a lungo nel fango, pensò il commissario Van Veeteren.

I due uomini erano giusto in procinto di liberare il bordo della strada dalle sterpaglie. Il commissario frenò e scese dalla macchina.

«Buon pomeriggio. Giornata calda.»

Il più anziano spense la motosega e gesticolando fece cenno al suo compagno di fare altrettanto.

«Giornata calda» ripeté il commissario, poiché si rese conto che difficilmente erano riusciti a recepire il suo primo saluto.

«Direi proprio di sì» concordò l'uomo, mettendo da parte la sega.

«Mi chiamo Van Veeteren. Sono della polizia. Sarebbe possibile fare qualche domanda?»

«Cosa? Sì... naturalmente.»

Raddrizzò la schiena e fece segno al più giovane di avvicinarsi.

«Mathias Fingher. Questo è mio figlio Wim.»

Entrambi gli porsero la mano dopo essersela asciugata sui pantaloni.

«Di che si tratta?»

Van Veeteren si schiarì la gola.

«Mmm. La Vita Pura.»

Se Fingher padre e figlio rimasero stupiti, non lo lasciarono comunque trasparire in alcun modo.

«Sììì?»

«Avete qualche contatto, con loro? Siete i vicini più prossimi, per così dire.»

«Uff» fece Mathias Fingher spingendosi indietro il leggero berretto a visiera. «In che senso, scusi?»

Evidentemente era lui quello che aveva l'incarico di gestire la conversazione. Il figlio si teneva un paio di passi in disparte, mentre osservava il commissario masticando gomma americana.

« Vi capita mai di incontrare qualcuno di loro? »

Fingher annuì.

« Certo. Vengono da noi a comperare latte e patate. Uova e carote, e un po' di verdure ogni tanto. Passano tutte le sere. »

Aha, pensò Van Veeteren. Finalmente un contatto.

« E chi sono quelli che vengono? »

« Dipende. Cambiano. »

« In che senso? »

« Sono sempre in quattro per volta. E poi lui, Jellinek. »

« Quattro ragazze tutte le sere? »

« Più Jellinek. Le ragazze evidentemente fanno a turno. »

Van Veeteren rifletté.

« Chiacchierate spesso con loro? »

« Mmm, no, non è che si parli granché in effetti. Perché lo vuole sapere? »

Il commissario si portò un dito davanti alla bocca e questo parve bastare come spiegazione. Come al solito. Anche se il rispetto per i rappresentanti della legge poteva essere così così, la gente sembrava in ogni caso accettare questa faccenda della segretezza come qualcosa che non si metteva in discussione; era un'osservazione che aveva fatto più volte.

La stupidità ama paludarsi di segretezza, come diceva sempre Reinhart.

« Vi capita di parlare con le ragazze? »

Fingher ci pensò su e quindi scosse la testa.

« No, loro... loro si tengono sempre come un po' sullo sfondo. »

« Sullo sfondo? »

« Sì, stanno sempre ad aspettare giù vicino alla carretta mentre Jellinek si occupa delle provviste. Ragazzine taciturne, sembrano un po'... »

« Sì? »

« Mah, non so neanch'io. Certe volte mi chiedo che cosa diavolo facciano laggiù, ecco. »

« Davvero? »

« Sì, non che io voglia dire un bel niente. La gente ha il diritto di avere le proprie idee, e loro mi pagano sempre al centesimo, cosa che non si può dire di certi altri.»

Van Veeteren annuì e si domandò chi potessero mai essere questi altri.

«E qual è la sua, di opinione? Circolano non poche dicerie, sul loro conto...» provò a casaccio.

Fingher si grattò il collo e il berretto gli cadde. Lo raccolse e se lo infilò nella tasca posteriore dei calzoni.

«Che cavolo ne so io. Non ci manderei i miei figli, però a me non fanno niente di male, gliel'ho detto.»

«E di Oscar Jellinek che cosa mi dice?»

Fingher sembrò improvvisamente impacciato.

«Non so niente. Niente di niente.»

«Però sa che cosa dicono alcuni?»

Era evidente che Fingher stava palleggiando con la sua poco santa alleanza.

«Mmm» decise poi. «Che vive con quelle tre donne, sì.»

Aha, pensò il commissario di nuovo. Comincia a somigliare a qualcosa.

«Esattamente» disse. «E le ragazzine, allora?»

Fingher alzò le spalle.

«Non ne ho la più pallida idea. Però fanno il bagno nude e devono avere anche loro certi intrallazzi...»

«Ah, sì?»

«Da quello che si sente dire, insomma... Ma io non so niente... No, meglio lasciarli stare e accontentarsi di farsi gli affari propri.»

Forse sì, pensò Van Veeteren. Però, visto che ho già fatto tutta questa strada...

«In quante sono?» domandò.

Fingher ebbe l'aria di contare.

«Di preciso non so» rispose. «Dieci o quindici, forse. No, in effetti non lo so proprio.»

«Capita anche che siate voi ad andare a Waldingen?»

Fingher scosse la testa.

«Solo raramente. Se hanno bisogno di aiuto per qualcosa. C'è stato un problema con la pompa, e siamo stati lì due pomeriggi un paio di settimane fa, ma altrimenti sono sempre loro che vengono qui...»

Van Veeteren tirò fuori il pacchetto delle sigarette e lo tese, ma padre e figlio scossero la testa. Lui valutò se accendersene una, ma poi preferì prendere uno stuzzicadenti.

«Ogni quanto vengono in visita i genitori?»

«Mai» disse Fingher. «Non ho mai visto nessun adulto, laggiù... a parte Jellinek e quelle tre donne. Ma noi non possiamo proprio dire niente su di loro, ripeto. Non sarà mica che hanno combinato qualcosa?»

Van Veeteren non rispose. Valutò se continuare a sparare domande a casaccio, oppure se non fosse più sensato rimandare a qualche successiva occasione. Se mai si fosse reso necessario.

«Magari tornerò a farmi vivo» stabilì. «Grazie per la chiacchierata, signor Fingher.»

Fingher e figlio fecero un cenno col capo e tirarono fuori le mani dalle tasche dei calzoni. Tutte e quattro. Van Veeteren si infilò in macchina e proseguì il viaggio lungo la stretta strada sterrata. Dopo la prima svolta, sentì il rumore delle motoseghe che si rimettevano in funzione.

Porca miseria, pensò. Tre donne?

Non avrebbe dovuto capirlo subito?

Anche se probabilmente era solo la sua immaginazione erotica che si era un tantino ridotta, con gli anni.

Che cosa sarebbe più naturale, del resto? si domandò con cupa franchezza.

No, basta con le fantasie adesso! È tempo di visitare la tana del lupo.

Oppure era un covo di serpi?

La capacità espressiva però c'è ancora! constatò mentre svoltava fra i due pini come la volta precedente. Pur sempre una consolazione. Fosse andata male con Krantze, poteva darsi alle memorie, magari. L'importante era che ci fossero a disposizione delle mosse alternative... se ci si trovava davanti a una forchetta di pedone o a un cavallo insidioso.

Mosse alternative?

Un pezzo di tela slavata gli si fece incontro e lui cercò in tutta fretta di azzerare il linguaggio figurato.

11

Sul tavolino da notte sgangherato c'era posto a malapena per lo stretto indispensabile. Due bottiglie di birra, pane rustico, un piccolo contenitore di plastica contenente spicchi d'aglio marinati e un paio di consistenti fette di pâté di selvaggina. Aveva trovato il tutto da Kemmelmann & Figli, un negozietto a neanche cinquanta metri dall'albergo, e quando si era reso conto che in effetti aveva già frequentato tutte le trattorie della città, si era arreso... una serata casalinga nella sua stanza non era di sicuro un'idea stupida; era da tanto che non mangiava dell'aglio marinato, e naturalmente nulla gli impediva di uscire più tardi a farsi un bicchiere di vino o una birra.

Dopo aver terminato il suo compito.

Soddisfatto di questo solido ragionamento, si lasciò andare contro la testata del letto e infilò in bocca uno spicchio d'aglio. Completò con un boccone di pane, un morso di pâté e un bel sorso di birra, dopo di che mise in funzione il registratore e cominciò ad ascoltare il risultato delle sue fatiche pomeridiane.

Il primo era Jellinek.

VV: Il suo nome, prego.
OJ: Oscar Jellinek, naturalmente. Come mai è così formale, tutto d'un tratto?
VV: Può parlare un po' più chiaramente, signor Jellinek? Più il contenuto è torbido, più le forme sono importanti. Pensavo che su questo fossimo d'accordo.
OJ: Parole, signor commissario. Lei vive in un mondo di vuote parole.
VV: Sciocchezze. Le mie condizioni sono semplici. Voglio una lista con nomi, indirizzi e numeri di telefono di

tutte le partecipanti al campo. Voglio parlare con le sue tre collaboratrici e con due delle ragazze. Se non troverò nulla da rilevare, prometto che vi lascerò in pace.

(Silenzio per cinque secondi.)

VV: Posso pregarla di chiarire se ha capito le condizioni, signor Jellinek? Non penserà di continuare a fare ostruzionismo come un somaro irritato?

(Ma dove le vado a pescare? pensò Van Veeteren soddisfatto, prendendo un altro morso di pâté.)

OJ: Lei è lo strumento del potere, signor commissario, non della giustizia. È lei ad avere il coltello dalla parte del manico, non io. Un giorno finirà per...

VV: Grazie, basta così. Conservi le prediche per il suo gregge. Lasci che le faccia un paio di domande, anzitutto... in quanto responsabile del campo estivo di Waldingen e capo spirituale della Vita Pura. È vero che intrattiene relazioni sessuali con tutt'e tre le sue collaboratrici?

(Nessuna risposta.)

VV: Vuole che ripeta la domanda?

OJ: Voglio che prenda con sé la sua vergogna e se ne vada via di qui. Non ha la minima idea di che cosa...

VV: Un comportamento del genere sarebbe dunque compatibile con le concezioni morali e la visione della donna della sua Chiesa?

OJ: Lei rappresenta una società pervertita e decadente, signor commissario, e mi lasci finire, questa volta. Se vuole acquisire nozioni e ricevere un orientamento su un altro modo di vivere, può scrivere alla nostra congregazione a Stamberg; la sua richiesta sarà trattata allo stesso modo di tutte le altre.

VV: Non ci penso nemmeno.

OJ: Non insisto.

VV: Ci sono molti che la giudicano un ciarlatano, signor Jellinek.

OJ: I molti e i giusti non sono la stessa cosa, signor commissario. È la voce di Dio che mi guida, nient'altro. Se vuole continuare a ingiuriarmi, sono a sua disposizione, altrimenti ho dei doveri che mi chiamano.

VV: Quante sono le ragazze che partecipano a questo campo estivo?

OJ: Dodici, giel'ho già detto.

VV: E quante erano all'inizio?

OJ: Dodici.

VV: Grazie. Credo che lei menta, ma sono affari suoi. Posso pregarla di andare a occuparsi del suo lavoro adesso, e di fare in modo che le sue collaboratrici vengano qui da me una alla volta?

OJ: Io ho la coscienza pulita, signor commissario. La sua finirà per perseguitarla. Mi creda sulla parola.

VV: Idiozie. Ancora una cosa, fra parentesi. In concomitanza con il processo del 1990, la sottoposero a qualche genere di perizia psichiatrica?

OJ: Naturalmente no.

VV: Certo, mi scusi, perché in tal caso non sarebbe qui, adesso.

OJ: Lei sta andando oltre le sue competenze, signor commissario.

VV: Io ho una voce interiore che mi guida.

OJ: Si ricordi che l'ho avvertita.

VV: Sparisca. Ma faccia in modo di mandare qui le persone con cui voglio parlare.

OJ: Nel giorno del giudizio...

VV: Grazie, per questa volta può bastare.

Il commissario spense il registratore e prese altri due spicchi d'aglio con pâté, seguiti da un sorso di birra che lasciò girare per bene per tutta la cavità orale; il sapore che lasciava in bocca Oscar Jellinek non era cosa su cui scherzare. Poi mandò avanti il nastro un pezzetto e premette di nuovo il tasto *play*.

VV: Il suo nome?

UF: Ulriche Fischer.

VV: Età, domicilio e occupazione?

UF: Quarantuno anni. Abito a Stamberg e lavoro nella chiesa della Vita Pura.

VV: Con quali mansioni?

UF: Diverse, soprattutto questioni pratiche.

VV: È sposata?

UF: No.

VV: Quali sono i suoi compiti qui al campo estivo?

UF: Ci dividiamo tutto il lavoro. Cucinare, rigovernare, lavare e fare le pulizie... assistiamo Jellinek, ovviamente.

VV: Partecipa anche all'istruzione delle ragazze?

UF: Sì, può capitare.

VV: In quale modo?

UF: Non ho intenzione di parlare con lei di questo genere di cose.

VV: E perché?

(Cinque secondi di silenzio.)

VV: Jellinek gliel'ha proibito?

(Silenzio.)

VV: Da quanto tempo fa parte di questa setta?

UF: Sono entrata nel movimento della Vita Pura nel 1987.

VV: Ha una relazione sessuale con Jellinek?

(Silenzio.)

VV: Se continua a rifiutarsi di rispondere alle mie domande, la porterò via di qui con me e la sottoporrò a tutt'altro tipo di interrogatorio.

UF: È una sua scelta, signor commissario.

VV: È vero che praticate esorcismi?

UF: Queste sono parole sue, non mie.

VV: Che diavolo intende con questo?

UF: Le sarei grata se non imprecasse in mia presenza.

VV: Jellinek è stato condannato per abuso sessuale e costrizione illegale sei anni fa. Che cosa ha da dirmi a questo proposito?

UF: Fu una sentenza ingiusta. Esiste un'autorità superiore.

VV: Può spiegare questo principio della purezza?

UF: Non credo che lei sia ricettivo all'istruzione.

VV: Invece le vostre ragazze lo sono?

(Silenzio.)

VV: Non sarà forse che le idee di Jellinek sono talmente

infantili da essere adatte soprattutto ai bambini e agli imbecilli?

UF: Lei non ha proprio ritegno. Mi aspettavo un comportamento almeno corretto.

VV: Stia a sentire adesso. La vostra associazione poggia su tre principi: Preghiera, Rinuncia e Purezza. Le chiedo di chiarire uno di questi principi, e lei sceglie di tacere. Che cosa cavolo vuole che creda?

UF: Lei può credere quello che preferisce. Come ognuno di noi si ponga di fronte alle grandi questioni e che cosa ne faccia della sua vita, è un fatto personale.

Il commissario allungò il braccio e spense il registratore.

Perché perdo così in fretta il controllo? pensò.

Era solo colpa del caldo, o del senso di impotenza? Mandò avanti il nastro; il resto della conversazione con Ulriche Fischer si era svolto nel segno della diffidenza reciproca, lo sapeva, e non era emerso nulla che potesse suffragare la tesi che una delle ragazze fosse scomparsa.

Gli ci volle un momento per trovare il punto giusto del nastro. Prima di continuare, terminò il suo semplice pasto e accese una sigaretta. Sistemò i cuscini e si abbandonò contro la testata per potersi concentrare meglio sull'interrogatorio di Mathilde Ubrecht. Che era stato un po' più utile, aveva l'impressione. Ma forse non tanto.

Naturalmente dipendeva anche da cosa si cercava.

MU: Mi chiamo Mathilde Ubrecht. Trentasei anni. Lavoro nella chiesa della Vita Pura.

VV: Grazie. È al corrente del perché voglio parlare con lei?

MU: Credo di sì.

VV: Alla polizia è giunta notizia che dal campo estivo è scomparsa una ragazza. È d'accordo che dobbiamo verificare la notizia?

MU: Sì. Ma da qui non è scomparso nessuno.

VV: Ne è sicura?

MU: Sì.

VV: Posso farle una domanda ipotetica?

MU: Prego.

VV: Se giovasse alla sua congregazione, sarebbe disposta a mentire in un interrogatorio di polizia o davanti a un tribunale?

MU: Non capisco la sua domanda.

VV: *All right*, allora giriamola. Se Oscar Jellinek le intimasse di dirmi determinate cose, lei lo farebbe anche se fosse consapevole che sono menzogne?

MU: Non credo che Jellinek farebbe una cosa del genere.

VV: Qual è la sua opinione su Oscar Jellinek?

MU: Che è un grand'uomo.

VV: Che cosa intende?

MU: È in contatto col Tutto e con l'Unico Dio. È una grazia potergli essere accanto.

VV: Anche le sue consorelle la pensano allo stesso modo?

MU: Naturalmente.

VV: Capisco. E le vostre cresimande?

MU: Ne sono convinta. È qualcosa che si avverte non appena ci si trova vicino a lui.

VV: Davvero? Mi può raccontare brevemente come si svolge l'insegnamento?

MU: Jellinek ha dei colloqui con le ragazze. Preghiamo insieme. Cerchiamo di liberarci dei pensieri cattivi e di purificarci.

VV: Come?

MU: In vari modi. Attraverso diversi esercizi. Tramite la preghiera. Dandoci con tutto...

VV: Che cosa fate esattamente, quando vi date?

(Silenzio per qualche secondo.)

MU: Non intendo parlare di questo con estranei. Sarebbe facile fraintendere. Bisogna essere addentro per vederlo nel giusto modo, occorre allenamento...

VV: Andate regolarmente a letto con Oscar Jellinek?

MU: Noi viviamo in grande armonia e vicinanza.

VV: Anche sotto il profilo sessuale?

MU: Siamo creature biologiche, commissario. Noi non

tracciamo le stesse linee di confine che tracciate voi, è questa la differenza fra la Vita Pura e l'Altro Mondo.

VV: L'Altro Mondo?

MU: Il mondo in cui vivete voialtri.

VV: Che cosa mi dice del fatto che Jellinek è stato in galera per abuso sessuale e altro?

MU: Gesù Cristo fu crocifisso per i nostri peccati.

VV: Mi paragona Oscar Jellinek a Gesù Cristo?

MU: Certamente.

(Altra pausa di silenzio piuttosto lunga, a parte un rumore come di qualcuno che trascina un sacco pesante sul pavimento. Ci volle un attimo prima che Van Veeteren si rendesse conto che non si trattava di un sacco, ma di un sospiro. Il suo.)

VV: Anche le vostre cresimande vivono in grande vicinanza e armonia con Oscar Jellinek?

MU: Naturalmente no. Non allo stesso modo.

VV: Ma può succedere che le ragazze siano nude mentre si trovano con lui.

MU: Non è come crede, commissario. Noi siamo circondati da maldicenza e ostilità, esattamente come...

VV: Sì?

MU: Esattamente come i primi cristiani.

VV: Voi vi paragonate ai primi cristiani?

MU: Ci sono molte somiglianze.

(Silenzio. Poi rumore di sedie smosse. Fiammifero che viene acceso e poi spento con un soffio.)

VV: Grazie, signorina Ubrecht. Non credo di avere altre domande da porle.

«Cazzo» borbottò il commissario, avvolgendo il nastro senza ascoltare il colloquio con Madeleine Zander, la donna con cui aveva parlato già nel corso della sua prima visita. Le stesse baggianate ancora una volta proprio no! pensò. L'unico dato che la differenziava dalle altre era che lei aveva fatto parte del movimento fin dall'inizio, e in più che era sposata. Madeleine Zander era la più anziana della troica, quarantasei anni, e aveva una figlia ormai adulta nata da un matrimonio che probabilmente era durato giusto il tempo necessario per concepirla e metterla al mondo, credeva il commissario.

Non credeva, del resto. Sperava.

In seguito, durante il viaggio di ritorno in macchina verso Sorbinowo, aveva cercato di ricapitolare e di individuare qualche segno di disaccordo fra le tre donne – invidia, gelosia e cose del genere – ma, per quanto volesse trovarne, non riuscì a ricordare nulla nelle loro conversazioni che lo lasciassero supporre.

D'altro canto non si era nemmeno impegnato a cercare di farle cadere in trappola. Al contrario. Aveva tenuto un comportamento amichevole e da gentiluomo per tutto il tempo: proprio come il suo solito. Perciò non si poteva dire.

Questo valeva del resto per tutta quella stramaledetta faccenda, pensò. Se si fosse trattato di un romanzo poliziesco, la parte migliore doveva ancora essere scritta. Per ora non c'era sostanza, ecco.

Anche se ovviamente c'erano parecchie cose di cui si poteva dire altrettanto.

In ogni caso, adesso lui era lì. Duecentodieci chilometri da Maardam e dodici giorni da Creta.

Ci sono sale d'attesa e sale d'attesa, aveva appena letto nelle riflessioni di Klimke. Ma dalla maggior parte delle stazioni non parte più nessun treno.

Decise di indagare come stessero le cose nel caso di Sorbinowo. Non aveva visto la stazione ferroviaria che da lontano, ma non gli era sembrata particolarmente animata.

Solo come segnale, dunque.

Le ragazze con cui aveva parlato erano due e, dopo aver valutato un po' la cosa, aveva deciso di ascoltarle insieme. Forse era un sintomo di stanchezza e forse indicava che era prossimo ad arrendersi, ma dopo Jellinek e le sue tre pallide schiave che cosa si poteva pretendere?

Trovò il punto giusto del nastro e premette il bottone.

VV: Dite come vi chiamate, per favore. E parlate ad alta voce, così che si senta sul nastro.

BM: Belle Moulder.

CH: Clarissa Heerenmacht.

VV: Sapete il motivo per cui voglio parlare con voi?

(Silenzio. Van Veeteren ricordò che le ragazze si erano scambiate un'occhiata prima di scuotere simultaneamente la testa.)

VV: Sono della polizia. Si tratta di quella ragazza che è scomparsa dal campo. Potete raccontarmi come è successo?

BM: Qui non è scomparso nessuno.

CH: Siamo state tutte qui tutto il tempo.

VV: Quante siete?

CH: Dodici.

VV: Ma all'inizio eravate tredici, no?

(Breve pausa.)

BM: Siamo state dodici tutto il tempo. Non cerchi di imbrogliarci.

VV: Bene, allora diciamo così. Potete raccontare brevemente come trascorrete le vostre giornate?

CH: Facciamo diverse cose.

VV: Per esempio?

BM: Nuotiamo, facciamo dei giochi. Poi abbiamo ore di colloquio e lavori di gruppo e cose del genere.

VV: Vi piace stare qui?

BM: Sì.

CH: È un campo bellissimo.

BM: Molti credono che facciamo un sacco di cose strane qui a Waldingen, ma in effetti non è così.

VV: Cos'è che credono?

BM: Io mica lo so. Qui si sta benissimo, comunque. Impariamo un sacco di cose fantastiche.

VV: Capisco. Puoi farmi qualche esempio?

BM: Sì, impariamo cos'è importante nella vita... come si vive insieme e cose così.

CH: Come si diventa brave persone con l'animo puro.

VV: E come si ottiene questo animo puro?

CH: Si eliminano tutti i pensieri cattivi.

VV: E come si fa?

CH: Ci sono diversi modi. Bisogna essere molto accurati, il male è dappertutto...

BM: Non dovremmo parlare con lei di queste cose.

CH: No...

VV: Ma io sono interessato a imparare.

BM: Allora dovrebbe parlare con Jellinek.

VV: Perché?

BM: Non va bene che noi ne parliamo. Stiamo imparando cose importanti e lei viene dall'Altro Mondo.

VV: L'Altro Mondo?

BM: Sì.

VV: E che cosa sarebbe?

BM: L'Altro Mondo è tutto ciò che non è la Vita Pura.

VV: Ah, ecco. E da quanto tempo fate parte di questa Chiesa?

CH: Da quanto tempo? Be', da sempre...

BM: Da quando eravamo molto piccole.

VV: Anche i vostri genitori sono adepti?

BM: Naturalmente. E i nostri fratelli e le nostre sorelle. Siamo degli eletti, si potrebbe dire.

VV: Capisco. Quanti anni avete?

BM: Quattordici.

CH: Dodici... quasi tredici.

VV: Frequentate anche la scuola della Vita Pura?

BM: L'ho frequentata. Adesso vado da un anno alla scuola pubblica.

CH: Io comincerò con la scuola pubblica quest'autunno.

BM: Lei non crede che siamo gente normale, è sempre così. Che cos'è che le interessa sapere veramente?

CH: Noi qui a Waldingen ci troviamo benissimo.

VV: Mi sembra di averlo capito. Dev'essere dura andare a scuola nell'Altro Mondo, non è vero?

CH: Dobbiamo imparare anche come stare nell'Altro Mondo. Come comportarci.

BM: Ma non credo che dobbiamo parlare neanche di questo con lei.

VV: Vi è stato detto quello di cui potete e non potete parlare con me?

(Silenzio. Un'occhiata di avvertimento dalla ragazza più grande alla più giovane, se ben ricordava.)

CH: No...

VV: Mi sembri un po' incerta.

BM: Nessuno ce l'ha detto. Ma lo sappiamo comunque.

VV: Capisco. Ma ci saranno delle ragazze che non si trovano bene come, a quanto pare, vi trovate voi?

BM: Tutte si trovano benissimo.

VV: Tutte?

BM: Perché ce lo chiede? È chiaro che certe volte qualcuna è un po' triste. Le sembra così strano?

CH: So che tutte pensano che qui si sta bene. E che sono cose importanti quelle che facciamo... e che impariamo.

VV: Potete raccontare un po' di quei tre pilastri fondamentali, Preghiera, Purezza e Rinuncia?

CH: Sono i pilastri fondamentali, appunto. È su quelli che si basa tutto...

VV: Che cosa si intende per purezza?

CH: Che bisogna essere puri quando si va incontro al proprio Dio, ma credo...

BM: Lei queste cose non le capisce. Se non si fa parte della congregazione, non si deve insistere a fare un sacco di domande.

VV: Occorre essere nudi per essere puri?

CH: Sì... no.

BM: No, non occorre, e queste sono cose che non la riguardano.

VV: Ricevete spesso visite?

BM: No, non fa bene ricevere visite quando stiamo imparando.

VV: Però telefonerete a casa, ogni tanto?

CH: Non telefoniamo, perché...

BM: Scriviamo lettere, va bene lo stesso.

VV: Non potete usare il telefono?

CH: Forse possiamo anche, ma non lo facciamo.

VV: Come si chiamava quella ragazza che è stata qui solo all'inizio?

CH: Cosa? A che cosa si sta riferendo?

BM: Credo che dovrebbe smetterla di essere così sfacciato. Lei ci sospetta di un sacco di cose di cui non ha la minima idea. È vigliacco da parte sua prendersela con noi.

VV: Perché non avete ragazzi nella vostra Chiesa?

BM: Certo che ci sono ragazzi nel movimento della Vita Pura, ma non in questo campo. Loro ne hanno uno per conto proprio. Non credo che vogliamo andare avanti a parlare con lei, adesso.

(Cinque secondi di silenzio. Rumore di sedie spostate.)

VV: Ok. Diciamo così. Correte a lavarvi le anime adesso, e dite al vostro Jellinek di andarsi a leggere Isaia 55,8.

BM: Cosa?

VV: È in un libro che si chiama Bibbia. Credevo che lo conosceste.

CH: Isaia...?

VV: 55,8, sì. Avanti, correte a purificarvi adesso, su!

Spense il nastro e si lasciò cadere pesantemente contro i cuscini. Rimase fermo assolutamente immobile per vari minuti, mentre cercava una definizione per i sentimenti che gli si agitavano dentro.

O almeno una metafora.

Ma non c'era nulla. Nulla affiorò e nessun pensiero si cristallizzò. Solo quella parola, «impotenza», che a quel punto cominciava a sembrargli una vecchia conoscenza. Un parente vecchissimo e sconsolato che non voleva mai morire, e che non si poteva sbattere fuori; forse proprio per via della relazione di parentela.

Sospirò. Constatò che le bottiglie di birra erano tristemente vuote e si alzò dal letto. Andò alla finestra e lasciò scorrere lo sguardo sul lago, dove gli ultimi canoisti della giornata stavano giusto per accostarsi ai pontili. Erano da poco passate le nove e mezzo, e le tonalità azzurre del cielo facevano del loro meglio per trasformare la luce serotina in una morbida oscurità estiva.

Notte di luglio, pensò Van Veeteren. Com'è che diceva la canzone?

Non si dorme nelle notti d'estate?

Forse un pensiero vero, a ben guardare. Una breve passeggiata serale e un bicchiere di vino bianco poteva comunque concederseli.

Per sciacquare via quella vecchia sensazione, se non altro.

E per facilitare la decisione di andarsene di lì. Ovviamente non c'erano più ragioni plausibili per portare avanti quella presunta inchiesta. Arrivati a questo punto, il debito verso Malijsen – comunque lo si volesse calcolare – poteva sicuramente considerarsi pagato e qualche motivo razionale per studiare altri attacchi contro il campo di Waldingen era difficile trovarlo. Per quanto ci si sforzasse.

Anche se forse era come soleva far osservare il vecchio Borkmann: «La ragione ha una sorella maggiore, non dimenticarlo. Si chiama Intuizione».

Quando finalmente riuscì a trovare il corpo, il sole era tramontato da un pezzo. L'oscurità aveva cominciato a infittirsi in mezzo agli abeti e, per un attimo confuso, si domandò se non si trattasse di una sorta di illusione ottica. Un bizzarro miraggio, quell'improvviso biancore di giovani carni che l'abbagliava da sotto le sterpaglie; e che forse sarebbe sparito, se solo si fosse decisa a chiudere gli occhi e a convincersi che in realtà non c'era.

Ma lei non chiuse gli occhi. La voce interiore che l'aveva guidata fin lì non le concedeva di chiudere gli occhi. Solo di agire, e di portare a termine l'incomprensibile compito che le aveva affidato.

Quella forza assoluta, imperativa.

Da dove veniva in realtà, quella voce che la guidava? Non lo sapeva, ma probabilmente era l'unica fonte d'energia in suo possesso, nell'incubo che stava vivendo. L'unica cosa che la teneva in piedi, e che l'aveva indotta a prendere quelle misure e a fare quei passi. Ovviamente doveva trattarsi di qualcosa di profondamente radicato in lei; un lato di cui nella vita quotidiana e prima di allora non aveva mai dovuto servirsi, ma che adesso prendeva in mano le redini della situazione e controllava che ciò che andava fatto venisse effettivamente eseguito. Una sorta di riserva, pensò, un pozzo sconosciuto dal quale attingere forza, ma che più tardi – in un lontano futuro, e volesse Dio che quel giorno arrivasse presto! – avrebbe dovuto provvedere a coprire con un pesante coperchio di oblio. Lasciando che l'erba del tempo ci crescesse sopra fitta e rigogliosa, come diceva la canzone – come diavolo faceva a pensare alle canzoni in quel momento? – così che né lei né nessun altro essere umano potesse immaginare che uso avesse fatto della sua acqua. E nemmeno che quel pozzo fosse mai esistito.

In un lontano futuro.

La sorgente. La sua forza. La voce interiore.

Adesso si era fatto buio sul serio. Doveva essere rimasta a fissare quella cosa incomprensibile a lungo, anche se non ne era stata consapevole. Accese un attimo la torcia tascabile, ma capì che la luce non era sua alleata in quella faccenda e tornò a spegnerla. Scostò qualche ramo ed espose il corpo esile e nudo per intero. Piegò le ginocchia e lo afferrò sotto la schiena e le gambe; si stupì per un istante della rigidità dei muscoli e delle articolazioni, e nel ricordo le passò velocemente l'immagine del parto di una cavalla cui aveva assistito molti anni prima, e del puledrino nato morto.

Il corpo non era pesante; decisamente sotto i cinquanta chili in ogni caso, e riusciva a trasportarlo senza particolare sforzo. Esitò un attimo fra diverse alternative, finché non arrivò in un posto dove la voce interiore si fece nuovamente sentire. Con cautela, come per mostrare una qualche sorta di perverso rispetto, sistemò il cadavere in posizione semiseduta contro un tremulo, un pioppo enorme con un firmamento di foglie fruscianti, e cominciò a coprirlo con ciò che riuscì a trovare: rami e sterpaglie e foglie secche dell'anno prima.

Senza nasconderlo, naturalmente. Solo coprirlo un po', in nome della decenza.

Quando ebbe terminato, era così buio che non poté neanche esaminare il proprio lavoro, ma, spinta dallo stesso strano senso di rispetto, rimase comunque un attimo immobile a capo chino e con le mani intrecciate.

Forse recitò una preghiera. O forse nella sua mente vagarono solo parole smarrite.

Poi fu attraversata da un lampo di terrore incandescente; tornò indietro lesta e recuperò il badile dove l'aveva lasciato. Proseguì fuori sulla strada e si affrettò ad allontanarsi con tutta la rapidità che le gambe le consentivano.

«Intuizione?» chiese Przebuda, e sorrise sopra l'orlo del suo bicchiere. «Vuoi dire che hai dei dubbi al riguardo? Personalmente, ho una fiducia cieca nell'intuizione, e sono semplicemente convinto che si tratti di una conoscenza che ha saltato un paio di passaggi... nella catena di causa-effetto, vale a dire. O che sembra averli saltati. Sta qualche passo avanti, ma non è nulla di sostanzialmente estraneo. Noi la possediamo, ma non vediamo come possiamo essere capaci di possederla. Nonostante tutto, raccogliamo enormi quantità di informazioni ogni secondo... tutto è lì immagazzinato, ma solo una minima parte finisce nella coscienza attiva. Il resto rimane lì sotto e manda i suoi segnali... del tutto inutilmente, il più delle volte, solo perché siamo così poco ricettivi. Siamo pur sempre solo esseri umani, nonostante tutto.»

Van Veeteren annuì e allungò soddisfatto le gambe sotto il tavolo. Era lunedì sera e se ne stava sprofondato in una vecchia poltrona di cuoio nel grande soggiorno-studio di Andrej Przebuda. Ed era lì da un bel po', anche; aveva gustato un ottimo Chateau Margeaux dell'81 sbocconcellando fette di pera con camembert. Aveva fumato. La cena era stata consumata in compagnia di Ejzenštejn, De Sica, Bergman e Tarkovskij, e solo dopo che si erano alzati da tavola trasferendosi sulle poltrone, il discorso era passato al reale motivo della visita del commissario a Sorbinowo.

Che adesso si era dunque ulteriormente allungata di un giorno.

«Forse è lo stesso fenomeno che si verifica quando si fanno nuove scoperte scientifiche» continuò Przebuda. «Il ricercatore conosce già la risposta, ha visto la soluzione finale del problema prima ancora di esserci arrivato. O almeno intravisto. Se non fosse così, probabilmente non sarebbe in grado di scoprirla. Noi abbiamo semplicemente bisogno di un'anteprima, credo che Rappaport ne abbia scritto, e Sartre anche, si capisce... Pierre e il caffè e via dicendo, lo sai. È un altro lato del processo cognitivo, soltanto. Una sorta di... sì, come possiamo chiamarla? Avanguardia della conoscenza, magari...»

«Mmm» fece Van Veeteren. «Una catena che tiene, anche se mancano parecchi anelli. Vorrei conoscerlo il pubblico ministero che accetterebbe una cosa del genere. Ma in linea di massima forse hai ragione. Altroché se ci credo, all'intuizione.»

«E che idea ti sei fatto del campo di Waldingen, allora?» domandò Przebuda accendendo la pipa, che si spegneva in continuazione. «Consciamente o inconsciamente... Il problema del fumare la pipa» aggiunse «è che ti si spegne non appena capita di parlare quel tantino di troppo. Devo ammettere che a me succede, ogni tanto. Allora?»

Il commissario sospirò.

«Non lo so» riconobbe. «Che mi venga un colpo se riesco a spiegarmi ciò che effettivamente credo. Quelli con cui abbiamo a che fare sono personaggi un po' ritardati, senza dubbio, e questo in un certo senso è un inciampo e offusca la questione centrale. Forse un qualche genere d'intervento sarebbe legittimo, lo sa il cielo che cosa cacciano in testa a quelle povere ragazzine... ma da qui ad ammazzare qualcuno, ce ne passa. Non posso nemmeno dire di aver trovato qualche sostegno alla tesi che ci sia stata una sparizione...»

Przebuda era ancora occupato con la sua pipa.

«... più che, al massimo, una leggera sensazione, ecco.»

Il commissario si abbandonò contro lo schienale e intrecciò le mani dietro la nuca. Lasciò scorrere lo sguardo lungo le pareti ricoperte di libri e sperimentò l'improvvisa illusione di trovarsi nel bel mezzo di un'enciclopedia. La sfera d'interessi di Przebuda pareva comprendere tutto, dall'evoluzione della congiuntura dell'industria siderurgica negli anni Ottanta alle quote di pesca nel mar Glaciale Artico, all'antropologia culturale e alla lirica amorosa provenzale. Un giornalista di vecchio stampo, un incorruttibile redattore che – almeno tempo permettendo –

era perfettamente in grado di scrivere un articolo su quasi tutti gli argomenti possibili e immaginabili. Benché cercasse di scacciare l'immagine, Van Veeteren doveva ammettere che la scenografia della serata portava con sé anche un altro richiamo. Quello sul classico eroe da romanzo poliziesco, l'investigatore navigato che raccoglie tutti i fatti nella sua testa rugosa, e poi risolve il caso sprofondato con la sua pipa in una bergère nella biblioteca di casa.

Anche se adesso era Przebuda che fumava la pipa. Personalmente, lui continuava con le sigarette.

Perciò forse era in realtà il suo ospite ad avere in mano la soluzione, non lui.

Se poi una soluzione era indispensabile, vale a dire. Forse, a ben vedere, non c'era nessuna equazione: non era questo che aveva deciso alla fine? Nessuna ragazza scomparsa e nessun caso, in realtà. Ad ogni modo, quella stanza aveva un certo non so che; l'unica cosa che mancava era ovviamente una scacchiera, ma Przebuda aveva già ammesso che quel passatempo non era mai riuscito a catturare il suo interesse.

Il che in maniera innegabile rendeva il gioco ancor più unico di quanto già fosse, pensò Van Veeteren. Passatempo, poi! Qui si sfiorava la bestemmia.

«Ho un certo numero di annotazioni» disse Przebuda dopo qualche secondo di silenzio. «Se sei interessato, naturalmente. Mi ero messo in testa di scriverci una mezza pagina giusto un anno fa, quando sono stati qui la volta precedente. La Vita Pura... l'idea era di mettere a nudo questa setta, per così dire. Non questo campo estivo in particolare... Intervistai il pastore e scattai qualche fotografia, ma poi decisi di abbandonare il progetto.»

«E perché?»

Przebuda alzò le spalle.

«Non so di preciso. Certi lavori li si molla, succede e basta. Credo che ci fosse qualcosa nell'insieme stesso; mi dava un certo disgusto, a dirla francamente. Immagino che tu capisca che cosa intendo...»

Van Veeteren annuì.

«... quel Jellinek e le sue quattro favorite.»

« Quattro? »

« Certo. C'erano quattro donne che si occupavano di un po'
tutte le faccende là fuori nel bosco. Molto più giovani di lui anche, sì, una cosa che mi metteva qualche dubbio, o come lo si
voglia definire. Non mi va proprio di fare pubblicità gratis a
quel genere di personaggi. Non è circondato dallo stesso harem
anche quest'anno? »

« Tre » rispose Van Veeteren. « Solo tre. »

Przebuda scoppiò a ridere.

« Be' » disse. « Magari cominciano a mancargli le forze. Se
hanno altre tradizioni musulmane, forse hanno anche il diritto
di essere soddisfatte. Com'è che funziona? Due notti su tre? »

« Una su due, credo » disse il commissario. « Ci sono orien-
tamenti un po' diversi. Non è che per caso hai i nomi di quelle
quattro donne che c'erano l'anno scorso? »

Andrej Przebuda alzò un sopracciglio. Poi anche il bicchiere.

« Perché me lo chiedi? »

« Era soltanto un'idea » rispose il commissario.

« *All right*, daremo una controllata » disse Przebuda. « Ma
prima, salute! »

« Salute » gli fece eco Van Veeteren.

Przebuda si alzò e raggiunse la scrivania stracarica, che correva lungo tutto un angolo della stanza e di sicuro aveva un'e-
stensione di almeno quattro metri quadrati. Accese un'altra
lampada e cominciò a frugare in mezzo a una raccolta di cartel-
lette rosse e verdi che stavano impilate in alte cataste contro il
muro. Dopo un momento ritornò con una di esse e ne tirò fuori
un mazzo disordinato di carte.

« Adesso vediamo » disse estraendo un paio d'occhiali dal
taschino. « Non credevo che mi sarei preso la briga di farlo, ma
in effetti ho scattato qualche foto a quella gente... Sì, eccole
qui. »

Tirò fuori una fotografia dal mucchio. La osservò con aria
critica per alcuni secondi e poi la passò a Van Veeteren. Il commissario guardò l'immagine. Era stata scattata fuori sulla terrazza dell'edificio principale della colonia. Nel sole del tardo
pomeriggio, a giudicare dalla luce e dalle ombre. Oscar Jellinek
era in piedi appena appoggiato contro la ringhiera, circondato

da quattro donne, due per lato. Nonostante la loro relativa or-
dinarietà, riuscì facilmente a riconoscere tre di loro come le
donne con cui era stato seduto a parlare il giorno prima. A sinistra di Mathilde Ubrecht e con una mano appoggiata sulla spalla di Jellinek c'era tuttavia una mora che non conosceva. Sembrava un tantino più giovane delle altre e, a differenza del resto
della compagnia, si era concessa di sorridere dritto nell'obiettivo. Senza ombra di dubbio era anche la più carina del gruppo.

«Mmm» fece il commissario. «E non avresti anche i nomi?»

«Forse» disse Przebuda. «Non c'è niente, sul retro?»

Van Veeteren voltò la fotografia e lesse: «Da sin.: Ulriche
Fischer, Madeleine Zander, O.J., Ewa Siguera, Mathilde Ubrecht.»

Ewa Siguera? pensò, bevendo un sorso di vino. Sembra il
nome di un personaggio da romanzo.

Przebuda aveva acceso di nuovo la pipa e soffiò un paio di
dense nuvole di fumo sopra il tavolo.

«Uff» disse. «Con ogni probabilità sapevo già allora che
non avevo intenzione di farne uso. Che cosa stai cercando di
pescare tu, fra parentesi?»

Il commissario rifletté un attimo, mentre a occhi socchiusi
continuava a studiare la fotografia.

«Non ne ho la più pallida idea» rispose. «Molto probabilmente si tratta solo di una qualche sorta di conoscenza pionie-
ristica.»

«Sì, sì» sorrise Przebuda. «Forse potremmo dare anche
un'occhiata alle carte. Ho un bel po' di materiale su Jellinek, se
non vado errato. Anche se non credo di aver fatto annotazioni
su sequestri di persona. Ma ciò che resta non scritto... Non dovremmo concederci un'altra bottiglia?»

«Viene sete, con questo caldo» convenne Van Veeteren.

«La religione è una faccenda ricca di sfumature» sentenziò
Andrej Przebuda un po' di tempo dopo. «Personalmente me la
sono lasciata alle spalle, ma non posso dire che non abbia lasciato la sua impronta...»

Van Veeteren aspettò.

«...i miei genitori, tutta la mia famiglia, erano ebrei praticanti. Quando la terra cominciò a scottare sotto i piedi e si capì che cosa ci attendeva veramente – mio padre era probabilmente il membro più perspicace di tutta la comunità mosaica – sistemarono me e mia sorella presso una famiglia cattolica in un paesino fuori in campagna. Ci tennero nascosti nella loro fattoria quattro anni, noi due fummo gli unici sopravvissuti di tutto il parentado... ironicamente, a meno di cinquanta chilometri da Auschwitz. Be', poi mi sposai con una donna che veniva dall'India; è morta sei anni fa ed è sepolta nel cimitero riformato qui a Sorbinowo.»

Il commissario annuì.

«Figli?» chiese.

«Una manciata» rispose Przebuda. «Né più né meno. Undici nipotini. Ma la religione l'ho abbandonata, come ti dicevo.»

«E non sei stato invogliato a riprenderla, quando ti sei imbattuto nella Vita Pura?»

Przebuda sorrise.

«No, però forse meriterebbero un encomio perché si occupano di un sacco di persone che altrimenti se ne starebbero in qualche istituto. A spese della società... Anche se questa faccenda dei giovanissimi è un'altra cosa. Forse ci sarebbe bisogno di qualche trucchetto per avvicinarsi veramente a loro. Spedire lì una tredicenne sveglia dotata di telefonino... ma suppongo che ci siano cose più importanti per cui spendere il tempo.»

Van Veeteren assentì con un cenno della testa.

«Giustissimo» commentò. «Per quanto mi riguarda, fra una settimana circa parto per le ferie, perciò se entro le prossime dodici ore non si fa vivo nessuno con una ragazzina sparita, ho idea che me ne vado di qui. Non posso dire di aver combinato granché... Il cineclub e questa serata sono state probabilmente le due cose migliori, a essere onesto. Il che non è poi così male.»

«Dai, dai» disse Przebuda.

«Posso prendere queste carte su Jellinek come lettura notturna?» domandò il commissario. «Posso passare a riportartele in redazione domani, prima di partire.»

«Certamente» acconsentì Przebuda, allargando le braccia. «Non lasci cadere il filo, quindi?»

Van Veeteren smorzò l'ultima sigaretta della serata.

«No» rispose. «Lo tengo stretto fino a che non si spezza da solo. È un vecchio vizio che ho.»

Si tirò su dalla poltrona e si rese subito conto che l'ultimo borgogna era ancora più forte di quanto avesse creduto.

Non sarà facile leggere stasera, pensò. Dovrò cercare piuttosto di tenermi sveglio abbastanza da raggiungere il letto prima di addormentarmi.

Il che naturalmente non era più che una pia speranza, soprattutto alla luce di ciò che in effetti lo aspettava durante il resto della nottata.

Ma di questo non aveva ancora nemmeno un'ombra di nozione, né empirica né intuitiva.

14

In situazioni normali – nei momenti in cui non era commissario supplente del distretto di polizia di Sorbinowo – avrebbe ovviamente lasciato che fosse la segreteria telefonica a occuparsi di tutte le chiamate, in un caso come quello. Senza dubbio. Lui e Deborah erano appena sprofondati ognuno nel proprio angolo del nuovo divano Wassmeyer con una scatola di cioccolatini sul tavolino davanti a loro, il film con Clint Eastwood non era ancora arrivato alla prima interruzione pubblicitaria, e una piacevole brezza calda filtrava attraverso la finestra alla francese aperta. Con precisione attenta e affettuosa, stava massaggiando i piedi nudi della consorte.

In senso squisitamente fisico, era una serata quasi perfetta.

«Sta suonando» disse Deborah, infilandosi una pralina fra le labbra rosse.

Kluuge sospirò e si tirò su a fatica dal divano. L'apparecchio più vicino era in camera da letto, e lui si richiuse la porta alle spalle per non disturbare la visione del film alla moglie.

Tipico, pensò sollevando il ricevitore. Ma se si ha la responsabilità, la si ha.

«Commissario Kluuge.»

«Pronto?»

Era più che sufficiente perché lui riconoscesse la voce. Nell'arco di una frazione di secondo, Clint, la moglie e le praline erano stati come spazzati via dai suoi pensieri.

«Sì, qui Kluuge.»

«Sono ancora io.»

«Lo sento. Che cosa vuole?»

«Darle un'indicazione.»

«Un'indicazione?»

«C'è una ragazza morta a Waldingen.»

«Stiamo già indagando...»

«Lo so. Ma non arrivate da nessuna parte. Se andate là e trovate il cadavere, forse mi crederete.»

«Non credo che ci sia nessun cadavere» disse Kluuge. «Lei continua a telefonare solo per farsi notare. Abbiamo effettivamente...»

«Superate la colonia...»

«Cosa?» disse Kluuge.

«Le sto spiegando la strada.»

«Per dove?»

«Per il cadavere. Le dirò esattamente dov'è, così potete andare là e trovarlo. Allora forse capirete che sto dicendo la verità.»

Kluuge deglutì.

«Allora?» riuscì a dire.

«Cento metri dopo la colonia c'è un sentiero stretto sulla destra. Imboccatelo e, subito dopo aver passato un masso sulla sinistra, vedrete un pioppo gigantesco. Solo qualche metro dietro la roccia, è lì che si trova. Non sono più di una ventina di metri dalla strada...»

«Aspetti» disse Kluuge. «Devo prendere una penna.»

«Non c'è bisogno» disse la donna. «Cento metri dopo la colonia. Sentiero sulla destra. Accanto al pioppo dietro il masso. La troverete sicuramente.»

Una quantità di domande si accalcò d'improvviso nella gola dell'aspirante Kluuge, ma prima che fosse riuscito a liberarne una soltanto, sentì che la donna metteva giù il ricevitore dall'altra parte del filo.

Merda, pensò. Merda, merda.

Quindi rifletté per quindici secondi e poi compose il numero dell'hotel Grimm. Il telefono squillò dodici volte prima che qualcuno rispondesse alla reception, e l'unica cosa che riuscì a sapere fu che il signor Van Veeteren era uscito un paio d'ore prima senza lasciare nessuna indicazione di dove avesse intenzione di andare. O di quando sarebbe stato di ritorno.

Kluuge appese. Fissò lo sguardo fuori della finestra aperta. All'esterno, l'oscurità della sera aleggiava leggera e calda d'estate. Le cicale frinivano. All'interno, sul comodino, l'orologio digitale segnava le ventidue e venti.

Che diavolo devo fare? pensò. E da qualche parte nel profondo di sé sentì una debole voce sussurrare che avrebbe dovuto tornare sul divano. Tornare semplicemente da Deborah e dai suoi caldi piedini. La cosa più semplice sarebbe stata dimenticare l'intera faccenda e fare finta che non avesse telefonato nessuno... come se non avesse mai sentito parlare di nessuna ragazza morta e di nessun sentiero e di nessun masso... ma la vergogna che un simile pensiero fosse potuto anche solo nascere nella sua mente prese ben presto il sopravvento. Crescendo grande e grossa.

Mai, pensò. Mai e poi mai. Adesso devo assumermi la piena responsabilità.

Rifletté ancora per qualche minuto, poi telefonò nuovamente al Grimm e lasciò un messaggio per il commissario: «Pista che scotta nel caso Waldingen. Sono andato là. Kluuge».

Cinque minuti dopo, aveva già salutato sua moglie con un bacio e si era messo in viaggio nella notte.

Per non destare inutili sospetti, fermò la macchina un buon tratto prima di arrivare alla colonia. Spense i fari e uscì sulla carreggiata coperta di ghiaia. Una grossa luna era spuntata sopra il lago e attenuava l'oscurità. Piano piano, cominciò a camminare lungo la stretta strada campestre, con molta cautela e tenendosi sul margine, dove il rumore dei suoi passi era attutito dall'erba e dalla terra.

Quando passò davanti agli edifici della colonia, l'orologio segnava le undici e cinque, e tutte le finestre erano buie, tranne due. Non vide però neanche l'ombra di una persona, né sentì alcun rumore che potesse far supporre che qualcuno era fuori, e proseguì senza fermarsi risalendo la lieve pendenza sull'altro lato. Contò i passi e, dopo circa ottanta metri, accese la torcia tascabile e cominciò a cercare il sentiero.

Lo trovò senza difficoltà. Prima di imboccarlo, spense la torcia. Rimase per qualche secondo perfettamente immobile nel buio con l'orecchio teso, ma gli unici rumori che si sentivano erano il fruscio lieve delle chiome degli alberi, il canto ostinato dei grilli e il gracidare di qualche rana malata d'amore che saliva dalla sponda del lago. Risoluto accese di nuovo la torcia e cominciò a seguire il sentiero.

La paura lo assalì nell'attimo stesso in cui indirizzò il fascio di luce contro il grosso blocco di roccia. D'improvviso si rese conto che la pazza che aveva telefonato forse non era proprio così pazza come aveva pensato, e che adesso poteva essere venuta l'ora... che forse era solo questione di secondi prima che si trovasse davanti il suo primo cadavere; sentì che la bocca gli si seccava in un attimo di fronte a quella eventualità, e che alle tempie il battito era di colpo così forte da fargli udire il rumore del suo stesso sangue.

Alzò la torcia e lasciò che la luce frugasse tra gli alberi.

Non c'erano molti dubbi. Nessun dubbio in assoluto, a conti fatti; quando indirizzò la torcia su verso il fogliame, vide chiaramente che si trattava proprio di un pioppo, un tremulo gigantesco che cresceva qualche metro dietro il masso erratico, e la cui chioma sussurrante ondeggiava lassù nella notte alta sopra di lui, come un presagio di misfatti e azioni criminose e chissà cos'altro. Rabbrividì e scosse la testa. Fantasie, pensò. Nient'altro che fantasie. Superstizioni e ciarle da donnette. Girò intorno al masso e illuminò la parte inferiore del tronco. Scostò con cautela con il piede un po' di foglie cadute e di rami, e, quando si chinò più vicino, vide con chiarezza – con tutta la chiarezza possibile e immaginabile – che la cosa biancastra che spuntava fuori dalle sterpaglie era una mano.

Una comunissima, piccola mano di ragazzina, piuttosto magra ed esangue, e lui ebbe giusto la presenza di spirito necessaria per spostarsi rapidamente qualche metro più in là prima di vomitare sia il pasticcio di broccoli di Deborah sia gli otto cioccolatini che aveva fatto in tempo a ingurgitare davanti alla TV.

E l'aspirante Kluuge capì che proprio allora, proprio durante quegli attimi solitari nel bosco, lunghi come un'eternità, era stato colpito da un'esperienza che gettava la sua ombra sopra tutte le altre esperienze. Negative e positive. Passate e future.

Sono diventato adulto, pensò con stupore. Adulto. Era un po' come essere stato sbattuto in una terra sconosciuta e desolata; in una realtà dura e ineluttabile che, lo sapeva, non avrebbe mai potuto accantonare, o gettarsi alle spalle, e della quale non si sarebbe mai liberato.

Ma c'era anche dell'altro: una sorta di amara soddisfazione che non si lasciava impietosire e che lui non riusciva esattamente a spiegarsi.

Di certo, quello non era nemmeno il momento giusto per le riflessioni. Con il dorso della mano si asciugò intorno alla bocca, spense la torcia e cominciò a tornare rapido verso la macchina.

15

Reinhart era solito affermare che in realtà esiste un solo metodo infallibile quando bisogna rimettere in moto un'inchiesta che si è arenata: uno si beve mezzo litro di whisky e quattro birre, e quando poi è già andato a letto, garantito che non deve aspettare più di venti minuti prima che il telefono squilli e lui si ritrovi con un nuovo cadavere sul gobbo.

Forse quella tiepida sera le cose non andavano proprio così male a Sorbinowo, ma quando Van Veeteren lesse entrambi i messaggi che gli aveva lasciato Kluuge, decise comunque per una prolungata doccia fredda prima di mettersi in moto nel buio.

Non si deve sprecare la notte d'estate dormendo! gli passò per la mente. Forse, certi pensieri dovevano essere forati prima di poter salire in superficie, pensò mentre cercava di sciacquarsi via il borgogna dalla faccia. Avevano una tale funesta tendenza a diventare automaticamente delle profezie!

A poco a poco, però, la concentrazione cominciò ad affiorare.

Che cosa cavolo poteva essere successo là fuori?

Di per sé, i messaggi di Kluuge erano limpidi come l'acqua. In particolare il secondo: «Ragazza morta a Waldingen. Rinforzi in arrivo. Kluuge.»

Chissà se ci saranno già anche i giornali, pensò Van Veeteren uscendo dalla doccia. All'attenta signorina della reception non sembrava in ogni caso essere sfuggito il reale contenuto dei bollettini dell'aspirante. Per un attimo lui si gingillò col pensiero di telefonare a Przebuda, che magari non aveva fatto ancora in tempo a coricarsi; ma dopo una ponderata riflessione lasciò perdere. Meglio essere misericordiosi e concedergli una buona notte di sonno; come reporter di prima linea, doveva aver già fatto il suo tempo, ormai.

Quando si infilò nel taxi in attesa, mancava qualche minuto all'una; secondo la signorina della reception, il secondo messaggio di Kluuge era arrivato poco prima di mezzanotte, perciò c'erano buoni motivi di ritenere che sia i tecnici sia il medico legale sarebbero stati sul posto a Waldingen prima di lui. Se non andava errato, doveva essere gente di Rembork, che erano i più vicini, ma sotto questo aspetto Kluuge era naturalmente meglio informato.

Sprofondò nel sedile posteriore e disse dove voleva andare.

«Che cavolo ci va a fare laggiù in piena notte?» domandò il corpulento taxista, e sbadigliò provocando la formazione di grasse pieghe sulla nuca.

«Si muova» disse Van Veeteren. «Spenga la radio e faccia silenzio.»

A parte quella di Kluuge, sul posto c'erano altre tre macchine. Due venivano per l'appunto da Rembork e avevano portato lì, oltre alla squadra dei tecnici della scientifica, anche due agenti dell'investigativa. Nella terza macchina era seduto – come constatò Van Veeteren quando si avvicinò per guardare dentro – un giovanotto con la barba e gli occhiali, attaccato a un telefono cellulare. Il commissario infilò la mano attraverso il finestrino abbassato e con un rapido movimento gli strappò via l'apparecchio.

«Che cazz...?»

«Commissario Van Veeteren. Lei sta ostacolando le indagini. Per quale giornale scrive?»

«'Allgemejne.'»

«Bene. Se sta tranquillo per un'oretta, le prometto che le fornirò io stesso le informazioni corrette.»

Il giovane reporter era titubante.

«Come faccio a sapere che non vuole imbrogliarmi?»

«Non imbroglio mai nessuno» disse Van Veeteren. «Chieda al suo caporedattore, che mi conosce.»

Kluuge comparve dal buio.

«È là sopra» spiegò indicando più avanti lungo la strada. «Uno di quelli di Rembork la sta esaminando... e poi ci sono i ragazzi della scientifica, ovviamente. È... è stata strangolata e violentata, su questo non c'è alcun dubbio.»

«Da quant'è che sono qui?» domandò il commissario.

Kluuge guardò l'ora.

«Da non più di una mezz'ora. L'ho trovata grossomodo intorno alle undici e venti.»

Van Veeteren indicò con un cenno del capo la colonia. Nella costruzione principale alcune finestre erano illuminate, ma gli edifici laterali erano immersi nel buio.

«E come stanno andando le cose là dentro, eh?»

«Di preciso non so» disse Kluuge. «L'altro agente è là, ma non ho ancora fatto in tempo a controllare. Vuole che l'accompagni sul... sul luogo del ritrovamento, commissario?»

Van Veeteren accese una sigaretta.

«Meglio lasciarli lavorare in pace ancora un momento» rispose. «Vorrei prima andare a controllare com'è la situazione alla colonia. Se mi aspetti in macchina, poi possiamo andare a dare un'occhiata...»

Kluuge annuì e aprì la portiera. Il commissario fece per entrare ma si fermò.

«E tu come ti senti?» chiese.

«Sa, non tanto...» mormorò Kluuge.

«Posso capire. Resta in macchina e stai al caldo. Vedrò se riesco a procurarmi un po' di caffè.»

Lasciò l'aspirante e le automobili, e cominciò a salire verso la colonia. Inciampò un paio di volte su alcune radici sporgenti e fu lì lì per cadere, ma riuscì comunque ad arrivare sano e salvo sulla terrazza. Bussò a una delle finestre illuminate e fu fatto entrare da una sorella Madeleine particolarmente scontrosa, avvolta in un ampio accappatoio informe fatto del solito cotone grezzo. La donna non lo degnò né di uno sguardo né di una parola; si limitò a scortarlo silenziosamente e a piedi nudi in una stanzetta che, a quanto pareva, fungeva da ufficio. Carte, qualche raccoglitore e una pila di bibbie erano sparsi sopra la scrivania. Le consorelle, vestite di analoghi accappatoi, erano sedute in attesa ognuna sulla sua sedia, e ritto davanti alla finestra c'era il secondo dei poliziotti giunti da Rembork. Era piuttosto evidente che stava interrogando le tre donne.

Ed era anche evidente che non stava arrivando da nessuna parte.

Van Veeteren si guardò intorno nell'angusta stanzetta. Quindi chiese al collega di potergli parlare un momento in privato, e lo condusse fuori nel corridoio.

« Come hai detto che ti chiami? »

« Servinus. Ispettore della Polizia giudiziaria. »

« Van Veeteren » disse il commissario. « Cerchiamo di parlare sottovoce, così che non scoprano le nostre strategie. »

Fece un gesto verso la porta chiusa. Servinus annuì.

« Da quanto te le stai lavorando? »

Servinus guardò l'ora.

« Be', lavorando... » disse. « Al massimo cinque minuti, stavano dormendo, perciò c'è voluto un attimo prima... anche se credo che abbiamo un piccolo problema, qui. »

« Aha » disse Van Veeteren. « E che genere di problema? »

« Non parlano. »

« Che cosa significa? »

Servinus si grattò irritato sul collo.

« Sì, è come se avessero deciso di non collaborare. »

« Che diavolo...? »

« Esattamente. Non rispondono alle domande, ecco tutto. Lei ha qualche idea di che genere di posto sia questo, in realtà? A me sembrano un po'... sì, come posso dire... »

« Lo so » lo interruppe il commissario. « Ne parleremo un'altra volta. Dov'è Jellinek, piuttosto? Questa è la cosa che ci interessa di più, adesso. »

« Chi? »

« Oscar Jellinek. Dove si è cacciato? »

Servinus cambiò piede e cominciò ad assumere un'aria preoccupata.

« E chi sarebbe questo Jellinek? Io qui sono appena arrivato, per la malora! »

Van Veeteren avvertì che il brivido freddo di un oscuro presagio cominciava a strisciargli lungo la spina dorsale. Non è possibile, pensò.

«Vuoi dire che non hai incontrato Jellinek?»

Servinus scosse la testa.

«E loro non ti hanno detto niente di lui?»

«Non una sillaba. Non aprono quasi la bocca, accidenti!»

Il commissario intrecciò le mani e borbottò una lunga tirata fumosa.

«Vieni» disse poi. «Devo vederlo con i miei occhi.»

Si affrettò a fare ritorno nella stanzetta. Spalancò la porta, entrò a grandi passi e si piazzò a gambe larghe in mezzo al locale.

«*All right*» ringhiò. «Dove avete nascosto il vostro beniamino?»

Le donne si strinsero ancora più vicino una all'altra sulle sedie, gli occhi fissi sui piedi nudi. Il commissario aspettò cinque secondi, mentre stringeva le mascelle sino a far scricchiolare i denti. Poi andò alla scrivania e picchiò un pugno sul piano.

«Dov'è Oscar Jellinek?» ruggì. «E vedete di rispondere quando vi s'interroga, per la madonna! C'è una ragazzina morta, su nel bosco, è stata violentata e strangolata, e potete scommetterci che la vostra stramaledetta setta da adesso non esiste più! Allora?»

Madeleine Zander sollevò piano la testa e incontrò il suo sguardo.

«Pensi bene a quello che dice, commissario» disse sottovoce. «Noi siamo senza colpa e lei non ha nessun diritto di venire qui a muovere accuse infondate. Abbiamo deciso di non collaborare.»

«Non risponderemo alle vostre domande» chiarì Ulriche Fischer.

«Dov'è?» le interruppe Van Veeteren. «Avete tre secondi per darmi una risposta!»

Madeleine Zander si schiarì la gola e intrecciò le mani in grembo. Entrambe le sue consorelle ne imitarono l'esempio. Abbassarono gli occhi e parvero sprofondare in se stesse. Staranno sicuramente pregando il loro equivoco Dio, pensò il commissario. Merda!

«Voi lo state nascondendo.»

Nessuna reazione.

Van Veeteren si morse la lingua e rifletté. Guardò l'ora. Mancavano dieci minuti alle due.

«Credevo che faceste a turno ad andare a letto con lui. A chi toccava questa notte?»

Madeleine Zander alzò lo sguardo e sbuffò indignata.

«Oppure state tutti insieme nello stesso letto?»

Gettò un'occhiata all'ispettore Servinus, che cominciava ad avere un'aria sempre più stupefatta. D'improvviso avvertì che il calore del borgogna gli era affiorato sulle guance. Oppure erano solo la collera e la pressione arteriosa?

«Volete dire che è sparito?» chiese.

Nessuna delle donne rispose. Van Veeteren spezzò uno degli stuzzicadenti e lo gettò sul pavimento.

«Statemi bene a sentire! Una delle vostre ragazze è su nel bosco, morta ammazzata. Il vostro maledettissimo gran sacerdote è in fuga. Me ne frego di quali pie conclusioni ne stiate traendo voi, ma so quali ne traggo io... Servinus!»

L'ispettore trasalì.

«Sì?»

«Resta qui, e tieni d'occhio queste tre grazie. Vedremo di metterle sotto chiave in un cellulare, non appena ne arriverà uno. Le ragazze per ora le lasciamo dormire, poveracce. Sai se è in arrivo qualche collega donna?»

«Penso di sì» rispose Servinus. «Quel sostituto, Kluuge, ne ha certamente mandate a chiamare.»

«Bene» disse il commissario.

Fece una breve pausa. Cercò di guardare fuori dei rettangoli neri come pece delle finestre e fece tre o quattro respiri profondi per calmarsi. Poi si rivolse nuovamente alle tre donne.

«È mio dovere informarvi che sarete messe agli arresti, sospettate di una sfilza di nefandezze che adesso non ho nessuna voglia di elencarvi. Omicidio, concorso in omicidio, favoreggiamento sono solo qualche esempio...»

«Lei non ha nessun diritto...» attaccò Madeleine Zander.

«Credevo di aver capito che avevate deciso di tacere» la interruppe Van Veeteren. «Posso pregarvi di attenervi alle vostre dichiarazioni? Tenete il becco chiuso!»

Servinus tossicchiò titubante. Il commissario fece un altro

respiro profondo, dopo di che girò i tacchi e abbandonò la stanza.

Diavolo, pensò quando fu di nuovo fuori nel buio. Pare un film... un film di serie B veramente pessimo, con un montaggio ignobile e il suono non sincronizzato. Un'autentica porcheria!

Di per sé, non era da escludere che avesse a che fare con il vino, ma nonostante ormai fossero le due passate, non si sentiva minimamente stanco. Al contrario. Risoluto, piuttosto. E pieno di energia.

Poi si ricordò di che cosa si trattava.

È ora che vada a darci un'occhiata, decise quando ebbe raggiunto di nuovo la macchina. Naturalmente non c'è altra via d'uscita.

Come sempre.

Il reporter dell'«Allgemejne» fece chiaramente capire che avrebbe voluto accompagnarlo, ma il commissario lo spinse di nuovo con decisione dentro la macchina. Invece toccò a Kluuge precederlo, illuminandogli la strada con la torcia tascabile; il commissario ricordò di aver detto qualcosa a proposito di un caffè, ma si augurava che fossero bastate la promessa e la premura in sé. L'aspirante era rimasto un po' traumatizzato dall'esperienza, lui se n'era accorto alla prima occhiata. Niente di cui stupirsi.

I tecnici – due giovanotti in tuta verde – avevano sbarrato l'accesso con nastri a righe bianche e rosse, e un paio di fari posizionati su treppiedi gettavano un crudo fascio di luce sulla scena del ritrovamento. Van Veeteren si fermò a qualche metro di distanza, dove non aveva bisogno di vedere troppo. Un tizio sulla cinquantina, un po' pelato, gli si fece incontro e si presentò come Suijderbeck, soprintendente della squadra investigativa di Rembork.

« Van Veeteren. Com'è? »

Suijderbeck alzò le spalle.

« Un disastro. Ragazza sui tredici, quattordici anni. Violentata. Laringe sfondata, credo. Se ha avuto fortuna, è successo nell'ordine inverso. »

« Che cosa dicono i tecnici? »

« Che è stata trascinata qui, probabilmente » rispose Suijderbeck. «Nulla sta a indicare che il delitto sia avvenuto in questo punto. Ma non hanno ancora trovato molto, si capisce. »

«Sperma? »

Suijderbeck scosse la testa.

«A quanto pare no. »

«Ma violentata? »

«Penetrata, in ogni caso » sospirò Suijderbeck. «Con qualcosa. E malmenata un po' dappertutto. »

Van Veeteren rabbrividì. Un uomo più anziano, un po' curvo, comparve alle spalle del soprintendente. Si presentò come il dottor Monsen e il commissario pensò che la faccia non gli era del tutto nuova. Come in effetti si dimostrò ben presto.

«Van Veeteren? » esclamò il dottore, quando si fu reso conto di chi aveva salutato. «Che diavolo ci fa da queste parti? È stato trasferito? »

Il commissario ignorò la battuta.

«Sa di che cosa si tratta? » domandò Monsen. «Questo posto, voglio dire...? »

«Ne parliamo dopo. »

«Lo credo bene. Vuole dare un'occhiata? »

Van Veeteren sospirò e infilò le mani in tasca.

«Purtroppo ne sono costretto. »

Girò intorno al masso e scansò uno dei tecnici. Diresse lo sguardo dove erano puntate le luci.

Poggiato contro il tronco di un enorme pioppo tremulo grottescamente illuminato dai fari c'era un esile corpo di ragazzina. Van Veeteren aveva avuto tutto il tempo di prepararsi alla visione, ma la realtà nuda e cruda lo colpì comunque come un pugno nello stomaco. Lo stesso pugno nello stomaco di sempre. Il corpo pallido era marezzato qua e là, soprattutto nell'area inguinale e intorno al collo e al petto, di grosse chiazze scure, e le cosce erano rigate di sangue rappreso. La testa era piegata di lato in un angolo innaturale, la lingua spuntava un po' in fuori tra le labbra sottili e gli occhi erano pietrificati in un'espressione di inutile terrore.

Clarissa Heerenmacht. Si ricordava perfino il suo nome.

Fece un paio di conti e arrivò alla conclusione che doveva

essere passato circa un giorno e mezzo da quando aveva parlato con lei in quella grande stanza su alla colonia.

Poi avvertì un breve attimo di intensa vertigine, prima che un rigurgito acido dallo stomaco lo riportasse alla realtà.

C'è qualcosa che non quadra, pensò, inoltrandosi di nuovo nell'oscurità.

IV

23–28 luglio

16

Il bosco era fitto e intricato.

Sulla sua strada non incontrava né uomini né animali, ma in lontananza sentiva il rintocco delle campane. Forse, era per dargli l'orientamento di cui aveva bisogno. Anche se il suono era remoto e fragile; gli sembrava anche che cambiasse da un attimo all'altro, e il fruscio dei suoi passi fra gli arbusti di mirtillo e il suo pesante ansimare minacciavano continuamente di sopraffarlo. Di tanto in tanto era costretto a fermarsi, mettere la mano a coppa dietro l'orecchio e prestare ascolto ai toni, e ogni volta che si fermava era poi altrettanto difficile scuotersi di dosso la sensazione di aver camminato in circolo, e di trovarsi in realtà nello stesso punto di qualche minuto prima.

Sotto lo stesso pioppo tremulo; quel pallido corpo di ragazzina coperto di chiazze scure gli pareva a dir poco ben noto. O forse il bosco era pieno di ragazzine ammazzate, il che innegabilmente sembrava un tantino eccessivo. Si asciugò il sudore dal viso con la manica della giacca e continuò nel suo avanzare affannoso, inciampando su tronchi e sassi, e grossi ciuffi d'erba, e finalmente il rintocco delle campane incominciò a sentirsi un po' più forte. Nel giro di pochi minuti uscì sul margine di un bosco e scorse la chiesa giù nella valle, dove serpeggiava il nastro d'acqua scura; le ultime persone stavano giusto entrando, lui percorse di volata il tratto finale in discesa e fece in tempo a infilarsi all'interno proprio un attimo prima che il pesante portone si richiudesse.

In fondo, si trattava pur sempre delle sue nozze; eppure non provava nessuna gratitudine per essere riuscito a cavarsela ed essere scivolato dentro appena in tempo. Solo una certa rassegnazione venata di tristezza, che gli gravava sulle spalle e le tempie come una pressione mentre, ancora fermo nella penombra in fondo alla chiesa, cercava di riprendere fiato. La sposa era già al suo posto davanti all'altare, notò. Stava lì e aspettava vestita di cotone grezzo, ma la sua folta capigliatura era di un promettente color castano scuro, e lui non sapeva se fosse un bene oppure un male. Tutto sommato. L'assemblea era assorta in un qualche genere di preghiera, e le campane continuavano ostinatamente a suonare, mentre lui – non senza una certa dignità – avanzava lungo la navata centrale verso la sua futura consorte. Quando furtivo gettava un'occhiata di lato, poteva anche notare che nei banchi non sembravano esserci persone a lui note. Solo visi sconosciuti e pieni di contegno dappertutto, una fila dopo l'altra; e nessuno che incontrasse il suo sguardo nemmeno con la coda dell'occhio.

Finalmente arrivò all'altare e posò titubante la mano sulla spalla della sposa; lei si girò di scatto, così che la parrucca da quattro soldi finì per traverso, e lui vide che era Renate. La stessa vecchia maledetta Renate di sempre, che con un sorriso scaltro sulle labbra gli sibilò: Adesso ti ho beccato! Questa volta non mi sfuggirai! E quando lui, pieno di disperazione e di legittima collera, si voltò verso il prete – che si era appena lavato le mani nella coppa di marmo venato e si accingeva a dare inizio al cerimoniale – vide che questi aveva lunghi capelli color grigio topo e un paio di occhiali aggiustati con il nastro adesivo, e che era in combutta con la sposa. Non c'era alcun dubbio. Si sorridevano senza il minimo ritegno, il prete e la sposa, e lui capì che la partita era persa. Tutto il bosco era pieno di ragazzine defunte, lui si sarebbe di nuovo sposato con Renate sotto la guida di quel pretuncolo anticonformista e, per quanto frugasse nelle tasche del vestito, non riusciva a trovare la sua pistola d'ordinanza. La verità era naturalmente che giaceva dimenticata in qualche cassetto della scrivania nel suo ufficio alla centrale di polizia di Maardam, proprio come al solito, e mentre lui, rassegnato – e con un movimento al rallentatore esageratamente protratto – cadeva in ginocchio accanto alla sua trionfante sposa, lo scampanio aumentò.

Crebbe e si trasformò in variazioni polifoniche che avrebbero fatto impazzire il vecchio maestro Bach, e alla fine tutto diventò talmente bizzarro e insostenibile che lui capì che doveva mettere fine a quello strazio, se non voleva perdere anche le ultime gocce dei suoi umori sani.

Allungò la mano, sollevò il ricevitore e rispose.

Era Kluuge.

Il commissario si tirò su in posizione semiseduta e si schiarì la gola così energicamente che si perse la prima battuta dell'aspirante.

«Come hai detto?»

«Buongiorno, commissario» ripeté Kluuge. «L'ho svegliata?»

«Nient'affatto» rispose Van Veeteren in maniera automatica, e tastò sul comodino alla ricerca dell'orologio.

«Sono le undici e mezzo» lo informò Kluuge. «Pensavo che fosse ora di metterci in moto, ho convocato gli altri per le due... per fare un po' il punto della situazione.»

Gli altri? pensò Van Veeteren, ma poi cominciarono a tornargli in mente gli avvenimenti di quella notte e i relativi attori. Una rapida sottrazione diede come risultato che non poteva aver dormito più di quattro ore, e come facesse Kluuge a sembrare così allegro e pimpante era ovviamente un mistero. Che potesse avere qualcosa a che fare con l'età e le sue condizioni generali, preferiva non prenderlo nemmeno in considerazione. In ogni caso, non in quel preciso momento. Si schiarì la gola ancora una volta.

«Bene» disse.

«Alla stazione di polizia, allora» continuò Kluuge. «C'è soltanto una cosa che vorrei... affrontare con lei prima, commissario.»

«Aha?» fece Van Veeteren.

Ci fu silenzio per qualche secondo.

«Non so esattamente come esprimerlo, ma si tratta di questa faccenda della responsabilità e via dicendo...»

«Responsabilità?»

«Sì, mi riferisco a chi dovrà condurre l'inchiesta... È chiaro che lei, commissario, ha moltissima esperienza e tutto il resto, ma pensavo comunque di proporre che sia io a occuparmene. In fondo sono commissario incaricato, e cade sotto la mia giurisdizione, per così dire...»

Magnifico, pensò il commissario. Va' avanti, ragazzo!

«... perciò se al commissario non dispiace...»

«Naturalmente no» disse Van Veeteren.

«E penso anche che sarebbe un peccato disturbare Malijsen nel bel mezzo delle sue ferie.»

«Sono d'accordo» convenne il commissario.

Al cento per cento, pensò.

«Ovviamente mi farebbe molto piacere se volesse fermarsi a darmi una mano... con la sua esperienza e tutto il resto.»

«Va da sé» replicò Van Veeteren. «Non c'è più bisogno di discuterne. Avevi detto alle due, commissario?»

«Alle due» confermò Kluuge. «Poi ho annunciato una conferenza stampa per le quattro e mezzo. Le sarei molto grato se volesse partecipare anche a quella, commissario.»

«Chi vivrà vedrà» disse Van Veeteren. «Non è successo nulla di importante durante la mattinata, vero?»

«Non molto» rispose Kluuge. «Le donne sono in isolamento a Wolgershuus, come avevamo detto, e le ragazze sono rimaste là a Waldingen. Le assistenti di polizia hanno avuto il cambio e due psicologi arriveranno all'una.»

«E nessuna ha detto niente?»

«No. Per ora continuano a tacere. Dovremmo forse discutere su come procedere negli interrogatori, d'ora in avanti. Che cosa ne pensa lei, commissario? Sembra una faccenda un po' spinosa...»

«Davvero» sospirò Van Veeteren. «Anche se si può sperare che sia soltanto una questione di tempo.»

«Forse» disse Kluuge. «In ogni caso dovrebbe essere più facile piegare una ragazzina adolescente che non una di quelle tre pazze.»

«Vacci piano con le parole» lo ammonì il commissario. «Può valere la pena di pesarle bene di fronte ai giornalisti, se non altro. A loro piace un sacco fare citazioni. Certe volte il silenzio può essere d'oro, e non solo per i seguaci delle sette.»

«Ok» fece Kluuge. «Lo terrò a mente. Ci vediamo fra un paio d'ore, allora.»

«Senz'altro» lo rassicurò Van Veeteren.

«E grazie» disse Kluuge ancora una volta.

Tre pazze? pensò il commissario dopo aver messo giù il ricevitore.

La cosa non gli piaceva, ma non riusciva ad avere ben chiaro se fosse il fatto in sé oppure la scelta lessicale dell'aspirante a meritare una condanna.

Il temporale arrivò da sud-ovest, dalla parte di Waldingen, e mentre lui consumava qualcosa che era a metà tra la prima colazione e il pranzo fuori sulla terrazza, poté osservare come si addensasse rapidamente sopra il profilo della foresta sulla riva opposta del lago. Lampi e tuoni si susseguirono a lungo prima che i goccioloni cominciassero a colpire il tetto di plastica ondulata e la temperatura crollasse di colpo di dieci gradi buoni.

La pioggia torrenziale andò poi avanti per neanche quindici minuti, ma nel periodo di massima intensità lo specchio d'acqua sotto l'albergo, che in precedenza era apparso così ingannevolmente tranquillo, si trasformò in un autentico pentolone ribollente, e la sponda opposta del lago si perse dietro un muro d'acqua sferzante.

La collera degli elementi, pensò il commissario. Per davvero.

Quando cessò, lui aveva giusto firmato il conto e avvertì che l'aria d'improvviso si poteva nuovamente respirare. A grandi boccate. Dopo una settimana di soffocante mancanza di ossigeno al cervello, d'un tratto sembrava possibile formulare un pensiero chiaro e tenerselo a mente.

Mi sa che non sono propriamente fatto per il Mediterraneo, constatò accigliato, alzandosi da tavola.

E nemmeno poteva sussistere qualche serio dubbio su che cosa avesse dovuto significare l'acquazzone per i segugi impegnati a Waldingen. Nella misura in cui ci fosse qualche traccia là fuori nel bosco, certamente non era diventato più facile decifrarla, dopo una pioggia come quella.

Gli dei si divertono, gli passò per la mente. Tirano i fili, e noi docili piroettiamo. Giù una bell'acqua che sciacqua via tutto, così noi ce ne rimaniamo lì puliti e lavati.

Con la sua cartella sotto braccio e due stuzzicadenti vaganti per la bocca, cominciò ad avviarsi verso l'abitato e Kleinmarckt. Cercò di evitare rigagnoli e torrentelli, ma i tombini non erano stati dimensionati per sopportare una qualunque massa d'acqua e, ancor prima di aver superato il Florian, era già inzuppato fin sopra le caviglie. Tuttavia non era un fenomeno particolarmente sgradevole, notò con sorpresa; abbastanza rinvigorente piuttosto, e, rianimato da un senso di lucidità e concentrazione, qualche minuto dopo fece il suo ingresso nella stazione di polizia di Sorbinowo. Pronto a occuparsi di qualsiasi incombenza.

Risolveremo anche questo schifo, pensò. Prima o poi.

17

Evidentemente, Servinus e Suijderbeck avevano ricevuto l'ordine di fare gli straordinari. Erano seduti uno accanto all'altro sotto il ritratto a olio del predecessore di Malijsen, un certo J. Stagge, e Van Veeteren capì subito che avevano in corpo ancor meno ore di sonno di lui. Forse proprio nessuna. Si erano separati fuori dalla colonia intorno alle sei del mattino, e non era escluso che fossero stati in attività fin da allora. Il sovrintendente Suijderbeck stava semidisteso nel suo angolino con una gamba allungata avanti a sé in una strana posizione, dritta e rigida, e solo allora il commissario scoprì che portava una protesi. Da un punto subito sotto il ginocchio, probabilmente; se non l'aveva notato nel corso di tutta la notte, era segno che doveva essere stato davvero un po' confuso.

Del resto, non riusciva nemmeno a ricordare di essersi mai imbattuto in un ispettore con la gamba di legno, e si domandò in maniera un po' vaga quali circostanze ci fossero dietro. Probabilmente, niente di piacevole, e non era certo quello il momento giusto per fare luce sulla faccenda.

All'altra estremità del tavolo era seduto Kluuge con davanti un grosso taccuino aperto. Appariva altrettanto fresco e curato quanto era sembrato pimpante al telefono, e Van Veeteren capì che la metamorfosi perdurava. Salutò tutti con un cenno del capo e si accomodò sull'unica sedia libera.

«Buongiorno» disse Kluuge. «Bene, allora possiamo cominciare.»

«La squadra è tutta qui?» volle sapere il commissario.

Kluuge scosse la testa.

«No. Abbiamo anche due colleghe fuori a Waldingen. Ispettrici da Haaldam. E poi Matthorst, che è dislocato a Wolgershuus per tener d'occhio le madame... Sì, quella pattuglia sarà ancora fuori a cercare nel bosco, ma probabilmente per stasera avranno finito. »

« Probabilmente sì » convenne Van Veeteren, guardandosi le scarpe bagnate.

« Vogliamo ripassare la situazione? » propose Suijderbeck, soffocando uno sbadiglio. « Ben presto avrò bisogno di dormire almeno un paio d'ore. Suppongo che ci fermeremo qui qualche giorno: tu che ne pensi? »

Gettò un'occhiata al collega sul divano.

« Mmm » fece Servinus, sbadigliando anche lui. « Non ho nessuna intenzione di mettermi in macchina e guidare fino a Rembork in questo momento. Brutta storia questa qui, vero? »

« Proprio » confermò Kluuge. « Credo che potremmo cominciare con la parte scientifica, siete d'accordo? La ragazza si chiama Clarissa Heerenmacht e, per quanto ne sappiamo, è stata uccisa durante la serata di domenica... due giorni fa, in altre parole. Quando l'ho trovata non c'era già più nessuna traccia di rigor mortis, perciò dev'essere morta non più tardi delle ventidue, dice il dottore. Probabilmente neanche prima delle diciotto, ma questo non lo sappiamo per certo. Che ore erano quando ha parlato con lei, commissario? »

« Le due del pomeriggio » rispose Van Veeteren.

« Tracce di violenza sessuale piuttosto brutale nella zona del bassoventre » continuò Kluuge. « Strangolata mediante forte e prolungata pressione sulla laringe, probabilmente in un luogo diverso da quello dov'è stata ritrovata. Non sono stati rinvenuti indumenti. E nemmeno impronte digitali sul cadavere... Ecco, questo è ciò che è emerso finora, a grandi linee. Avete qualche commento? »

« Violenza nella zona del bassoventre? » chiese Suijderbeck. « In altre parole, non è sicuro che si tratti di un comune stupro. Credo che dovremmo tenerlo presente. »

Van Veeteren annuì. Kluuge scrisse qualcosa sul suo blocco.

« Che cosa vorresti dire con questo? » domandò Servinus, con un'aria un po' scettica.

« Non so » rispose Suijderbeck. « Penso solo che può valere la pena di rilevarlo, ecco tutto. »

Pescò dalla tasca un pacchetto di sigarette e si guardò intorno con aria interrogativa. Kluuge annuì e tirò fuori un posacenere. Van Veeteren fece segno che non aveva niente in contrario a farsene offrire una.

«Sei riuscito a contattare i genitori?» domandò il commissario dopo aver tirato una boccata profonda.

«No» rispose Kluuge. «Di papà non ce n'è, fra l'altro. Non in questo momento, almeno. La mamma sta facendo un viaggio in India in pullman, ed è probabile che ci vorrà un po' di tempo prima che riusciamo a metterci in contatto con lei. Ma c'è una zia che sta venendo qui, abbiamo avuto fortuna a trovare almeno lei.»

«Fortuna?» chiese Suijderbeck. «E perché?»

Ottima domanda, pensò Van Veeteren. Kluuge esitò.

«Be', per l'identificazione, se non altro... dev'essere fatta da un parente, perché abbia valore.»

«Certo, certo» disse Servinus, raddrizzandosi sul divano. «Quel dettaglio si risolverà certamente. Ma non sarebbe ora che ci metteste al corrente di tutta questa faccenda? Abbiamo un po' l'impressione di brancolare nel buio, a essere sinceri...»

«Naturalmente» convenne Kluuge. «È solo che stanotte ce n'era già abbastanza. Be', che devo dire? Il tutto ha avuto inizio una settimana fa, con quella sconosciuta al telefono...»

Van Veeteren si lasciò andare contro lo schienale e chiuse gli occhi, mentre Kluuge ricapitolava gli antefatti per i colleghi di Rembork. Cercò di non ascoltare e prese invece a riflettere su quante volte in realtà fosse stato seduto in un contesto simile durante i suoi anni in polizia.

Tutti quegli anni.

Dovevano esserci state centinaia e centinaia di occasioni, ma si rese conto che probabilmente non sarebbe stato impossibile richiamarle alla memoria una per una. Caso per caso. Almeno, se ce ne fosse stato il tempo... perché c'era qualcosa di molto speciale in quelle aperture del gioco, pensò; qualcosa di quasi unico... in quella fase iniziale, quando ancora la gran parte della struttura logica che c'era sempre dietro ogni atto di violenza – dietro la maggior parte delle altre azioni umane, a dire il vero, ovviamente – era nascosta e inaccessibile. Camuffata e travestita.

Anche se forse «apertura» era la parola assolutamente sbagliata in quel contesto, lo colpì il pensiero. Non era il contrario, piuttosto? L'unica cosa che si conosceva era l'ultima mossa, e ciò che si trattava di fare, in definitiva, era ricostruire l'intera partita, partendo dalla disposizione finale, con il re circondato e sotto scacco (il professore assassinato, il proprietario di ristorante avvelenato, la ragazza strangolata e violentata) al centro dell'attenzione.

Finché finalmente non si era riusciti a disperdere abbastanza del fumo d'arma da fuoco e della nebbia che gravavano sopra la scacchiera, da essere in grado di vedere che cosa diavolo era effettivamente successo. E perché era successo.

Per poi, da ultimo, alzare lo sguardo e identificare l'avversario dall'altra parte del tavolo.

Il colpevole.

Mmm, pensò. Un po' complicata forse, ma comunque un'immagine per niente male di come poteva presentarsi questa che era stata la sua missione sulla terra. Prese un appunto mentale di pesare e valutare il ragionamento, quando fosse venuto il momento per quelle... quelle memorie, alle quali palesemente gli era sempre più difficile non ritornare nei pensieri. Notevole, impossibile negarlo, con quanta frequenza continuavano a comparire, negli ultimi tempi. Era solo un caso e una coincidenza, oppure qualcosa di più? Un avvertimento? Che era ora di ritirarsi, come s'era detto?

«Ma, cazzo» venne a interrompere i suoi pensieri Servinus. «Questo significa che potrebbe essercene un'altra!»

Van Veeteren aprì gli occhi. Servinus aveva rialzato le spalle tanto da dare l'impressione che stava gelando. Suijderbeck fissava il soffitto. Kluuge si era poggiato indietro e sembrava aver terminato con il resoconto.

«Esatto» disse il commissario, e si schiarì la gola. «Ci sono vari indizi che indicano che la ragazza sarebbe in buona compagnia.»

«Merda» imprecò Suijderbeck.

« E quelle continuano a tacere? » domandò Van Veeteren spezzando uno stuzzicadenti.

Kluuge annuì.

« Sia le tre donne che le ragazzine. Probabilmente è proprio come dice il commissario: gli hanno messo in testa che quella che stanno attraversando è una specie di prova. Per entrare nella setta o in paradiso o chissà che cazzo... Devono mostrarsi forti e non collaborare con noi a nessuna condizione. Probabilmente gli hanno fatto un lavaggio del cervello in piena regola promettendo questo e quest'altro, se solo faranno le brave e terranno il becco chiuso. »

« La vita eterna, magari » suggerì Servinus.

« Noi contro di loro? » disse Suijderbeck.

Kluuge annuì nuovamente.

« Più o meno » disse il commissario. « Questa è la battaglia decisiva. La Vita Pura contro l'Altro Mondo. »

« Cosa? » chiese Servinus.

Van Veeteren alzò le spalle.

« Mah, loro vivono in quelle categorie. I grilli peggiori passeranno probabilmente in capo a qualche giorno... per mancanza di nutrimento, se non altro, ma questa è solo la mia opinione. »

« Perciò il commissario pensa che dobbiamo accontentarci di stare ad aspettarle? » domandò Kluuge.

Van Veeteren si grattò la testa e rifletté qualche secondo prima di rispondere.

« Non so » disse. « Magari c'è qualcuno capace di dare sferzate anche in mezzo a loro. Possiamo sempre tenere gli occhi aperti e isolare gli elementi con attitudini da leader. Quella Belle Moulder, per esempio. »

Kluuge prese nota. Servinus sospirò platealmente e si sfregò gli occhi.

« È davvero produttivo tenerle laggiù? » si chiese. « Ed è possibile, tra l'altro? L'intera faccenda sarà sui giornali stasera e domattina, perciò di sicuro i genitori arriveranno presto qui come dei fulmini... Del resto c'è già stato qualcosa alla radio, se non erro. »

«Questo è un problema» riconobbe Kluuge. «Anche se ci siamo organizzati per gli aspetti pratici. In modo che possano rimanere ancora qualche giorno, almeno... cibo e via dicendo.»

«Ovviamente saranno del genere wackoo anche loro» continuò Servinus. «I genitori, voglio dire.»

«Wackoo?» disse Kluuge.

«Pecore» spiegò Servinus. «Belano piuttosto che pensare.»

«Chiaro come il sole che qualcuna di loro ben presto comincerà a parlare» disse Suijderbeck irritato. «Lo sanno benissimo che una loro compagna è stata assassinata... forse addirittura due. Non saranno certo tanto stupide da non rendersi conto che... che...»

«Sì, che cosa?» suggerì il commissario.

«Cazzo» disse Suijderbeck. «Sono talmente stanco che comincio a vederci doppio. Voi pensate seriamente che quel tale, Jellnek...»

«Jellinek» lo corresse Kluuge.

«... che quel tale Jellinek abbia un carisma così potente da poter imbavagliare tre amanti e una dozzina di ragazzette, mentre lui stesso molto semplicemente si allontana dal luogo del delitto e si mette al sicuro! Incredibile. E manterrò il mio parere anche quando sarò perfettamente sveglio!»

«Mmm» fece Kluuge. «Sì, non so. Ma sembra essere una setta alquanto bizzarra, questo dobbiamo averlo ben chiaro.»

«Va bene» sospirò Suijderbeck. «Forse è come dite voi. Che cazzo facciamo allora?»

«Mmm» ripeté Kluuge e guardò l'orologio. «Come prima cosa vediamo di affrontare la conferenza stampa, poi non abbiamo molta scelta, suppongo. Interrogarle e interrogarle finché non cedono, sia le ragazze che le tre signore a Wolgershuus... o finché qualcuna di loro non cede, in ogni caso. Che ne dice, commissario?»

Van Veeteren si alzò e andò alla finestra. Voltò la schiena agli altri, mentre alzava lo sguardo verso il cielo burrascoso e si dondolava su punte e talloni.

«Sì» disse dopo un momento. «Naturalmente possiamo interrogarle mentre aspettiamo. Poi non dobbiamo dimenticare di domandarci che cosa diavolo possa essere successo là fuori.

O cosa crediamo che sia successo, almeno. Personalmente ho i miei dubbi. »

« Come? » domandò Kluuge. « Che cosa intende con questo, commissario? »

Ma non ebbe nessuna risposta. Il famigerato commissario Van Veeteren continuava a rimanere lì dov'era, dondolandosi avanti e indietro con le mani dietro la schiena. Suijderbeck si stava accendendo la quarta sigaretta nell'arco di mezz'ora e Servinus si era appoggiato all'indietro e dormiva con la bocca aperta.

Uff, pensò l'aspirante Kluuge. Mica facile tenere le fila di un'indagine per omicidio. Ci vuole l'uomo giusto, innegabilmente.

18

Aveva messo una certa cura meticolosa nel preparare l'equipaggiamento, eppure evidentemente non era stato sufficiente. Almeno non agli occhi di tutti.

«Si porterà dietro anche quello?» chiese il giovanotto con i capelli a spazzola e la tuta da ginnastica giallina.

«Certo» rispose Van Veeteren. «C'è qualcosa in contrario?»

«No, naturalmente no. Ma cuscini e un ombrello...?»

«Parasole» rettificò il commissario. «Protezione contro il sole. Come forse si sarà accorto, pare che anche oggi sarà una giornata torrida. I cuscini sono per la schiena e il collo, si dà il caso che io sappia come sia terribilmente scomodo stare seduti dentro una canoa, e ho intenzione di rimanere via tutto il giorno. Allora, me la noleggia o non me la noleggia?»

«Certo» annuì il giovanotto, mentre un rossore che gli donava germogliava su dal giallino. «Mi perdoni... Sì, qual è che vuole? Il costo è 30 gulden al giorno, più 100 di deposito.»

Van Veeteren tirò fuori il portafogli e pagò.

«Quella là» disse, indicando una delle canadesi rosse ordinatamente accatastate accanto alla darsena. «Più larga è, meglio è.»

Il giovanotto mise l'imbarcazione in acqua da solo e poi la tenne ferma contro il pontile, mentre il commissario vi caricava cuscini, cartella e ombrello. E infine anche se stesso. Per un traballante secondo, prima di piombare giù sul pagliolo, credette che si sarebbe rovesciata, ma quando si fu finalmente sistemato con i suoi cuscini dietro la schiena, annuì soddisfatto e contento verso il noleggiatore e ricevette in cambio una piacevole spinta sulla superficie dell'acqua lucida come uno specchio.

Non male, pensò cominciando a pagaiare cautamente lungo la riva coperta di ontani. Davvero non male.

Verso est, era così che aveva pianificato. Controcorrente all'andata, con la corrente a favore al ritorno. Anche se in quella tranquilla ora mattutina la canoa avanzava così facilmente che dubitò che lì ci fossero correnti del tutto. Be', se ne sarebbe accorto di sicuro nel momento in cui fosse entrato in acque più strette.

Fece cento colpi di pagaia prima di prendersi una pausa e di guardare l'ora. Le nove meno un quarto. *Carpe diem*, pensò. Infilò la mano nell'acqua piacevolmente fresca e si sciacquò il viso. Si tolse la camicia e le scarpe, e riprese a remare. Lentamente e ritmicamente. La temperatura doveva essere ancora solo intorno ai venti gradi, ma non c'era alcun dubbio – proprio come aveva spiegato al giovanotto giallino – che sarebbe stata una giornata torrida. Un'altra. Ma era difficile immaginarsi un modo più sopportabile per trascorrerla, no?

Povero Kluuge, pensò in un attacco di generosità e compassione.

Ma se si è solo consulenti, si è solo consulenti.

Nella cartella si era portato, a parte i giornali e gli stuzzicadenti, anche due bottiglie di acqua minerale, un sacchetto di panini freschi (della panetteria che stava porta a porta con il Grimm) e qualche pomodoro. Tutto qui. Niente birra, niente sigarette.

Perché l'idea era che sarebbe stata una di quelle giornate. Una giornata in cui si riescono a sbrigare un sacco di cose, e tuttavia quando ci si corica la sera ci si sente più giovani di quanto ci si era sentiti alzandosi la mattina. Così come qualche persona saggia, probabilmente non Reinhart, aveva detto una volta.

L'idea era anche che sarebbe stata una giornata in cui con tutta calma, in splendido isolamento addirittura, avrebbe avuto la possibilità di analizzare che diavolo era successo laggiù a Waldingen.

Soprattutto questo.

Valutare le premesse, dunque, quali che fossero, e vedere

quali conclusioni se ne potevano trarre. O, se non altro, quali strade era il caso di imboccare.

Cercare di tenere un atteggiamento modesto e ascoltare la voce dell'intuizione, forse; che finora non era stata molto chiara, è vero, ma, a ben vedere, se calcolava il lunedì, giorno in cui il cadavere di Clarissa Heerenmacht era stato ritrovato, come giorno numero uno, quello effettivamente era per ora soltanto il mattino del terzo giorno. Se invece partiva dal suo arrivo a Sorbinowo, doveva ammettere che era già quasi trascorsa una settimana.

Perciò, forse, si poteva pretendere che riuscire ad arrivare a qualcosa nel corso di un'intera giornata sull'acqua scura fosse qualcosa di più di una pia speranza. Trovare un inizio e ripulire i pensieri da ciarpame e preconcetti privi di rilievo?

Così pensava il commissario mentre lavorava di pagaia. Un colpo a destra, uno a sinistra. Era costretto ad alternare; era un po' troppo difficile, quel modo di manovrare che aveva imparato in un lontano passato, ma che diamine, quella non era mica un'esibizione, no?

Fu solo quando ebbe risalito un buon tratto di fiume – e adesso la corrente innegabilmente si faceva sentire – che cominciò a indirizzare tutta l'attenzione all'interno. Al caso.

Clarissa Heerenmacht. Waldingen.

La Vita Pura. L'anonima voce al telefono.

L'assassino?

Diminuì il ritmo; si accontentò di un colpo di pagaia ogni tanto per non scivolare indietro lungo le rive boscose, almeno. Lì c'era solo natura, niente costruzioni. Solo una foresta intricata di conifere punteggiata di ontani e pioppi tremuli, che arrivava fin quasi al bordo dell'acqua; radici e ceppi rovesciati spuntavano fuori qua e là sopra il fiume che andava restringendosi, i ponti sempre più radi... Gli era bastata un'ora per arrivare in qualcosa che poteva quasi meritare l'appellativo di natura selvaggia, e capì ancora più chiaramente quale attrattiva dovesse avere la regione di Sorbinowo sugli amanti dell'aria aperta di tutte le categorie.

Ma bando al romanticismo e alla natura, adesso! Il caso. Concentrazione.

Cominciò con la giornata precedente. Si costrinse a ripensare alla conferenza stampa, che, doveva riconoscerlo, Kluuge aveva condotto con onore. Il collegamento fra l'omicidio e la Vita Pura era stato ridotto al minimo: Clarissa Heerenmacht era una delle ragazze che soggiornavano alla colonia, si era allontanata dalla zona in circostanze non note e poi era stata trovata morta nella foresta. Ecco tutto.

Niente tracce. Niente indizi. Non una parola circa telefonate anonime.

E nessun indirizzo preciso o teoria da seguire nello svolgimento del lavoro. Per il momento. Ma un notevole impiego di risorse umane, e poi si faceva quel che si poteva... e forse i signori giornalisti potevano essere comprensivi e agire con una certa discrezione, in questa fase iniziale? Pardon, signore giornaliste anche, naturalmente.

Eccetera. Nel giro di venticinque minuti tutto si era concluso e lui aveva dovuto prendere la parola in non più di due occasioni. Un buon voto per Kluuge, innegabilmente, in particolare se si considerava che sia Servinus sia Suijderbeck erano stati troppo stanchi anche solo per avere la forza di aprire la bocca. A eccezione di quando dovevano sbadigliare.

Prima di mettersi in moto quella mattina, aveva dato un'occhiata ai due quotidiani che aveva anche portato con sé nella cartella. Naturalmente si dedicava spazio all'omicidio: la costellazione estate-delitto-fanciulla aveva il suo peso, è chiaro, eppure la storia era trattata con evidente moderazione. Avevano cercato di trattenersi. Sarebbe stato peggio con i giornali della sera, è ovvio, ma dubitava che lui stesso sarebbe riuscito a fare meglio di quanto avesse fatto Kluuge.

E la cosa fondamentale, forse: non una parola sulla scomparsa di Jellinek, sulle donne e le cresimande che tacevano, per il semplice motivo che Kluuge non aveva raccontato nulla. Naturalmente era solo una questione di tempo prima che queste circostanze trapelassero, ma era importante avere a disposizione più ore possibile – o, meglio, giorni – prima che ciò succedesse.

E meglio di tutto: rompere il silenzio prima che i giornali facessero in tempo a metterlo a fuoco.

Riflettendoci, si accorse che non sapeva spiegarsi di preciso perché queste considerazioni gli paressero tanto importanti; questa cosa di voler proteggere a tutti i costi sia quel dannato profeta sia il suo taciturno gregge dagli occhi del mondo.

Perché?

Risposte che avessero una qualche consistenza non ne arrivarono; nient'altro che un senso imperativo, a livello di intuito, di doverlo fare, che certamente non collimava neanche un po' con ciò che lui davvero pensava di tutta la banda, ma che nondimeno gli appariva incontestabile.

Una sorta di punto di passaggio, probabilmente. Non diverso da quell'orrenda tagliola nella quale di solito restava intrappolata la polizia quando bisognava proteggere dei nazistelli dai dimostranti del fronte opposto. Perché naturalmente non andava bene se gli skinhead venivano malmenati e magari anche ammazzati, mentre la polizia stava lì dietro l'angolo a pulirsi le unghie.

Oppure?

In ogni caso, pensare alla Vita Pura non gli piaceva proprio. Non appena cominciava a riflettere su quelle storie della Rinuncia e della Purezza e su quelle ragazzine ignare, ecco che arrivava il disgusto, e lui si accorgeva che voleva solo allontanare da sé quel pensiero. Non voleva nemmeno sapere.

Perciò perché non lasciare che quei pennivendoli si servissero a loro piacimento? Perché non lasciare che quella gente pia e devota fosse messa alla gogna?

Va bene, pensò. Dev'essere il mio istinto materno che trionfa ancora.

Oppure, molto semplicemente, capiva che il coinvolgimento della collettività e dei mass media in quelle acque stagnanti sarebbe stato del tutto insopportabile? Sia dal punto di vista morale che investigativo? Forse una spiegazione più credibile, tutto sommato.

Dopo queste considerazioni umanistiche, e confortato per ora da una metodica quasi clinica, decise di passare al nocciolo del problema.

Chi aveva ucciso Clarissa Heerenmacht? E perché?

D'un tratto rivide davanti agli occhi l'immagine del cadavere. Le luci della ribalta là fuori nel bosco buio. La sua pelle pallida. Le chiazze scure e il sangue. Rammentò che non era nemmeno arrivata al suo tredicesimo compleanno, e sentì risvegliarsi il senso di impotenza.

Cazzo, pensò, e si sciacquò il viso con acqua limpida e fresca. Non avrei dovuto costringermi a guardarla. Meglio lasciar perdere. La mia quota di sofferenza – altrui – l'ho già raggiunta.

Forse è ora che mi fermi un momento, decise poi per dissipare la tristezza. Non devo mica arrivare per forza nel cuore delle tenebre.

Dopo un po' di manovre, riuscì a impastoiare la canadese infilandola sotto una radice sporgente. Dondolava di qua e di là nella corrente, è vero, ma sembrava comunque abbastanza salda. Aprì l'ombrello per ripararsi dal sole sempre più caldo. Bevve mezza bottiglia di acqua minerale e mangiò un panino. Diede una sistemata ai cuscini e si mise comodo. Aspettò poi qualche minuto che una formulazione sufficientemente definita e sviluppabile prendesse forma, ma l'unica cosa che fece la sua comparsa fu la solita vecchia domanda.

Di che cavolo si tratta?

Non molto definita, come formulazione, era lui il primo a sottoscriverlo.

Andando con ordine, allora.

Primo: Una sconosciuta telefona e riferisce di una scomparsa. Quando le sembra che l'intervento della polizia sia troppo debole, telefona un'altra volta.

Domanda: Chi è?

Altra domanda: Perché telefona?

Rimase fermo a lungo senza muovere neanche un dito, mentre lasciava che queste domande passeggiassero avanti e indietro per la sua mente. In particolare la seconda – Che cavolo di motivo aveva di telefonare alla polizia? – ma alla fine si arrese. Non c'era l'ombra di una risposta e non erano sorte riflessioni inattese.

Secondo: Quattro giorni dopo, la stessa donna si fa viva di nuovo. Fornisce indicazioni dettagliate su dove trovare una ragazza assassinata. L'aspirante Kluuge segue le indicazioni e trova la povera Clarissa Heerenmacht, tredici anni non ancora compiuti, partecipante al campo estivo della colonia di Waldingen... violentata, strangolata, morta. (Ma che era ancora viva il giorno prima, la domenica pomeriggio, quando lui stesso l'aveva interrogata su usi e costumi della setta denominata la Vita Pura.)

Conclusione numero uno: Se la telefonista anonima aveva detto la verità anche nelle prime due occasioni, la ragazza cui si riferiva non poteva essere Clarissa Heerenmacht.

Conclusione numero due: Non era del tutto improbabile che nei boschi intorno a Waldingen ci fosse il cadavere di un'altra ragazzina.

Diavolo, pensò il commissario, prendendo un pomodoro. Devo stare attento a non soffermarmi troppo su questo pensiero. Altro?

Contò mentalmente... sì, dunque, terzo: Oscar Jellinek, profeta e pastore spirituale della setta diabolica della Vita Pura, si volatilizza in concomitanza con la morte di Clarissa Heerenmacht, non senza aver prima istigato tutto il suo gregge, sia le pecore sia gli agnellini, al silenzio. Conclusione?

Conclusione? pensò Van Veeteren. Sì, che cavolo se ne conclude, allora?

Chiuse gli occhi e cercò ancora una volta di tenere aperta la mente a tutti i pensieri che volessero sorgere, ma l'unica cosa che comparve fu un punto interrogativo.

A poco a poco, però, anche due alternative, infantilmente semplificate.

Numero uno: Oscar Jellinek aveva violentato e ucciso Clarissa Heerenmacht (ed eventualmente anche qualcun'altra delle sue giovani cresimande), e poi se l'era svignata per sfuggire alla giustizia e alla resa dei conti.

Numero due: Jellinek non aveva nulla a che fare con la morte della ragazzina, ma aveva preferito sparire dalla circolazione piuttosto che esporsi agli interrogatori e ai tormenti che capiva sarebbero stati inevitabili vista la situazione.

Commento alla seconda alternativa: Jellinek era uno stronzo e un codardo.

Constatazione conseguente alla seconda alternativa: Jellinek doveva aver saputo dell'omicidio di Clarissa Heerenmacht prima che la polizia ne venisse a conoscenza!

Il commissario chiuse gli occhi. Sbagliato, pensò. Ovviamente poteva bastare che sapesse che era scomparsa.

Anche se tutto il ragionamento era una semplificazione puerile, come si diceva. Solido come una bolla di sapone, grossomodo. Sospirò. Decise di cambiare binario. Tanto di cappello alla metodica, ma forse poteva essere ora per qualche riflessione un po' più libera.

Ma, prima di mettersi al lavoro, il commissario si accorse che molto presto avrebbe dovuto affrontare un problema di tutt'altra natura.

Come? pensò. Come si fa, in questo che è il migliore dei mondi possibili, a pisciare da una canoa? Al diavolo l'acqua minerale!

Per il resto della giornata, in particolare durante il viaggio di ritorno, il commissario Van Veeteren rifletté soprattutto su quella faccenda del paesaggio interiore.

Su che cosa poteva essere a muoversi dietro i visi azzerati e senza espressione di quelle donne, Madeleine Zander, Ulriche Fischer e Mathilde Ubrecht. E su che cosa potesse esserci dentro quelle adolescenti contegnose.

Oltreché su quanto sarebbe durato questo loro atteggiamento.

La sera del giorno prima aveva visitato sia la colonia sia l'istituto psichiatrico dove le tre donne erano rinchiuse, isolate l'una dall'altra. Personalmente non si era dato la briga di attaccare quel muro di silenzio, ma si era limitato a osservare quando Kluuge e poi gli agenti dell'investigativa di Rembork avevano cercato di sfondarlo. Non era stata un'esperienza di quelle memorabili, ma l'osservazione dell'aspirante non era sbagliata. E cioè che era molto probabile che sarebbe stata qualcuna delle ragazze a cedere per prima.

Tuttavia era difficile non considerare l'aspetto poco etico dell'intera situazione. In ogni caso, lui aveva difficoltà a farlo...

la sensazione di un lavoro artigianale sporco e un po' losco era forte e inevitabile. Per quanto concerneva le ragazzine, vale a dire. È vero che era parte del ruolo della polizia l'accollarsi di tutto un po', ma sottoporre dei minori a interrogatori in piena regola allo scopo dichiarato di indurli a mancare di parola – e più o meno a rinunciare alla propria fede – ecco, questo era proprio allargare un po' troppo i confini.

Anche se Jellinek era pazzo. Anche se le dottrine della Vita Pura erano equivoche. Anche se c'era stato un omicidio. Era comunque un paesaggio interiore che si mirava a distruggere, e altroché se c'era bisogno di una rete di protezione, sempre, per la miseria!

Quando tutte quelle povere illuse si fossero svegliate. Perché un giorno si sarebbero pur svegliate, no?

Forse, era più prudente non metterci la firma, ad ogni modo.

Per quanto riguardava le tre donne, invece, la faccenda era un po' diversa. Lui non avrebbe avuto nulla in contrario a metterle un po' sulla graticola; non era nemmeno da escludere che avrebbe avuto l'occasione di dare loro una ripassata quella sera stessa. Servinus e Suijderbeck si erano presi l'incarico di interrogarle durante la giornata, e meno pause si concedevano loro, tanto meglio.

Un pensiero ancor più allettante era naturalmente quello di potersi sedere faccia a faccia con Jellinek stesso. Seguendo la propria regia, questa volta. Giocando in casa, per così dire: con in mezzo un tavolo di masonite sgangherato, nel locale degli arresti più squallido e puzzolente che ci fosse a disposizione. Puntargli gli occhi addosso e applicare una linea dura.

Ma adesso le cose stavano come stavano. Non c'era nessun Jellinek a disposizione. Solo quattordici testimoni con la bocca cucita. Nessuna apertura, nessun filo da seguire.

Gli sarebbe piaciuto poter vagabondare un momento in quei paesaggi interiori. Sarebbe stato molto istruttivo.

L'essere umano è imperscrutabile, pensò.

Ed è per questo che possiamo capirlo, aggiunse dopo qualche secondo di pagaiate.

*

Quando il commissario attraccò con sciolta eleganza al pontile sotto il Grimm, era stato via oltre sette ore e, per quanto riguardava le domande fondamentali – chi? e perché? –, anche in questo caso era ritornato più o meno allo stesso punto.

Per contro, si era deciso per una certa linea. O certi incontri, piuttosto: persone con cui avrebbe scambiato volentieri due parole e a cui porre qualche domanda piuttosto specifica.

A condizione di riuscire a trovare qualcuno in quel periodo dell'anno. Il che era tutt'altro che scontato.

Il giovanotto dai capelli a spazzola si era cambiato e adesso indossava una tutina verde, ma poteva anche trattarsi semplicemente di un altro giovanotto. Il commissario riuscì a scendere a terra senza bagnarsi i piedi e si disse soddisfatto sia del natante sia delle rotte seguite. Quindi salì diretto al bar e ordinò una birra scura.

Non voglio sentirmi decenni più giovane di stamattina, pensò, e comperò anche un pacchetto di West.

La signorina Wandermeijk, la fidanzata del giovane signor Grimm, se aveva capito bene, arrivò non soltanto con la birra. Portava anche un fax inviato da Kluuge. Era giunto dieci minuti prima, e lasciava intendere che c'era stato un piccolo successo.

Di più non si poteva decifrare. Evidentemente Kluuge aveva imparato a essere un po' più sobrio nella sua corrispondenza, il che – anche questo – doveva essere visto come un passo nella direzione giusta. Il commissario cacciò il fax nella tasca posteriore, ma scelse di godersi e la birra e la sigaretta prima di telefonare alla stazione di polizia.

« Qui Kluuge. »

« Sono io » disse il commissario. « Allora? »

« Una delle ragazze ha cominciato a parlare » rispose Kluuge.

« Ottimo » commentò il commissario. « E che dice? »

« Non lo so » ammise Kluuge. « Sta venendo qui proprio adesso insieme con l'ispettore Lauremaa. »

« Meraviglioso » disse Van Veeteren. « Arrivo. Non sprecatela. »

19

Quando Van Veeteren fece il suo ingresso nell'ufficio del commissario, il trasporto da Waldingen non era ancora arrivato. Kluuge era seduto dietro la scrivania in polo da tennis celeste e braccia abbronzate, ma al commissario non sfuggì che sembrava più vecchio e più stanco.

«Giornata pesante?» domandò, lasciandosi cadere sul divano.

Kluuge annuì.

«C'è un bel casino là fuori» spiegò. «Dobbiamo fare al più presto qualcosa con quegli psicologi. Si comportano come avvocati difensori e guardie del corpo non appena ci avviciniamo alle ragazze... C'è da chiedersi da quale parte stanno realmente.»

«Conosco il fenomeno» disse Van Veeteren. «E come va con i genitori? Hanno già cominciato ad arrivare in forze?»

«No, effettivamente no.» Kluuge si alzò e cominciò ad asciugarsi la fronte con una salviettina umidificata. «Non ancora. Quattro si sono fatti vivi, ma noi diciamo che la situazione è sotto controllo e che vogliamo trattenere le ragazze ancora qualche giorno, almeno... Del resto, loro stesse non vogliono ritornare a casa.»

«Davvero?»

«A quanto pare, fa parte della sacra promessa, o di che cavolo si tratta... che si vogliono fermare, cioè. Sì, io non dico niente, ma vedremo che cosa succederà adesso che una di loro ha cominciato a parlare.»

«Mmm» borbottò il commissario, ispezionando uno stuzzicadenti. «Come si chiama?»

Kluuge gettò la salviettina nel cestino dei rifiuti e consultò una carta.

«Marieke Bergson. Io non ero là, è stata Lauremaa a telefonare... un'ora fa, grossomodo.»

Guardò l'orologio.

«Non capisco perché tardano tanto.»

«Tu non sai che cosa abbia detto?»

Kluuge scosse la testa.

«Non ne ho idea. Ordino il caffè?»

«Direi proprio di sì» disse il commissario. «Forse sarebbe bene far portare anche un po' di Coca-Cola o roba del genere. Quello che ha da offrire l'Altro Mondo, insomma...»

Kluuge annuì e lasciò la stanza per delegare la questione degli approvvigionamenti alla signorina Miller. Van Veeteren si infilò in bocca lo stuzzicadenti e si mise ad aspettare.

La ragazza che si chiamava Marieke Bergson era pallida e aveva gli occhi rossi di pianto.

Quando entrò nella stanza insieme con l'ispettrice Elaine Lauremaa della polizia di Haaldam – e con un'accigliata ma elegante psicologa infantile con il proprio nome, Hertha Baumgartner, incollato sul petto – il commissario fece una rapida associazione con un ladruncolo che fosse appena stato colto sul fatto.

Forse era più o meno così che Marieke Bergson si sentiva. Si sedette con circospezione sul bordo della sedia che le era stata indicata, intrecciò le mani in grembo e prese a fissare intensamente le proprie scarpe da ginnastica rosse.

Lauremaa si sedette accanto a Van Veeteren. La psicologa si piazzò dietro la ragazza con le mani sulla spalliera della sedia, e lasciò scorrere lo sguardo sui presenti mentre socchiudeva gli occhi scettica e serrava le labbra in una linea sottile.

Kluuge si schiarì la gola due volte e fece le presentazioni. Ci vollero dieci secondi. Dopo di che ne seguirono altri cinque di silenzio.

Qualcuno dovrebbe dire qualcosa, pensò Van Veeteren, ma

invece si sentì bussare alla porta e la signorina Miller comparve portando caffè, bibite, patatine e altri generi di conforto.

«Voglio che pensiate bene a quello che direte» esordì la psicologa quando la signorina Miller se ne fu andata.

«Buona idea» disse Van Veeteren.

«Marieke ha preso una decisione difficile, vive sotto forte pressione e in realtà a me non piace affatto che sia sottoposta a interrogatorio. Tanto perché lo sappiate.»

Lauremaa sospirò. Era una donna piuttosto corpulenta sui quarantacinque anni, e il commissario provò una simpatia immediata nei suoi confronti. Probabilmente una madre di tre figli piena di buon senso, pensava. Però forse non esattamente una persona diplomatica.

Kluuge di figli suoi non ne aveva ancora, ma servì comunque il caffè e parve aver riconquistato qualcosa della sua antica indecisione.

Toccherà a me, pensò Van Veeteren. Ma tanto meglio, probabilmente.

«Forse sarebbe più facile se non fossimo così in tanti» suggerì.

«Io rimango a fianco di Marieke» disse la psicologa.

Lauremaa e Kluuge si scambiarono un'occhiata. Poi Kluuge annuì e si alzò.

«Penso che dovremmo anche registrare la nostra conversazione» aggiunse il commissario.

Kluuge e Lauremaa lasciarono la stanza. Dopo un minuto, Kluuge era di ritorno con un registratore.

Ed ecco che si ricomincia, pensò il commissario.

«Come ti chiami?» attaccò.

«Marieke» rispose la ragazzina, senza alzare gli occhi.

«Marieke Bergson?»

«Sì.»

«Hai la bocca asciutta?»

«Sì.»

«Bevi ancora un po' di Coca-Cola. Di solito aiuta.»

La psicologa gli lanciò un'occhiata tagliente, ma Marieke

Bergson fece come le era stato detto e raddrizzò un po' la schiena.

«Quanti anni hai?»

«Tredici.»

«Dove abiti?»

«A Stamberg.»

«E frequenti la sesta?»

«Devo andare in settima.»

«Però adesso sei in vacanza?»

«Sì.»

«E stai al campo estivo di Waldingen?»

«Sì.»

«Se ho capito bene, c'è qualcosa che ci vorresti raccontare.»

Nessuna risposta.

«È così?»

«Sì. Forse...»

«Vuoi che ti faccia io delle domande, oppure preferisci raccontare con parole tue?»

«Preferisco le domande... credo.»

«Ok. Prendi una brioche, se ti va.»

Il commissario dal canto suo bevve un sorso di caffè. Il colorito della ragazza era aumentato di qualche grado, gli pareva, ma la psicologa aveva ancora la stessa aria ingessata.

Deve avere dei problemi di tipo domestico, giudicò, e andò avanti.

«Sei al corrente di cosa è successo a una delle tue compagne?»

Marieke Bergson annuì.

«Clarissa Heerenmacht» disse il commissario. «È morta.»

«Sì...» La voce tremava leggermente.

«Qualcuno l'ha uccisa. Tu ti rendi conto che dobbiamo cercare di arrestare la persona che l'ha fatto?»

«Sì. Lo capisco.»

«E ci vuoi aiutare?»

Nuovo accenno di sì con la testa e nuovo sorso di Coca-Cola.

«Mi sai dire perché le tue compagne invece non ci vogliono aiutare?»

«Ce l'hanno detto loro.»

145

«Loro chi?»

«Le sorelle.»

«Vi hanno detto che dovevate rifiutarvi di rispondere alle domande della polizia?»

«Sì, non dovevamo dire niente.»

«E vi hanno spiegato anche perché?»

«Sì. Era una prova. Dio voleva vedere se eravamo forti abbastanza... se potevamo continuare.»

«Continuare cosa?»

«Io... io non lo so.»

«Continuare il campo estivo?»

«Penso.»

Marieke Bergson fu scossa da un singhiozzo. A giudicare dagli occhi rossi, doveva aver pianto un bel po', e lui sperava che fosse riuscita a sfogarsi abbastanza da continuare a rimanere a galla. Probabilmente, né lui né la psicologa erano del tutto idonei a gestire un crollo adolescenziale. Nella mente gli passarono rapide le immagini di un certo numero di esperienze personali di fallimenti.

«Cioè vi hanno detto che vi avrebbero rimandate a casa se ci aiutavate a trovare l'assassino?»

«Sì... no, non era proprio così. Ma è andato tutto storto... Mica lo sapevano che era successo, allora, lunedì...»

«Però non hanno cambiato idea, una volta che l'hanno saputo?»

«No.»

«Tu non ci vuoi tornare laggiù?»

«No.»

La risposta fu talmente flebile che lui la percepì appena. Un sussurro, così che nemmeno Dio potesse sentire, pensò.

«Come hai saputo che Clarissa era morta?»

Lei esitò.

«Noi... noi lo sapevamo già domenica sera che lei se n'era andata. Non era presente né alla riunione né alla cena, però loro non ci hanno detto nulla.»

«Nulla?»

«Non prima di lunedì mattina. Allora sorella Madeleine ci ha raccontato che era tornata a casa.»

«Aspetta un momento. Riesci a ricordare quando hai visto Clarissa per l'ultima volta?»

Marieke Bergson rifletté. Per la prima volta lo guardò dritto in faccia senza distogliere lo sguardo, mentre si mordeva il labbro con l'aria di contare mentalmente.

«È stato domenica scorsa» disse. «Al pomeriggio... ci hanno dato un'ora di libertà, verso le quattro mi sembra che fosse, e so che lei e qualcun'altra sono andate giù sulla strada... sì, verso le quattro e mezzo, forse.»

«Vi hanno dato un'ora di libertà?» domandò Van Veeteren. «In realtà avreste dovuto fare qualcos'altro, quindi?»

«Sì, in realtà avremmo dovuto fare gioco di gruppo.»

«Gioco di gruppo?»

«Sì. Sui comandamenti.»

Van Veeteren annuì.

Cambiamento di programma, pensò. Perché? E meno di due ore dopo che lui era risalito in macchina e si era allontanato da lì.

«E tu sei sicura di non averla più vista, dopo?»

La ragazza ci pensò su.

«Sì. Non l'ho più vista.»

«Sai chi erano le ragazze con lei?»

«Sì... credo di sì.»

«Di questo parleremo dopo» disse Van Veeteren. «Tu quindi sapevi che Clarissa non era più alla colonia domenica sera... o quantomeno lunedì mattina. Quando hai saputo che non era andata a casa, ma che era morta?»

«È stato... sì, quando siete venuti a svegliarci e ce l'avete detto. E poi abbiamo dovuto vederla. Anche se noi...»

«Sì?»

«Noi non vi credevamo... era un po' questo lo scopo.»

«Ma voi però l'avete vista?»

«Sì.»

«Non capisco. Credi di poter riuscire a spiegarmelo un po' meglio?»

«Noi ce lo aspettavamo che voi sareste venuti dall'Altro Mondo a raccontarci cose terribili, era un po' quella la prova.»

«Però tu l'hai capito, che Clarissa è morta davvero?»

Marieke Bergson accennò di sì, singhiozzando.

«Sì, quando l'ho vista ovviamente ho capito...»

Il commissario annuì. Era lui che aveva insistito su questo punto e, anche se poi aveva avuto un bel po' di dubbi sulla necessità della cosa, ora si rendeva conto che era stata una valutazione assolutamente esatta.

Tutta la violenza che richiedeva la situazione.

Anche se restava incomprensibile che nessuna delle ragazze fosse crollata al momento dell'identificazione. Alle cinque del mattino, strappate al calore del loro lettuccio per essere messe di fronte alla vista di una compagna morta ammazzata. Solo il viso, è vero, ma in ogni caso?

D'altro canto lui si era accontentato di farle sfilare davanti all'ambulanza e gettare un'occhiata attraverso gli sportelli. Non avevano nemmeno cominciato a interrogarle subito. Avevano concesso loro un'ora per far colazione. In fondo, sapeva chiaramente che la messinscena era anche una sorta di rappresaglia nei confronti delle tre donne dalla bocca cucita, ma forse avrebbero potuto risparmiare un giorno se avessero avuto la mano ancora più pesante?

Mano pesante? pensò. Che cosa diavolo vado farneticando?

«C'è altro?» chiese la psicologa, e lui capì che doveva essersi perso un attimo nelle sue riflessioni.

«Certo» rispose. «E parecchio.»

«C'è una toilette qui?» domandò Marieke Bergson. «Avrei bisogno di...»

«Là fuori» accennò Van Veeteren, e fermò il registratore.

Quando ritornò, fu lei a prendere direttamente l'iniziativa.

«C'è quella faccenda di Katarina, anche» esordì.

«Katarina?» fece il commissario.

«Sì, all'inizio c'era anche lei al campo estivo, ma poi un mattino se n'è tornata a casa. Ha fatto una stupidata. Eravamo compagne dalla primavera scorsa...»

«Qual è il suo nome completo?»

«Katarina Schwartz. Aveva il letto a fianco del mio.»

«Katarina Schwartz» ripeté il commissario, prendendo nota. «Viene anche lei da Stamberg?»

«Sì.»

«Anni?»

«Tredici, quasi quattordici. È arrivata nella nostra città la primavera scorsa, prima abitava a Willby...»

«Tu non avresti il suo indirizzo e numero di telefono?»

«Certo.»

«Me li puoi trascrivere?»

Spinse il blocco e la penna attraverso il tavolo. Marieke Bergson annotò con la punta della lingua che faceva capolino all'angolo della bocca. Quando ebbe terminato, spinse il blocco verso il commissario; questi osservò un momento la sua tonda calligrafia di scolaretta, prima di continuare.

«Allora? Ha fatto una stupidata, hai detto. Ce ne puoi parlare?»

Marieke Bergson esitò, mordendosi il labbro.

«Ha imprecato contro Jellinek. Aveva il diavolo in corpo... A me sembrava che fosse un po' strana anche se la conoscevo, e anche le altre lo pensavano. Dovevamo fare finta che non fosse mai stata lì.»

«E perché?»

«Non lo so, ma probabilmente era giusto. Si è comportata da stupida, aveva il diavolo addosso ed era meglio dimenticarsi di lei. Noi... sì, noi ce la siamo dimenticata davvero. Quasi non ricordavo più che è stata alla colonia, fino a ieri, quando...»

Tacque. Il commissario aspettò, ma non venne altro.

«Mi sai dire quando è scomparsa Katarina Schwartz?»

Marieke Bergson si mise a contare.

«Due settimane fa, credo. Un po' meno, forse... sa, si perde un po' il conto, il tempo non è come al solito, a Waldingen...»

Van Veeteren avvertì improvvisamente che avrebbe voluto continuare a interrogare quella ragazzina per molte ore, ma capì che doveva rinunciare. Bisognava dare la precedenza ad altro, raccogliere informazioni su ciò che era più importante, prima; poi avrebbe anche potuto cercare di penetrare i lati oscuri della Vita Pura con tutta calma, quando ne avesse avuto il tempo e la possibilità.

«Jellinek» disse invece. «Sai dov'è, Oscar Jellinek?»

La ragazza scosse la testa.

«Non lo sai?»

«No.»

«Quando è sparito?»

«L'altro ieri.»

«Sei sicura?»

«Sì. Non c'era lunedì mattina. È stato chiamato da un'altra parte.»

«Chiamato da un'altra parte?»

«Sì.»

«Che cosa vorresti dire?»

«Il Signore l'ha chiamato e lui deve stare via dalla colonia per qualche giorno.»

Bevve un sorso di Coca-Cola e il commissario chiuse gli occhi per due secondi.

«Quando, lunedì?»

«In mattinata. Non c'era, alla preghiera del mattino. L'ha guidata sorella Ulriche al suo posto. Poi ci hanno raccontato che Dio gli era apparso durante la notte e gli aveva dato un incarico. Era importante che fossimo salde nella fede, e ci dimostrassimo pure e degne mentre lui era via...»

«Pure e degne?»

«Sì.»

«Aha...» Van Veeteren cercò le parole «... e che cosa significa?»

«Non capisco» rispose Marieke Bergson.

«Nemmeno io» disse il commissario. «Come si fa a dimostrarsi puri e degni?»

La psicologa alzò un dito in segno di avvertimento, e Marieke Bergson assunse improvvisamente l'aria di voler scoppiare a piangere. Si tormentava le mani e teneva di nuovo lo sguardo fisso sulle scarpe. Van Veeteren si affrettò a cambiare strada.

«Quand'è stata l'ultima volta che hai visto Jellinek?»

«Domenica... domenica sera, sì.»

«In che occasione?»

«Alla preghiera della sera. Prima di andare a letto, insomma.»

«Non vi ha detto nulla sul fatto che sarebbe stato via?»

Marieke alzò gli occhi, ma poi tornò ad abbassarli.

«No, è stato più avanti nella notte che ha incontrato Dio, gliel'ho già detto... ma Clarissa non c'era. Noi eravamo un po' perplesse, ma lui non ha detto niente, a questo proposito. Solo che era arrivata l'ora dell'ultima battaglia e che dovevamo mantenerci salde e pure.»

«L'ultima battaglia?»

«Sì.»

«E a che cosa si riferiva?»

«Io... io non lo so.»

«Perciò lunedì mattina siete venute a sapere sia di Clarissa Heerenmacht che del compito di Jellinek?»

«Sì... anche se di Clarissa sapevamo già. Che non era più lì...»

«Non ti sembra che sia un po' strano? Che le due cose siano successe contemporaneamente?»

«No...»

«Però ne avrete parlato fra voi?»

«No, abbiamo dovuto...»

«Che cosa?»

D'un tratto ci fu il crollo. Marieke Bergson scivolò dalla sedia e si raggomitolò sul pavimento. Si coprì il viso con le mani e tirò su le ginocchia fin sotto il mento in una specie di contorta posizione fetale. E lentamente cominciò a salire da lei un pianto soffocato e lamentoso, un gemito, una disperazione inarticolata, che, lui capì, doveva venire dagli abissi della sua anima di tredicenne. Per un istante il commissario ebbe tuttavia l'impressione che recitasse, ma la scacciò.

Povera piccola, pensò. Che cosa ti hanno fatto?

La psicologa fu lesta a gettarsi su di lei. Cominciò a carezzarle le braccia, la schiena e i capelli con lunghi gesti tranquillizzanti. Quando la ragazzina si fu un po' ripresa, ma ancora rannicchiata e chiusa dentro il suo inferno personale, la donna alzò lo sguardo verso il commissario.

«Ecco» disse. «È soddisfatto, adesso?»

«No» rispose Van Veeteren. «Come accidenti potrei esser-lo?»

Quella sera cenò con Suijderbeck.

Servinus era tornato a Rembork per trascorrere la notte con la moglie e i quattro figli, ma Suijderbeck non aveva legami di nessun tipo e aveva preferito tenere la stanza allo Stadshotell, dove aveva già passato una notte.

Era nella sala da pranzo di quell'albergo che adesso stavano cenando.

In un angolo fumoso dell'animato locale color seppia, con le tovaglie che un tempo erano state candide e i lampadari di cristallo che erano sempre stati di vetro, Suijderbeck sembrava, se possibile, ancora più cupo del solito, e il commissario cominciò a sentire nei suoi confronti una certa affinità elettiva.

«Che aria tirava al manicomio?» domandò quando ebbero completato le ordinazioni.

«Allegra» disse Suijderbeck accendendo una sigaretta. «Se fosse per me, quelle befane le lascerei marcire là dentro a vita. Nessun dubbio che siano qualificate per starci.»

«Mmm» fece Van Veeteren. «Quindi continuano a tacere?»

«Autismo in piena regola» disse Suijderbeck. «La cosa peggiore è che sono anche così tremendamente arroganti... martiri elette, e tutti gli altri non valgono un fico secco. Sprizzano letteralmente disprezzo da tutti i pori.»

«I cento eletti del Signore?»

«Qualcosa del genere. Sanno già tutto, non hanno bisogno di abbassarsi... benché fra di loro non si incontrino mai. Ci scommetterei la testa che hanno un qualche genere di contatto telepatico. E come va con le ragazze?»

«Una ha cominciato a parlare.»

«L'ho sentito. Ne avete ricavato qualcosa?»

Van Veeteren alzò le spalle.

«Più o meno quello che ci aspettavamo, in effetti. La ragazza sembra sia scomparsa a un'ora imprecisata di domenica pomeriggio... Jellinek la stessa notte, con ogni probabilità. Poi alle ragazze hanno messo il bavaglio. Sì, cosa diavolo sia successo è ovviamente il grande interrogativo, e su questo punto non è che ne sappiamo molto di più... A quanto sembra, è sparita anche un'altra ragazza, proprio come pensavamo.»

«Il Signore dà e il Signore toglie» sentenziò Suijderbeck. «Che cosa ne pensi tu, allora?»

Il cameriere arrivò con due birre.

«Non so» rispose il commissario. «Il diavolo mi porti se non è vero. Salute.»

«Salute» disse Suijderbeck.

Quando ebbero bevuto, rimasero un momento in silenzio. Poi Suijderbeck fece un sospiro profondo e disse:

«C'è solo una strada da percorrere, è ovvio.»

«Ah sì?» fece il commissario.

«Dovremo necessariamente appurare se il prete se la faceva anche con le ragazze.»

Il commissario asciugò le posate sulla tovaglia.

«Sì» convenne. «Penso che dovremo proprio.»

«Che hai fatto alla gamba?» domandò dopo che ebbero attaccato il secondo.

Suijderbeck alzò lo sguardo dal piatto.

«Vuoi saperlo davvero?»

«Perché me lo chiedi?»

Suijderbeck bevve un sorso di birra.

«Perché la gente di solito la prende piuttosto male.»

«Capisco» disse il commissario, e rifletté qualche secondo. «Sì, voglio saperlo.»

«Come vuoi» replicò Suijderbeck. «Ne parliamo dopo che abbiamo finito di mangiare.»

«Ecco, per qualche anno lavorai nella narcotici» iniziò a raccontare Suijderbeck.

«A Rembork?»

«No, Aarlach. In ogni caso, ero sulle tracce di alcuni nomi veramente grossi. Una sera ero in macchina, in appostamento, quando d'un tratto fu chiaro che anche loro erano sulle mie tracce... »

« Aha, ecco » disse Van Veeteren.

« Proprio da idioti stare seduti da soli in una macchina, che ne dici? »

Van Veeteren non rispose. Accettò una sigaretta e lasciò che Suijderbeck gliel'accendesse.

« Mi portarono in un posto fuori città. Avrei imparato una lezione, mi dissero. Di non immischiarmi nei loro affari, in futuro. Fu l'unica cosa che mi dissero, in effetti. Tipi piuttosto taciturni. Be', dopo mi legarono e misero in moto la sega circolare. »

Fece una piccola pausa.

« Fu questione di pochissimo. Non più di mezzo secondo, ma è stato il mezzo secondo più lungo della mia vita... e continuo a riviverlo. »

Tacque. Van Veeteren fissò la propria mano che stringeva la sigaretta. Sentì che qualcosa dentro di lui lentamente si rivoltava e gettava la spugna. Tirò una boccata di fumo e schiacciò il mozzicone.

« Chiediamo il conto? » domandò.

« Forse è meglio » rispose Suijderbeck.

Suijderbeck aveva voglia di fare una breve passeggiata prima di andare a dormire e, dopo qualche isolato, il commissario gli domandò: « Quanto tempo fa è stato? »

« Cinque anni. »

« Perché hai continuato a lavorare in polizia? »

Suijderbeck proruppe in una breve risata.

« Cinquantenne con gamba di legno » disse. « Mai sentito parlare di come gira il mercato del lavoro? »

20

Quando il sostituto commissario Kluuge verso l'una di giovedì si infilò nella sua macchina rovente fuori da Waldingen, per ritornare a Sorbinowo ed essere presente alla stazione di polizia per il resto del pomeriggio (e forse avere anche una mezz'ora di tempo per pranzare con Deborah), poté constatare che in un modo o nell'altro le cose avevano cominciato a muoversi.

Di qualche millimetro, almeno. Sull'esempio di Marieke Bergson, una manciata di ragazze aveva iniziato a cedere e a raccontare degli ultimi giorni alla colonia. Insieme con le colleghe Lauremaa e Tolltse di Haaldam, Kluuge aveva trascorso un paio d'ore della mattinata a ricevere queste confessioni inzuppate di lacrime. Elementi concreti, e determinanti ai fini dell'inchiesta, non ne erano tuttavia emersi. Non per quanto fosse possibile giudicare a prima vista. Le ragazze avevano ricevuto l'ordine, più o meno esplicito, di tacere, ed erano state zitte.

Molto semplice.

Solo un gruppo era rimasto fedele alla linea del mutismo, e c'era forse motivo di credere che era stato lo stesso gruppo a mettere le altre – quelle che ora avevano cominciato a vacillare nella loro fede – sotto una certa pressione. Inoltre aveva preso forma un trio di ragazze, probabilmente con in testa Belle Moulder (o almeno questa era l'opinione di Lauremaa), che dovevano essere state le ultime a vedere Clarissa Heerenmacht in vita.

Se si escludeva l'assassino, ovviamente. Intorno alle cinque, cinque e mezzo di domenica sera, queste ragazze, compresa Clarissa, erano state giù allo «scoglio» – una roccia liscia e calda di sole qualche centinaio di metri a ovest della colonia – e avevano fatto il bagno. Era ancora poco chiaro come il quartetto si fosse poi diviso, ma le ragazze non erano tornate alla colonia in gruppo compatto.

Clarissa Heerenmacht non era tornata del tutto.

Clarissa Heerenmacht aveva incontrato il suo assassino. Non si sapeva come. Non si sapeva quando e dove.

I parenti rappresentavano un altro problema. Kluuge accese il condizionatore e svoltò sulla strada principale. I quotidiani della sera del giorno prima, come pure la TV e la radio, avevano prestato una certa attenzione al caso (Kluuge sperava sinceramente che Malijsen continuasse a stare nel suo isolamento come aveva promesso; la comparsa improvvisa sulla scena del commissario titolare non avrebbe avuto un effetto granché positivo sul lavoro, su questo tutte le persone coinvolte erano d'accordo, anche se nessuno lo diceva apertamente), e la maggior parte dei genitori aveva anche cominciato a reagire. Appena prima che Kluuge lasciasse Waldingen in quella torrida giornata, quattro delle ragazze erano state ritirate da mamme e papà in agitazione: naturalmente solo dopo aver passato un po' di tempo con Lauremaa e gli psicologi. Due di queste ragazze erano anche sorelle, un dettaglio che in precedenza era completamente sfuggito.

Rimanevano sei ragazze. Tre che non avevano ancora reso la loro testimonianza, due che probabilmente erano sul punto di farlo, e una che si era alleggerita la coscienza e adesso stava aspettando che la venissero a prendere.

E poi Marieke Bergson, si capisce. Lei si trovava ancora alla stazione di polizia sotto la sorveglianza della signorina Miller e di una suora di carità cattolica; quest'ultima era arrivata di propria iniziativa la sera precedente, mettendosi a disposizione (per ragioni etiche e sindacali, la psicologa aveva già da tempo abbandonato il campo). Si chiamava Vera Saarpe e aveva anche ospitato la ragazza in casa sua per la notte.

Quanto ai genitori di Marieke, non si era riusciti a contattarli prima di quella mattina e, a quanto pareva, sarebbero arrivati nel pomeriggio per prendersi cura della loro turbata figliola. Kluuge aveva parlato personalmente al telefono con la madre e aveva potuto constatare che anche questa volta la mela non sembrava essere caduta troppo lontano dall'albero.

Tirò un sospiro profondo. Davvero non era facile tenere a bada tutto quanto, pensò.

Davvero non facile.

Poi sospirò ancora più forte, quando cominciò a riflettere su Katarina Schwartz, la ragazza che, a quanto pareva, era sparita dalla colonia dieci o dodici giorni prima. La testimonianza di Marieke Bergson circa la sua assenza improvvisa era stata confermata da tutte le altre che fino a quel momento avevano aperto bocca, e sembrava ragionevole ritenere che fosse proprio a questa Katarina che si riferiva la sconosciuta nelle sue prime due telefonate.

Come se non bastasse, non erano nemmeno riusciti a contattare i genitori. A quanto pareva, erano in vacanza in macchina da qualche parte in Francia; ma se comunque fosse stato vero che Katarina era semplicemente scappata dalla colonia, non era impossibile che al momento si trovasse a bordo della stessa macchina di mamma e papà. Oppure in una casa o su una sedia a sdraio. A Brest o a Marsiglia o dove cavolo potevano trovarsi in quel momento. Perché non a Lourdes, del resto?

Servinus si era messo in contatto con la polizia francese, che aveva promesso di emettere un avviso di ricerca per la coppia in questione e la relativa macchina, ma Servinus aveva già avuto a che fare in precedenza con i colleghi gallici, e non era granché ottimista.

Effettivamente c'erano alcuni segnali che lasciavano presumere che la ragazza potesse aver avuto motivo di fuggire, ma Kluuge non aveva ancora avuto il tempo di rendersi conto di quanto fossero realmente forti questi segnali. Forse non si trattava d'altro che di pii desideri: vicini, conoscenti e parenti della famiglia Schwartz erano sembrati abbastanza convinti che non ci fosse nessuna Katarina sulla macchina, quando questa era partita in direzione sud-ovest la settimana prima.

Ma le date si concatenavano, aveva notato Kluuge riflettendoci. Se era vero che la figlia era ricomparsa d'improvviso a casa la sera prima della partenza, ecco, allora non era impensabile che fosse andata con i genitori senza che nessuno estraneo alla famiglia lo venisse a sapere.

E in tal caso forse c'era da risolvere un solo omicidio.

Il che era già abbastanza problematico.

Lo colpì anche il pensiero – mentre era seduto in macchina a sudare, e guidava davvero troppo veloce sulla strada tutta curve – che tutti quegli interrogatori, tutte quelle telefonate e quelle misure prese di qua e di là sembravano mirare soltanto all'obiettivo di autogiustificarsi. Costavano una quantità spaventosa di risorse e di energie, e in realtà non conducevano da nessuna parte.

Tranne che in circolo. Il poco che si riusciva a sapere, era quanto era già stato indovinato.

Quando – e come – avrebbe avuto il tempo e la forza di mettersi a riflettere sul mistero stesso dell'omicidio, ecco, al momento attuale gli era molto difficile prevederlo.

Era così che andavano le cose? si domandò nel suo intimo. In tutte le inchieste?

Merwin Kluuge sospirò ancora una volta e guardò l'ora.

Le due meno un quarto.

C'era uno spazio di venti minuti per Deborah. Mezz'ora, al massimo.

Venerdì devo comperarle un fiore, pensò. Oggi non faccio comunque in tempo.

Più o meno nello stesso momento in cui Merwin Kluuge passava la mano premuroso – ma forse non esattamente premuroso come al solito – sul ventre di sua moglie e sul suo bambino non ancora nato, Van Veeteren lasciò Elizabeth Heerenmacht per permetterle di prendere congedo da sua nipote nell'obitorio dell'ospedale di Sorbinowo, dove il corpo martoriato era appena stato trasportato dopo essere rimasto due giorni e mezzo all'Istituto di medicina legale di Rembork.

Elizabeth Heerenmacht non faceva parte della Chiesa della Vita Pura, eppure, dopo aver trascorso una mezz'ora in sua compagnia, il commissario aveva qualche difficoltà a capire perché. La donna sembrava, a dir poco, qualificata; ecco la triste conclusione alla quale purtroppo era giunto.

Anche se forse non era del tutto sereno, in quella tetra e torrida giornata. Era difficile essere privi di pregiudizi quando il sudore prima colava, poi si congelava in cristalli di ghiaccio giù all'obitorio e poi cominciava di nuovo a evaporare non appena si tornava fuori al sole.

Prima, nel corso della mattinata, aveva dedicato non poco tempo a un'altra donna: la fantomatica Ewa Siguera. Voleva per lo meno convincersi che fosse un mistero... che fosse altrettanto enigmatica nella realtà quanto lo erano il suo nome e il suo sorriso sulla fotografia che Przebuda le aveva scattato l'estate precedente.

Sciocchezze, si era poi reso conto in un attimo di amara autocritica. Neanche si trattasse di un romanzo.

Ma che cosa non si fa, per la miseria? pensò anche. Meno contatti si hanno con l'altro sesso, più si sviluppa un debole nei suoi confronti o, almeno, verso certi suoi rappresentanti. Non era certo una novità.

Attraverso l'anagrafe era venuto a sapere che Ewa Siguera non risiedeva a Stamberg. Aveva anche chiesto a Lauremaa e Tolltse di mostrare la sua fotografia alle cresimande che stavano testimoniando, ma, per quanto aveva capito, nessuna aveva potuto dare una mano.

Il mistero si infittisce, pensò con amara soddisfazione. Poi sputò uno stuzzicadenti tutto masticato e scosse la testa. Dannazione, constatò, sono la caricatura di un poliziotto! Di me stesso. È un assassino oppure una donna, che sto cercando? Nel sudore freddo riscaldato della mia faccia?

Dopo un'ora circa di infruttuose ricerche, aveva telefonato a Reinhart passandogli l'incarico. L'aveva pregato di cercare Ewa Siguera e di informarlo immediatamente, quando l'avesse trovata. Ovvio che ci sarebbero state altre strade da percorrere, ma siccome sospettava che il sovrintendente fosse lì a girarsi i pollici e basta in attesa di andare in ferie, o che si dedicasse alla sua bella consorte di fresca acquisizione, tanto valeva lasciare che si guadagnasse lo stipendio.

Reinhart non aveva avuto granché da obiettare. Lealmente aveva promesso di farsi vivo non appena avesse scovato qualcosa. Entro ventiquattr'ore al massimo.

Perciò quella faccenda dei pollici e della moglie doveva essere stata un'intuizione assolutamente corretta, pensò il commissario.

«E come stanno andando le cose al nostro segugio, allora?» aveva però voluto sapere Reinhart. «Sole, bagni e pesca tutto il santo giorno?»

«Ti stai dimenticando del vino e delle donne» aveva replicato Van Veeteren.

Cominciò con i Fingher, dal momento che aveva visto che erano in casa.

La signora Fingher, una robusta contadina sui cinquant'anni, fece in realtà appena in tempo a salutarla: stava giusto uscendo per andare a occuparsi di una nipotina, gli disse allontanandosi di fretta verso una vecchia Trotta verniciata a mano che stava parcheggiata fuori sulla strada; ma sia il signor Fingher sia il figlio Wim sembravano avere tutto il tempo per una chiacchierata.

«È soprattutto la sera di domenica che mi interessa stavolta» spiegò il commissario dopo che si furono accomodati sulle sedie da giardino all'ombra di un castagno.

«Domenica sera?» chiese Fingher. «Wim, va' a prendere un paio di birre. La gradisce una pilsner, vero, commissario?»

«Grazie» disse Van Veeteren, e il figlio tornò dentro casa.

«Perché, allora?» domandò Fingher. «Cos'è che vuole sapere di domenica sera?»

«Mi sa dire a che ora sono venuti qui quelli della colonia, e se ha notato qualcosa di particolare?»

Fingher ci pensò su, e intanto il figlio tornò con le birre.

«No, era tutto come al solito, per quanto mi ricordi. Tu cosa ne dici?»

Guardò verso Wim, ma questi si limitò ad alzare le spalle.

«A che ora?» disse Van Veeteren.

«Sette, sette e mezzo, all'incirca. Come al solito.»

Wim Fingher annuì confermando e tutti e tre bevvero una sorsata di birra. Aveva una morbidezza inaspettata, e Van Veeteren si domandò se non fosse addirittura fatta in casa. Le bottiglie sul tavolo erano senza etichetta, perciò non era poi un'idea tanto peregrina.

«Buona» disse. «E c'era anche Jellinek?»

«Cosa? Sì, certo.»

«E quattro ragazze?»

«Quattro.»

«Conoscevate questa ragazza che è stata uccisa?»

Fingher annuì tutto serio.

«Altroché, per la miseria. Era stata qui qualche volta naturalmente, proprio come tutte le altre. È spaventoso, se solo qualcuno avesse avuto un presentimento, si sarebbe potuto...»

«Potuto cosa?» chiese Van Veeteren.

«Be', che ne so. Castrare quel prete della malora, per esempio. Che il diavolo mi porti se riesco a capire come faccia certa gente a mandare i figli in un posto del genere. Noi abbiamo soltanto Wim qui, ma se avessi una figlia, quant'è vero Iddio la metterei sotto chiave se ci fosse nelle vicinanze un tipo come lui...»

D'un tratto, rabbia e indignazione parvero mettere un coperchio sulle parole e l'uomo tacque. Van Veeteren bevve un sorso di birra e lasciò trascorrere qualche secondo, prima di continuare.

«Avete notato niente di particolare in lui, domenica scorsa?»

«All'inferno» imprecò Fingher. «No, non saprei. Tu, Wim?»

Mathias Fingher vuotò il suo bicchiere in un colpo solo.

«No» rispose Wim. «L'ho visto solo di sfuggita. Ma era come sempre, direi.»

«Niente di strano neanche nelle ragazze?»

Wim scosse la testa. Suo padre ruttò.

«No» disse. «Tenevano solo la carretta, come il loro solito.»

«Mmm» fece Van Veeteren. «Potete promettere che ci contatterete, se vi dovesse tornare in mente qualcosa? Qualsiasi cosa che possa sembrare commestibile.»

Commestibile? pensò. Le parole cominciano a tradirmi.

«Certamente» disse Fingher, grattandosi la testa. «Chiaro

come il sole che vogliamo aiutarvi. Anche se devo dire che non capisco cos'è che state cercando. »

Van Veeteren ignorò la critica. « Lunedì scorso allora? » domandò invece. « Parto dal presupposto che Jellinek non è stato qui quel giorno. »

« Esattamente » confermò Fingher. « Lunedì è venuta solo una delle donne. »

« Niente ragazze? »

« Nemmeno una. »

« Vi ha spiegato perché? »

« Spiegato? Neanche per idea. È solo stata qui con quella sua aria da presuntuosa, come se fosse la cugina della madre di Dio o qualcosa del genere. »

Van Veeteren si schiarì la gola.

« Lei personalmente non è religioso, signor Fingher? »

« Nemmeno un po' » rispose il contadino, ruttando di nuovo.

« Neanch'io » gli fece eco il figlio.

Il commissario vuotò il suo bicchiere.

« Bene, allora. Non voglio incomodarvi oltre. Ma fatevi vivi, se vi viene in mente qualcosa… come si diceva. »

« Chiaro » disse Fingher, e riaccompagnò il commissario fuori sulla strada.

« Domenica sera » disse lui, puntando gli occhi sulla dodicenne.

La ragazzina, che si chiamava Joanna Halle, teneva lo sguardo fisso sul tavolo sfregandosi nervosamente i polsi.

« Un po' più di gentilezza, magari » gli bisbigliò all'orecchio la giovane psicologa.

« Vorresti raccontarci un po' che cosa avete fatto domenica sera? » modulò Van Veeteren. « Quando siete state giù allo scoglio a fare il bagno. »

« Abbiamo fatto il bagno » spiegò Joanna Halle.

« Ah. E chi eravate? »

« Eravamo io e Krystyna e Belle. E poi Clarissa. »

« E avete fatto il bagno? »

« Sì » rispose la ragazza.

Conversazione intelligente, pensò Van Veeteren. Scivola via che è un piacere.

«Eravate amiche, voi quattro?»

«Sì... no, non proprio...»

«Che cosa intendi?»

Ma non imparano a parlare a scuola, oggigiorno? pensò.

«Noi eravamo solo... quasi amiche.»

«Ah? Che ore erano quando eravate laggiù, all'incirca?»

«Non lo so, però per le sei eravamo di ritorno, perché a quell'ora si cena.»

«È successo qualcosa di speciale mentre eravate giù allo scoglio?»

«No, e cosa poteva succedere?»

«Non sono io che posso saperlo. Di che cosa avete parlato?»

«Niente di speciale.»

«Non avete litigato?»

«Litigato?»

«Sì. Non sai cosa vuol dire?»

«Sì, ma noi della Vita Pura non litighiamo. Sono solo gli altri che lo fanno.»

«Stai dicendo la verità adesso?»

«Chiaro.»

Chiaro? pensò il commissario. Devo cominciare ad arrestare più bambini, così magari imparo a comunicare con loro.

Anche se Marieke Bergson e le altre non erano state un problema, perciò era incline a presumere che fosse Joanna Halle a essere un tantino lenta. Non lui.

«Siete state insieme tutt'e quattro per tutto il tempo?» provò.

«Non mi ricordo.»

«Ti ricordi in che ordine ve ne siete andate dalla spiaggia?»

Per la prima volta, Joanna Halle ebbe l'aria di riflettere.

«Io sono andata via con Krys» disse.

«Krystyna Sarek?»

«Sì.»

«Perciò Clarissa e Belle Moulder sono tornate insieme?»

«Credo.»

163

«Ma non lo sai con sicurezza?»

«Sì, loro erano ancora là quando noi ci siamo mosse. Almeno Belle.»

«Però non hai visto Clarissa, quando vi siete allontanate dallo scoglio?»

«Sì, probabilmente era lì anche lei.»

«Adesso devi deciderti. Belle era sola oppure loro due erano insieme, quando tu e Krystyna ve ne siete andate?»

«Erano là tutt'e due.»

«Sicura?»

«Chiaro.»

Il commissario sospirò e gettò un'occhiata alla psicologa, ma lei era altrettanto imperscrutabile come una patata con gli occhiali. La-cosa-in-sé, pensò cupamente.

«E tu non hai più avuto occasione di vedere Clarissa, dopo?»

«No... no, direi di no.»

«Ti ricordi se hai visto Jellinek da qualche parte, quando sei ritornata qui?»

«Jellinek?»

«Sì. Ti è più facile se ripeto le domande due volte?»

La psicologa gli lanciò un'occhiata tagliente.

«No, non c'è bisogno» rispose Joanna Halle. «No, non ho visto Jellinek finché non siamo andate dal contadino.»

«Vuoi dire che c'eri anche tu a prendere il latte quella domenica sera?»

«Certo. Era il mio turno!»

La ragazza lo guardò con un'espressione che, gli parve, conteneva un vago disprezzo.

«Chi c'era d'altri?»

Lei ci pensò su.

«Krys e le sorelle.»

«Le sorelle?»

«Sì, Lene e Tilde.»

Van Veeteren annuì.

«Ritorniamo un attimo allo scoglio... Avete visto altre ragazze mentre eravate là?»

«No, c'eravamo soltanto noi.»

«Nemmeno qualche altro adulto?»

«No.»

«E nessuno che non conoscevate?»

«No. Gliel'ho già detto, c'eravamo soltanto noi.»

«Quanto siete rimaste laggiù?»

«Non so... non molto.»

«Hai notato se Clarissa era per caso di cattivo umore?»

«No... no, lei era come sempre.»

«E non c'era nient'altro in lei che ti ha fatto pensare?»

«No.»

«Non ha detto che voleva starsene da sola, o cose del genere?»

«No.»

«E nessuna di voi è stata sgarbata con lei in qualche modo?»

«Noi non siamo sgarbate fra di noi, gliel'ho già detto.»

No, certo, oca che non sei altro, pensò il commissario con un guizzo d'irritazione. Però si dà il caso che Clarissa Heerenmacht abbia incontrato il suo assassino poco dopo che tu ti sei trascinata di nuovo a casa, e magari avresti anche potuto esserci tu, al suo posto.

«Pensi di smettere di far parte di questa chiesa adesso?» le domandò.

Joanna Halle si fece tutto d'un tratto rossa in viso e lui non riuscì a stabilire se fosse arrabbiata o imbarazzata. Probabilmente nemmeno lei lo sapeva, perciò attaccò a piangere.

«Grazie, era tutto» concluse lui, e si affrettò a uscire al sole, sentendosi sulla schiena lo sguardo della psicologa.

Fu quando, quarantacinque minuti dopo, entrò per fare il pieno nella stazione di servizio poco prima di Sorbinowo che capì che il quarto potere adesso aveva raggiunto il terzo.

PRETE MANIACO IN FUGA! stava scritto a caratteri cubitali sulle locandine. E ancora: NUOVA PISTA NELL'OMICIDIO DELLA RAGAZZA!

Rimase un attimo a pensare se poteva esserci stata una fuga di notizie, ma poi capì che l'informazione doveva essere arrivata attraverso le ragazze che si erano già lasciate Waldingen, e probabilmente anche la Vita Pura, alle spalle.

Sì, sì, pensò. È ora di mettersi i baffi finti e di nascondersi nei boschi, probabilmente.

Ogni cosa ha il suo tempo.

21

Durante il briefing del venerdì sul caso Clarissa Heerenmacht, la temperatura nella stanza del commissario Kluuge aveva già raggiunto i trentatré gradi. Eppure era solo mattino, ed era la prima volta che la direzione delle indagini si riuniva sotto lo stesso tetto.

«Probabilmente siamo gli unici idioti in tutta la città che se ne stanno al chiuso» disse Suijderbeck.

«Probabilmente» gli fece eco Servinus.

A parte i due agenti di Rembork, erano presenti le due ispettrici di Haaldam, Elaine Lauremaa e Anja Tolltse, il direttore delle indagini Kluuge e il commissario consulente Van Veeteren della polizia giudiziaria di Maardam. In tutto sei persone; con il direttore delle indagini in pantaloncini corti, ma questo non si vedeva quando era seduto dietro la scrivania.

«Un certo scalpore, sui media» constatò Suijderbeck mettendo da parte il «Neuwe Blatt» che, a parte la prima pagina, ne dedicava due intere agli sviluppi del fattaccio avvenuto nei boschi di Sorbinowo.

E alla Vita Pura. Le speculazioni intorno alla sparizione della guida spirituale e alle attività della setta in generale erano numerose nella maggior parte dei media. Il vecchio processo era stato portato di nuovo alla ribalta, ex membri della setta si esprimevano in termini molto schietti, e uno dei canali televisivi aveva sfiorato il limite della decenza con un reportage su una delle ragazze che erano tornate a casa: un'intervista d'assalto con timidi genitori che balbettavano e una tredicenne con gli occhi rossi di pianto, mentre cercavano tutti insieme di percorrere il breve tragitto fra la loro automobile e la villetta a schiera alla periferia di Stamberg.

«Sì, che diamine» esclamò Servinus. «Chiaro che scrivono! Che cosa si potrebbe chiedere di più? Estate. Omicidio. Una ragazzina, un prete matto! Se non vendono con questo mix, tanto vale che gettino la spugna e comincino a dedicarsi al giornalino della parrocchia, piuttosto.»

«Quando è stato diramato l'avviso di ricerca per Jellinek?» volle sapere il commissario.

«Ieri pomeriggio» rispose Kluuge. «Abbiamo pensato che tanto valeva farlo, dal momento che ormai era di dominio pubblico.»

«Giusta valutazione» commentò Suijderbeck. «A dire il vero, ieri ho minacciato le Norne di metterlo in piazza... se continuavano a tacere dopo le dodici di oggi, ma loro naturalmente non leggono i giornali, perciò ho la coscienza pulita.»

«Quella faccenda del preservativo?» domandò la Tolltse. «Di che cosa si tratta?»

«Mmm» fece Kluuge. «Forse dovremmo cercare di esaminare i punti uno per volta. La situazione alla colonia per prima cosa, credo. A quest'ora non ci sarà rimasto più nessuno, no?»

Anja Tolltse guardò l'orologio.

«Ancora una ragazza e uno psicologo. E due agenti di sorveglianza. Dovrebbero venire a prendere la ragazza fra una mezz'ora, se sono puntuali. Sì, poi credo che potremo senz'altro riassumere i nostri interventi laggiù.»

«Molti giornalisti?» domandò Servinus.

Tolltse annuì.

«Un paio di macchine quando sono venuta via. Più che altro gironzolano e scattano fotografie. Alla ragazza non si possono avvicinare, anche se nulla impedisce che si facciano sotto dopo che i genitori sono venuti a prenderla. Nel caso vogliano fare un altro dei loro scoop scandalosi... con un paio delle altre l'hanno fatto, voglio dire.»

«Bene» commentò Suijderbeck. «Categoria molto rispettabile, quella. Un giorno giuro che smetterò di leggere i giornali.»

«*All right*» disse Kluuge. «La pattuglia degli esploratori farà un giro di ricognizione nel bosco anche oggi... alla ricerca dell'altra ragazza. Naturalmente possiamo sperare che non la trovino.»

«E anche che non vadano a raccontare ai giornalisti cosa stanno cercando» aggiunse Lauremaa. «A meno che non pensiamo di rendere pubblico che ne manca un'altra all'appello.»

«Non capisco perché non diramiamo un avviso di ricerca anche per lei» disse Tolltse. «Non sarebbe una buona idea?»

Nessuno rispose. Suijderbeck alzò le spalle e Kluuge cercò invano di incontrare lo sguardo di Van Veeteren, che sedeva a occhi chiusi con uno stuzzicadenti che spuntava da un angolo della bocca.

«Bah» fece il commissario dopo qualche secondo di silenzio. «Non credo che faccia grande differenza. In ogni caso non la uccidono certo mentre noi stiamo qui a tenere nascosta la sua sparizione.»

«Se è morta, è morta» completò Suijderbeck.

«Indubbiamente» convenne il commissario. «No, prima dobbiamo riuscire a metterci in contatto con i genitori. Proseguiamo?»

«Le tre sorelle del destino?» domandò Kluuge, con l'aria di non capire.

«Scusa» disse Van Veeteren. «Era soltanto un'allusione. Macbeth. Come vanno le cose a Wolgershuus, allora?»

«Bah» fece Suijderbeck. «Niente di nuovo sul fronte occidentale, visto che vogliamo fare i letterati. Quelle là non sono più raggiungibili, che il diavolo mi porti se non è vero. Forse c'è un briciolo di speranza per Mathilde Ubrecht, ma è solo una mia fantasia. Tuttavia, se pensiamo di sceglierne una per qualche... provvedimento straordinario, ecco, allora io vorrei raccomandare lei.»

«Pur sempre qualcosa» commentò Van Veeteren. «Sì, magari questo pomeriggio ci faccio un salto.»

«Si può iniettare dell'alcol nei soggetti che sono un po' recalcitranti, ho letto» osservò Servinus. «Portare la concentrazione all'1,5-2,0 per mille o giù di lì... allora di solito è difficile riuscire a non cantare.»

«Prima vorrei provare la linea analcolica, credo» disse il commissario. «Mi sembra un filino più etica.»

«Etica?» borbottò Servinus. «Non sapevo che stessimo giocando a cricket.»

Il commissario sorrise dentro di sé, ma senza lasciar trapelare nulla all'esterno.

«Quanto tempo le possiamo tenere rinchiuse a queste condizioni?» volle sapere Lauremaa. «Non dobbiamo metterle in custodia cautelare quanto prima?»

«Lunedì» rispose Servinus. «Se non sopraggiunge nulla di nuovo. Ma nessuna di loro ha chiesto di poter avere un avvocato, e nessuna ha detto una parola sul fatto di poter uscire, perciò non saprei...»

«Comunque è meglio attenersi alle solite procedure» intervenne Suijderbeck. «Altrimenti potrebbero avvalersene in futuro.»

«Giusto» disse il commissario. «Dobbiamo farle crollare durante il weekend. Nessuna delle signore qui sarebbe interessata...?»

Indicò una alla volta con lo stuzzicadenti Tolltse e Lauremaa.

«...ho la sensazione che ci sia una piccola barriera sessuale, ecco.»

«Ohi, ohi» disse Lauremaa.

«Non mi dispiacerebbe poter fare un salto a casa prima» disse Tolltse. «Ormai sono quattro giorni che siamo quí dentro.»

«Che cosa dice il nostro direttore delle indagini?» domandò Van Veeteren indicando di nuovo con lo stuzzicadenti.

«Be'...» fece Kluuge. «Non saprei proprio.»

«Domenica» decise il commissario. «Probabilmente farò un tentativo prima di allora, come dicevo, ma se faccio fiasco avrete comunque tutto il sabato libero.»

«Grazie» ribatté Lauremaa. «Sarà piacevole.»

«Andiamo avanti» disse il commissario. «Che cosa abbiamo d'altro?»

Per la prima volta da molto tempo c'era un'ombra d'impazienza nella sua voce. Se ne accorse anche lui e si domandò un po' vagamente se dipendesse dal caldo o dall'ambiente. Forse, da entrambi; in ogni caso, non avrebbe avuto nulla in contrario ad avere a disposizione Münster e Reinhart per un piccolo scambio di opinioni.

Sono diventato un po' viziato con gli anni, si rese conto. Logoro e disilluso e Dio sa cos'altro, ma anche viziato. Vale la pena di tenerlo a mente, forse.

«A quanto pare, nessuno stupratore noto è attualmente a piede libero» lesse Servinus da un foglio. «Ce n'è uno che è appena uscito da Ulmenthal, ma si trovava senza ombra di dubbio molto lontano da qui... Sì, è probabile che abbiamo a che fare con un nome nuovo nel settore. Che si chiami Jellinek oppure qualcos'altro...»

Il commissario annuì.

«Andiamo avanti» ripeté.

«Non abbiamo granché» disse Kluuge. «Qualche dettaglio più tecnico c'è, ovviamente, dopo il rapporto del medico legale...»

Cercò in una cartelletta che stava sulla scrivania.

«... questa cosa del frammento di gomma potrebbe forse valere la pena di rilevarla... profilattico o altro.»

«Era proprio su questo che mi interrogavo» disse Tolltse. «Gli stupratori di solito usano il preservativo? Non ne ho mai sentito parlare.»

Scese il silenzio per qualche secondo. Suijderbeck si grattò la gamba di legno.

«Ci sono tutte le varianti» disse Van Veeteren. «Credetemi... tutte.»

«Non deve necessariamente essere un profilattico» fece osservare Servinus. «Ci hanno tenuto a sottolineare che si tratta di frammenti estremamente piccoli, e che possono benissimo appartenere a qualcos'altro.»

«Per esempio a che cosa?» domandò Kluuge, ma non ottenne nessuna risposta.

E per un secondo fu del tutto evidente che l'intera squadra investigativa stava cercando la stessa immagine nel proprio intimo.

La stessa immagine infernale e sfuggente.

*

Dopo la conferenza stampa, che questa volta durò oltre un'ora, e durante la quale furono soprattutto lo stesso commissario e l'ispettrice Lauremaa a dover tirare il carretto al sempre più esausto Kluuge, Van Veeteren pranzò insieme con Suijderbeck al Florian. Era passata quasi una settimana da quando era stato lì la prima volta e, da come giudicava lo stato delle cose, c'erano ottime ragioni per concedersi qualcosa di buono.

Forse perfino di ottimo.

«Che circo della malora» commentò Suijderbeck. «Credo che prenderò l'anguilla.»

«Mmm» fece Van Veeteren, «c'è qualcosa, circa i corpi degli annegati e le anguille, che se mi vuoi scusare... Che cosa intendi con circo?»

«Quei pagliacci della stampa, si capisce. Ma tu ci sei abituato a quella merda, no?»

Van Veeteren alzò le spalle.

«Difficile abituarsi» disse. «Ma c'è una certa discrepanza in ogni caso.»

«Discrepanza?» chiese Suijderbeck, annusando il suo bicchiere di birra.

«Fra ciò che viene scritto e ciò che viene fatto. Succede considerevolmente di più sui giornali che nelle inchieste.»

Suijderbeck assaggiò la birra e annuì.

«Vero» convenne. «Ciò che succede e ciò che in apparenza succede. Siamo arrivati davanti a un muro, pensi?»

«E tu, cosa pensi?» chiese a sua volta il commissario. «Le ragazze si sono disperse. Le donne tacciono. Jellinek è scomparso.»

Suijderbeck rifletté.

«Katarina Schwartz» disse.

«Nessuna traccia» replicò il commissario. «Né di lei, né dei genitori.»

Suijderbeck rimase un momento in silenzio, sorseggiando la birra.

«Ok» ammise. «Ci siamo impantanati. Che facciamo?»

«Difficile dirlo» rispose il commissario. «Prenditi la tua anguilla, io comincio con un po' di granchio.»

*

Ma quando poi ebbero davanti il cibo, lui si rese conto che era inutile. Ogni cosa ha il suo tempo, come si era detto, e anche solo pensare alla propria fame in quelle giornate appariva d'un tratto quasi indecente. Sbirciò sconfortato attraverso il tavolo, dove Suijderbeck con appetito gagliardo stava attaccando il suo pesce grondante di grasso.

Nonostante tutti i corpi adolescenziali marezzati di lividi. Nonostante tutti i frammenti infinitesimali di gomma. Nonostante tutte le seghe circolari.

Perverso, pensò. Un giorno finirò per non reggere più, in questo mondo.

È solo questione di tempo.

22

Aspettò la prima lieve brezza serale per mettersi in marcia. Il sole era giusto in procinto di calare dietro il profilo della foresta a ovest, e lui riuscì a percorrere tutto il tragitto all'ombra e in una relativa frescura.

Wolgershuus era ubicata un paio di chilometri fuori dell'abitato, gradevolmente isolata nella foresta, ben distante dalla strada principale. Un vasto parco cinto di mura con una mezza dozzina di edifici del primo Novecento, tutti della stessa tranquilla tonalità giallo pallido da pietra calcarea. Van Veeteren ne aveva studiato la genealogia: all'inizio sanatorio e casa di cura per le classi abbienti, poi, negli anni della guerra, istituto d'istruzione per infermiere e altro personale femminile volontario, e infine, dagli anni Cinquanta in poi, istituto di cura e di custodia per individui affetti da vari disturbi psichici e psicosomatici.

Col tempo, un indirizzo sempre più marcato sulla custodia, se aveva letto correttamente fra le righe.

Già da lontano, quando aveva appena lasciato la strada principale e aveva cominciato la salita lungo la stretta banda d'asfalto attraverso il bosco, gli giunse il suono di una voce. Un lamento monotono che veniva dal parco su in alto. Un'anonima voce solitaria che usciva da una finestra aperta, probabilmente, e che aleggiava sul bosco e la sera d'estate come un'espressione e un memento del posto che spettava alla sofferenza nel mondo.

Il grido malinconico di un uccello migratore, gli passò per la mente. Un uccello migratore che è rimasto indietro. Il vano tentativo di contatto di un animale con un ambiente circostante che non capisce. Nello stesso istante in cui si fermò davanti ai cancelli chiusi, il grido tacque. Rimanendo però all'apparenza sospeso sotto gli alberi come un silenzio vuoto, e lui restò immobile un attimo, mentre si affievoliva e scompariva.

ISTITUTO WOLGERSHUUS
CASA DI CURA PSICHIATRICA

Stava scritto su una targa di smalto bianca e blu, fissata direttamente nel compatto muro di mattoni.

Pazzi pericolosi! pensò Van Veeteren. Così si sarebbe detto un tempo, e così forse si diceva ancora nel linguaggio comune.

Anche se oggigiorno c'erano naturalmente medicine contro la pericolosità.

Si avvicinò allo sportello di vetro e spiegò perché era venuto lì. Il giovane guardiano che stava facendo le parole crociate premette un pulsante e lui poté entrare attraverso la porta a grata. Poi dovette rivolgersi a un altro guardiano dietro un altro sportello, dove ricevette istruzioni sulla strada e insieme un pass di plastica bianca che gli consentiva di circolare liberamente.

Lo stesso pass che gli avevano rilasciato l'ultima volta, quando si era limitato ad assistere ai vani tentativi di Servinus e Suijderbeck di spremere fuori qualche risposta alle tre Norne.

Stavolta era il suo turno, e non aveva nessuna intenzione di tornare a casa a mani vuote.

Proseguì dritto lungo il viale di ghiaia ben rastrellato. C'era ancora un'oretta di luce, e qua e là si vedevano piccoli gruppi di persone. Infermieri e guardiani vestiti di bianco, internati in verde scuro, con larghe giacche e pantaloni informi, che gli ricordarono quelle specie di armature che lui stesso era stato costretto a indossare qualche volta durante il servizio militare, all'alba dei tempi.

Fra i verdi, anche qualche solitario. Un uomo seduto su una panchina a fumare, con in mano un guinzaglio vuoto. Un altro lungo disteso sul prato, in apparenza addormentato. Sotto un albero, un po' più lontano, una donna; in piedi, china in avanti con la fronte appoggiata contro un tronco, oscillava facendo lenti movimenti con le braccia, come se stesse nuotando.

Su tutto – sul parco, sugli edifici, sul bosco circostante – un silenzio immobile. Una quiete sorda, quasi opprimente, che sembrava portare con sé non soltanto l'illusione di un altro mondo, ma anche di un'altra vita.

Una dimensione con una pericolosa forza d'attrazione, lo sapeva; un fascino dal quale lui stesso in certe condizioni, e con certi meccanismi di difesa messi fuori gioco, avrebbe avuto difficoltà a difendersi.

Nel profondo della sua coscienza c'era anche l'immagine fosca di suo padre, e di una conversazione fra questi e il suo unico fratello. Le parole di suo padre e la sua inspiegabile disapprovazione. Passi decisi che si allontanavano sulla ghiaia e un cancello pesante che sbatteva.

Le sue gambette di bambino di quattro o cinque anni che prima esitano sulla direzione, e poi devono correre a più non posso per non rimanere chiuso al di qua del muro. Per non rimanere con zio Bern.

Incomprensibile allora. Incomprensibile adesso; ma comunque un pezzetto di quel modello, di quel cliché che aveva ricevuto in eredità.

La sua macchia congenita personale. Una delle tante.

Davanti all'edificio principale svoltò a destra, seguì il sentiero che scendeva nel piccolo avvallamento e arrivò alla stessa costruzione bassa, lunga e stretta dell'altra volta, ombreggiata dagli olmi. Mostrò il suo pass a un giovanotto barbuto seduto dietro un altro vetro e fu fatto entrare.

L'aspirante Matthorst era seduto nel cucinino a fumare e a guardare la TV. Sembrò quasi imbarazzato di essere stato sorpreso in una situazione così prosaica e si affrettò a scortare il commissario fino alla stanza in uno dei corridoi dove Mathilde Ubrecht era rinchiusa da tre giorni e mezzo. Aprì con la chiave e Van Veeteren entrò.

La donna era raggomitolata sul letto e stava leggendo la Bibbia. La stessa pallida creatura in cotone grezzo di sempre. Gli stessi capelli arruffati, incolori. La stessa aria introversa. Il commissario esitò un attimo prima di voltare la sedia della scrivania e di sedersi di fronte a lei, a meno di un metro di distanza.

Si mise in attesa. Prese uno stuzzicadenti dal taschino e lo soppesò nella mano. Lo trovò troppo leggero e lo rimise via. Diresse lo sguardo fuori della finestra munita di sbarre. Un cespuglio di lilla folto e piuttosto incolto oscurava gran parte della visuale. Riportò lo sguardo sulla donna rannicchiata sul letto.

Aspettò. Prestò ascolto al silenzio e al rumore molto vago di una qualche sorta di sistema di ventilazione. Dopo forse cinque minuti, lei chiuse la bibbia. Alzò gli occhi e incontrò i suoi.

«Propongo una passeggiata nel parco» disse Van Veeteren. «È una bella serata.»

Lei non rispose. Indugiò con lo sguardo su di lui, mentre tamburellava sulla bibbia e respirava con la bocca socchiusa. Il commissario si domandò se non soffrisse d'asma o di qualche allergia; ne aveva tutta l'aria. Dopo un momento, lei annuì debolmente e si alzò. Matthorst, che con ogni evidenza era rimasto ad aspettare fuori della porta, li accompagnò lungo il corridoio, e quando passarono davanti al cucinino il commissario gli fece cenno che poteva tornare al suo programma televisivo.

O a qualche altro interesse più nobile, se ne aveva.

Quando uscirono, gli ultimi sprazzi di sole erano scomparsi, e i gruppetti di personaggi in bianco e in verde si erano ritirati per la notte. Van Veeteren lasciò scegliere la direzione a Mathilde Ubrecht, e cominciarono lentamente a incamminarsi verso il laghetto nella zona più isolata del parco. A nord-ovest, se non andava errato. La brezza serale, quel delicato fruscio tra gli alberi che l'aveva accompagnato mentre saliva verso Wolgershuus, adesso si era placata del tutto; l'unico rumore che si sentiva era quello dei loro passi sulla ghiaia, e del respiro un po' affannoso di Mathilde Ubrecht. C'era una certa tensione nei suoi movimenti, e lui stava bene attento a tenersi un mezzo metro dietro di lei, per non guidare in nessun modo i suoi passi o pilotare le sue eventuali decisioni.

Non proferì nemmeno una parola fino a che non furono arrivati al laghetto artificiale con le sue ninfee e la sua acqua che gorgogliava piano da un piccolo bronzo di soggetto mitologico.

Si sedettero su una delle panchine verniciate di marrone e Van Veeteren accese una sigaretta.

«Ho tre domande» esordì. «Il suo silenzio sta proteggendo un assassino. Do per scontato che mi fornirà delle risposte sincere.»

Mathilde Ubrecht non replicò. E in realtà non diede nemmeno segno di aver sentito quello che le aveva detto. Lui tirò una boccata di fumo e attaccò.

«Domanda numero uno» disse. «Sa chi ha ucciso Clarissa Heerenmacht?»

Silenzio. Lui alzò gli occhi e prese a osservare il bosco scuro sopra il bordo del muro. Non risponderà, pensò.

«No» disse lei.

Van Veeteren annuì. Lasciò passare un minuto. Spense il mozzicone della sigaretta.

«Numero due» proseguì. «Sa che cosa è successo a Katarina Schwartz?»

Stessa attesa. Poi la donna fece un respiro profondo; lui poté sentire il fischio irregolare nei suoi bronchi.

«No.»

«Grazie» disse il commissario. «La mia ultima domanda riguarda Oscar Jellinek. Sa dove si trova?»

Questa volta l'attesa fu più lunga, ma quando la risposta arrivò, fu altrettanto inequivocabile delle precedenti.

«No.»

Lui restò un attimo seduto a conferire con se stesso.

«C'è qualcos'altro che mi vuole raccontare?»

Anziché rispondere, lei si alzò e gli fece segno che voleva tornare dentro. Lui annuì e cominciarono a incamminarsi nel silenzio sempre più buio.

Matthorst venne loro incontro sulla porta e Van Veeteren capì che era rimasto a osservarli dalla finestra.

Non accompagnò la donna all'interno. Si limitò a consegnarla nelle mani dell'assistente, ma incontrò per una frazione di secondo il suo sguardo prima che scomparisse attraverso la porta, e fu quell'occhiata di congedo che poi portò con sé durante tutto il tragitto di ritorno.

Attraverso il parco della casa di cura. Attraverso il bosco ormai buio. Lungo la strada scarsamente illuminata che scendeva verso l'abitato.

Aveva avuto tre risposte negative alle sue tre domande. Più un'occhiata che diceva... già, che cosa?

A livello intuitivo, prima di cominciare ad analizzare e valutare, la risposta gli era chiara.

Ho detto la verità. Mi creda.

Ma poi perdette il filo. Davvero poteva arrischiarsi a fidarsi? Davvero poteva arrischiarsi a credere che quella sacerdotessa pazza, o come la si volesse definire, effettivamente non avesse nessuna informazione di valore da fornire?

Né riguardo l'omicidio, né riguardo la ragazza che era sparita o il buon pastore che aveva fatto lo stesso.

Sapeva che tutto dipendeva dalla sua valutazione di queste domande, e del resto non era da escludere che la donna avesse confuso le acque... servendogli due verità e una menzogna, o viceversa, e quando lentamente scese di nuovo verso l'abitato, la sua passeggiata venne quasi ad apparirgli come la solita vecchia prova d'equilibrio. Sul taglio vago e insudiciato fra vero e falso.

Fino a dove poteva fidarsi di lei? Dei suoi tre no. Quanto valeva la sua intuizione questa volta?

E quando poco più tardi si accomodò a un tavolo vuoto nella sala da pranzo del Grimm, ancora non lo sapeva. Però aveva preso alcune decisioni.

Perché qualcuno doveva pure, nonostante tutto, raccogliere e soppesare i granelli che venivano sparsi sul loro cammino. *Mene tekel.*

Mene mene tekel.

23

Suijderbeck non si curò del cartello di avvertimento; al contrario spalancò completamente il cancello facendo risuonare tutta la recinzione. Dopo mezzo secondo due pastori tedeschi sui cinquanta chili arrivarono a precipizio da dietro l'angolo della casa.

Suijderbeck si fermò di colpo.

«*Plats*!» ruggì quando le due belve furono a due metri di distanza e l'adrenalina formava quasi una nuvola di vapore intorno alle loro fauci.

L'effetto fu lo stesso di sempre. In un attimo, i cani si trasformarono in due flemmatiche pecore, la cui unica aspirazione sembrava essere di sprofondare sottoterra davanti ai piedi del loro nuovo padrone.

«Codardi» borbottò Suijderbeck, e continuò lungo il vialetto di ghiaia.

Una donna in jeans tagliati e camicia da uomo a quadretti uscì sulla veranda con i pugni sui fianchi. Suijderbeck si fermò e la guardò per un paio di secondi. Capì che forse nel suo caso un semplice ordine non sarebbe bastato.

Anche se sarebbe stato divertente provare. Fuor di dubbio.

«La signora Kuijpers?» chiese invece.

«E lei chi cazzo è?»

«Suijderbeck, polizia» disse lui, e salì a lunghe falcate le scale tendendo cortesemente la mano.

«Tesserino» sibilò la donna anziché salutare.

Suijderbeck lo pescò dalla tasca interna. Quando glielo piazzò a dieci centimetri dalla faccia, poté anche avvertire la puzza di alcol nel suo alito. Decise di smetterla di trattarla coi guanti.

«Ho un paio di domande da farle» spiegò. «Mi segue in macchina o possiamo sbrigarcela qui?»

«Che cazzo?» berciò la donna. «Venire qui e...»

«Si tratta dell'omicidio giù alla colonia» la interruppe Suijderbeck, e con la mano indicò il bosco e la strada da cui era arrivato. «Suppongo che sappia che cosa è successo.»

«Sicuro...» Sembrava diventata un po' più mansueta, constatò lui. «Ehm, prego, si accomodi.»

Lei prese posto su una delle sedie di plastica fuori in veranda, e Suijderbeck le si sedette di fronte.

«Ma noi non abbiamo fatto nulla...» continuò senza che nessuno gliel'avesse chiesto. «Voglio dire, Henry è uscito la primavera scorsa e da allora abbiamo vissuto come due angioletti, qua fuori.»

«Veramente?» disse Suijderbeck.

«Chi diavolo è?» tuonò un vocione maschile dall'interno della casa.

«Polizia!» rispose la donna con un tono in bilico fra speranza e inquietudine.

L'uomo uscì dalla porta. Una copia di sua moglie, in effetti, notò Suijderbeck. Grande, grosso, sciupato. Cinquant'anni o forse neanche, probabilmente.

Anche se era solo la donna ad avere i capelli ossigenati e il piercing al naso.

«Kuijpers» si presentò l'uomo, tendendo una grossa mano pelosa. «Sono innocente come una sposina.»

Esplose in una risata catarrosa e Suijderbeck accese una sigaretta. Che due idioti, pensò. Se solo tengo la bocca chiusa, in capo a un quarto d'ora finiranno per dichiararsi colpevoli sia di distillazione clandestina sia di ricettazione.

«Bene, bene» disse Kuijpers. «Si tratta di quella povera ragazzina, mi sembra di capire.»

«Proprio» confermò Suijderbeck. «Voi sapete qualcosa?»

Entrambi scossero la testa. La donna singhiozzò e si mise una mano davanti alla bocca.

«Che brutta storia» commentò Kuijpers. «No, noi non abbiamo avuto nessun contatto con loro. E quella specie di prete che se l'è squagliata... Sì, no, non ho parole.»

«È stato qui un altro poliziotto, qualche giorno fa» si intromise la donna.

«Lo so» disse Suijderbeck. «Volevo solo controllare alcune informazioni.»

«Ah» fece l'uomo, grattandosi fra le gambe.

Suijderbeck prese il suo taccuino e sfogliò un paio di pagine.

«Noi non sappiamo niente» disse la donna, nervosa.

«Piantala con questa lagna» la zittì l'uomo.

«Mmm» fece Suijderbeck. «Quindi voi non avete mai parlato con nessuno di loro? Né con le ragazze né con le loro guide... per tutta l'estate. E sì che stanno a un solo chilometro da qui.»

L'uomo scosse di nuovo la testa.

«Un gruppetto è stato qui qualche volta» ricordò la donna. «A raccogliere mirtilli o non so cosa, ma i cani tengono tutti a distanza...»

Fece un cenno con la testa verso il cortile, dove i cani girovagavano descrivendo lunghi cerchi incerti.

«... quasi tutti, cioè» aggiunse prudentemente.

«Ci siamo solo passati davanti in macchina quando dovevamo andare in città» spiegò l'uomo. «Ma parlare con loro? No, grazie tante... Non posso neanche dire di essere granché sorpreso. Quel genere di preti arrapati, ecco, sa il diavolo cosa sono capaci d'inventarsi.»

Suijderbeck cominciò a disegnare un prete grassoccio nel suo taccuino.

«Che cosa avete fatto domenica notte?» domandò. «Mi riferisco alla notte di domenica scorsa, quando è stata uccisa la ragazza.»

«Eh?» fece l'uomo. «Tutta la notte? Be', eravamo a casa. Come al solito...»

«Non avete ricevuto nessuna visita?»

Kuijpers scosse la testa e guardò la moglie con aria interrogativa.

«No» confermò la donna. «Eravamo solo noi due.»

«Ricordate se avete sentito qualche macchina passare qui davanti durante la notte?»

«No» rispose l'uomo. «Anche l'altro piedipiatti ce l'ha

chiesto, ma noi non abbiamo sentito niente. Però dormivamo...»

«Non ne passano molte di macchine qui, o sbaglio?» domandò Suijderbeck, e si guardò intorno alla ricerca di un posto dove spegnere la sigaretta. Alla fine si decise per un vaso con dentro una pianta morta che stava subito accanto alla sua gamba di legno.

«Due o tre la settimana» disse l'uomo, mostrando i denti. Probabilmente voleva essere un sorriso.

«Ma niente che vi ricordiate di quella notte?»

«Niente di niente» confermò l'uomo.

«Avete figli?»

«Cosa?» disse l'uomo.

«Abbiamo una figlia» spiegò la donna. «Si chiama Ewa e se n'è andata di casa che sarà... quanto tempo sarà ormai?»

«Quattro anni» disse l'uomo. «Ha ventiquattro anni, adesso. Ne aveva venti quando è andata via.»

«Con uno straniero» precisò la moglie.

«Io non sono il suo vero padre» aggiunse Kuijpers.

Suijderbeck prese nota.

«Ah» disse, e riflettè un momento. «E non c'è nient'altro che secondo voi potrebbe tornarci utile sapere?»

Kuijpers aggrottò la fronte e sua moglie si tormentò preoccupata l'anellino nel naso.

«No... no, probabilmente niente.»

«Che cosa fate di mestiere?»

«Sono in malattia» rispose l'uomo, portandosi la mano alla schiena.

«Ceramiche» disse la donna. «Ho un piccolo laboratorio. Dipingo anche un po'.»

Suijderbeck annuì e mise via il taccuino. Alzò gli occhi verso il cielo, socchiudendoli.

«Caldo» disse. «Dev'essere piacevole essere così vicini al lago. Avete anche una barca, immagino?»

«Certo che sì» disse l'uomo. «Pesco un po', ma una volta era meglio. Oggigiorno, con tutti gli scarichi e le porcherie...»

«Sì, parecchie porcherie, oggigiorno» confermò Suijderbeck. «Bene, adesso ho finito di tartassarvi.»

Si alzò.

«Grazie comunque» disse. «Perché è stato dentro, fra parentesi?»

«Rapina in banca» spiegò l'uomo, tirandosi la barba. «Ma adesso la mia parte l'ho fatta. D'ora in avanti starò sulla retta via.»

«Lo spero» si augurò Suijderbeck. «Altrimenti può darsi che tornerò a trovarla.»

«Eh, eh» ridacchiò l'altro, ma neanche questa volta il sorriso riuscì a fissarsi.

«Grazie della visita» disse la donna.

«Arrivederci» si congedò Suijderbeck.

Non appena scese sullo spiazzo antistante, i cani si dileguarono sotto una tettoia di lamiera ondulata sul fianco della casa. Vermi, pensò Suijderbeck. Tali i padroni, tali i cani.

E non poteva certo dire che fosse stata un'ora particolarmente ben spesa.

Anche se in questa stramaledetta storia era in buona compagnia, non si poteva certo negarlo. Anzi, ottima.

«Da dove chiama?» chiese Kluuge.

«Stamberg» rispose l'uomo. «L'ho già detto.»

«Sì, sì» fece Kluuge, asciugandosi il sudore dalla fronte. «E che cosa vuole?»

«L'ho già spiegato alla ragazza del centralino.»

«Va bene, ma adesso è con me che sta parlando. Me lo ripeta.»

«Sì» disse l'uomo. «Mi chiamo Tomasz Wack e credo di potervi aiutare.»

«A che proposito?»

Intanto prese nota del nome.

«A proposito dell'omicidio, ovviamente. Il delitto di Waldingen. È lei che se ne occupa, vero, così che non debba ripetere tutto da capo un'altra volta?»

«Sì, sono io» ammise Kluuge.

«Bene. Allora...» Kluuge poté quasi sentire che raddrizzava

la schiena e prendeva lo slancio. «Credo di sapere come è andata, perché, vede, io...»

Poi, silenzio.

«Sì?» fece Kluuge.

«Lei crede alla provvidenza, signor commissario?»

«Non sono commissario, non ancora... ma questo non ha importanza. Che cosa intende per provvidenza?»

«Davvero non sa che cos'è la provvidenza? Ciò che governa e guida, naturalmente. Ciò che sistema le cose e a cui ci possiamo affidare ciecamente, a prescindere da...»

«Capisco» lo interruppe Kluuge. «Vuole venire al dunque adesso, signor...» guardò sul taccuino «...signor Wack? Abbiamo parecchio da fare e il tempo è scarso.»

«Sì, mmm, lo credo bene. Dunque, io sono in grado di spiegare come è avvenuto questo omicidio e quale scopo aveva...»

«Scopo?»

«Sì, scopo. Le vie del Signore possono apparire imperscrutabili a noi semplici mortali, ma uno scopo c'è sempre... un piano e un significato. Per tutto, signor commissario, e intendo tutto...»

«Fermo adesso» s'intromise Kluuge. «Vuole essere così gentile da spiegarmi che cavolo ha da dire adesso, anziché farneticare un sacco di altre cose? Altrimenti metto giù.»

«Ho avuto una visione» disse l'uomo. «E in quella visione ho visto com'è successo e in quale contesto si colloca...»

«Aspetti» disse Kluuge, «aspetti un momento! Che rapporto ha con la religione, signor Wack, le spiace dirmelo?»

«Io credo nell'unico Dio.»

«È membro della Vita Pura?»

«Fin dall'inizio» dichiarò Tomasz Wack entusiasta. «Fin dall'inizio!»

Kluuge gemette e scalciò via le scarpe sotto il tavolo. Stupidi imbecilli! pensò.

«Sa chi ha ucciso Clarissa Heerenmacht?» domandò.

Il signor Wack si schiarì la gola con piglio solenne.

«Nessuno ha ucciso Clarissa Heerenmacht» spiegò tutto serio. «Proprio nessuno. Ella è stata condotta a casa dal Signore.

185

È stata una promessa e una punizione che si sono realizzate al medesimo tempo... e una grande grazia.»

«Grazie, signor Wack» disse Kluuge. «Ho preso nota di tutto quanto mi ha detto.»

Sbatté giù il ricevitore e chiamò a gran voce la signorina Miller. Dopo mezzo minuto lei comparve sulla porta, fresca e imperturbabile come sempre.

«Sì?»

«Signorina Miller, non le ho spiegato che non deve passarmi tutti gli idioti che telefonano? Questo era il terzo oggi, e io in effetti ho delle incombenze che...»

«Capisco» disse la signorina Miller prima che lui avesse fatto in tempo ad arrivare al dunque. «C'è altro?»

«No, era tutto» sospirò Kluuge. «Anzi, sì: abbiamo ancora qualche bottiglia di acqua di selz in frigorifero?»

«Vado a vedere» disse la signorina Miller e, dopo un altro mezzo minuto, fu di ritorno.

«No, sono finite» constatò con indifferenza, e se ne andò.

Già, chi cavolo non è finito, pensò Kluuge, e cominciò a levarsi anche le calze.

24

«Ma tu cosa pensi che sia successo?» domandò Przebuda accendendosi la pipa. «Se vogliamo passare alla realtà.»

Van Veeteren vuotò il suo bicchiere di vino e osservò i resti della cena che li aveva tenuti occupati nell'ultima ora. Era sabato sera, l'oscurità aveva cominciato a calare e Andrej Przebuda era appena andato a prendere un paio di candele, le cui fiammelle tremolanti gettavano adesso un bagliore inquieto sopra il tavolo. Per un attimo, il commissario avvertì che la sua percezione cominciava a coprirsi di crepe... e che invece gli sembrava di trovarsi nel bel mezzo di un film; quando con lentezza passò lo sguardo sopra gli oggetti della stanza, i loro vaghi contorni e le loro superfici fiocamente illuminate, capì anche che cosa si doveva provare a manovrare la macchina da presa per un Kieslowski o un Tarkovskij. Oppure a essere l'occhio stesso della cinepresa, addirittura. Naturalmente, non si trattava nemmeno di una cornice banale o casuale. Przebuda non era certo il tipo che trascurava i dettagli. Di nuovo avevano parlato di cinema; dei suoi mezzi espressivi e degli strumenti di cui poteva avvalersi quando si trattava di rappresentare e rendere visibili cose invisibili. O percettibili. Quello speciale retino che sul semplice schermo bidimensionale era capace di rendere un mondo ambiguo e irrazionale del tutto chiaro e comprensibile. Nelle mani giuste, si capisce; c'erano in giro anche così tanti imbonitori... più di quanti si potesse credere.

«La realtà?» rispose il commissario dopo aver scacciato le illusioni chiudendo un attimo gli occhi. «Ah, sì, quella... ecco, probabilmente credo troppo cose. Ci sono troppe stranezze in questa storia ed è difficile tenerle fuori... troppe stranezze in quella setta, per essere più esatti. Le loro dannate balordaggini e idee malate in un certo senso deformano tutta la prospettiva. Allontanandola dall'essenziale... Credo che ne abbiamo già parlato l'altra volta.»

«E che cosa sarebbe l'essenziale?» insisté Przebuda, e soffiò fuori una pesante nuvola di fumo, che per un attimo fece assomigliare il tavolo e gli avanzi che c'erano sopra a un campo di battaglia in miniatura.

«L'essenziale» riprese il commissario quando il fumo si fu dissipato «è che una ragazzina è stata uccisa a Waldingen la sera di domenica scorsa. Se ci concentriamo solo su questo, e lasciamo da parte tutti gli altri maneggi della Vita Pura, ecco, allora forse possiamo arrivare da qualche parte.»

«Capisco» disse Przebuda. «Allora forza, ricostruisci il pomeriggio di domenica, e poi vediamo. Sono tutt'orecchi.»

«Mmm» fece Van Veeteren. «Mi sembra di chiedere un po' troppo: tu che imbandisci questa magnifica cena e poi devi pure occuparti delle mie questioni di lavoro...»

«Sciocchezze» lo interruppe il suo ospite. «Credi che sia contento del fatto che abbiamo uno stupratore che se ne va in giro per i nostri boschi? Inoltre vorrei ricordarti che sono pur sempre un giornalista... perciò, di chi siano le questioni di lavoro in questo caso, credo che possiamo tralasciare di precisarlo.»

Il commissario si arrese e prese un'altra sigaretta. Aveva ricominciato a essere un'abitudine; da diversi giorni non gli dava più gusto, ma non appena se ne fosse andato via di lì, avrebbe provveduto a mettere dei nuovi limiti, e ben chiari. A un po' di cosette.

«Bene» disse, raddrizzando la schiena. «Dal momento che insisti. Mmm... Domenica pomeriggio, cominciamo con domenica pomeriggio... Rimango là circa due ore. Parlo con Jellinek, con tutt'e tre le donne e con due delle ragazze. Non dirò certo di essere stato molto indulgente, e quando me ne vado verso le tre, ho probabilmente dato uno scossone... messo in crisi determinate cose... la questione è soltanto: quali?»

Fece una pausa, ma Przebuda si limitò a rimanere adagiato sulla sua poltroncina dall'altra parte del tavolo e a osservarlo al di sopra dell'orlo del bicchiere.

Con concentrata gravità, all'apparenza. Forse corretta con una goccia di bonaria indulgenza. Il commissario fece un respiro profondo e continuò.

«In ogni caso, la mia visita ha alterato lo schema del pomeriggio. Le attività che erano già state programmate – una specie di lavoro di gruppo sui comandamenti, a quanto pare – sono state rimandate, e le ragazze hanno avuto invece un paio d'ore libere. Nelle quali fare quello che volevano, più o meno, cosa piuttosto insolita per loro, per quanto ci è sembrato di capire; l'andazzo normale era altrimenti di tenerle occupate con tutte le loro pratiche pseudoreligiose dalla mattina alla sera. Ora dopo ora... senza nessuna possibilità di riflessione, ecco quale deve essere lo scopo, presumo. Non so che cosa fanno Jellinek e le sue donzelle in quelle due ore del pomeriggio, ma probabilmente se ne stanno nascosti da qualche parte tutti e quattro insieme. Discutono la situazione o chissà cosa. Poi alle sei viene servita la cena: tutto come al solito, se non per il fatto che Jellinek non è presente. Minestra di verdure e nidi di pasta... pane, burro e formaggio. Un po' spartano, si potrebbe pensare, ma niente fuori dell'ordinario.»

«Jellinek...?» cominciò Przebuda.

«Non è presente alla cena né alla preghiera che la precede. Invece, accompagna come di consueto il quartetto di ragazze che vanno a prendere il latte dai Fingher fra le sette e le otto meno un quarto, più o meno. Poi compare di nuovo subito dopo le nove, questo è quanto ci è stato detto, almeno. E dirige la riunione serale proprio come sempre... Prima però le ragazze vengono informate – dalle tre donne – che la Vita Pura è stata attaccata dal nemico, e che eventi grandi e decisivi si stanno preparando.»

«Che cosa...?» allibì Przebuda mettendo da parte la pipa. «Davvero sparano cazzate del genere?»

Van Veeteren annuì.

«Senza dubbio» disse. «Ma se facciamo un piccolo passo indietro e ci concentriamo invece sulle ragazze, ci accorgiamo che utilizzano la loro libertà pomeridiana in maniere un po' diverse. Alcune vanno a fare il bagno giù al lago, alcune ne approfittano per leggere, in casa o all'aperto, e naturalmente solo le opere anemiche che vengono messe a loro disposizione laggiù: storie di santi, giornalini della congregazione e sciocchezze simili. Altre vanno a passeggiare nel bosco e quattro di loro raggiungono un posto chiamato lo 'scoglio'. Due di queste ragazze sono le stesse con cui ho parlato io qualche ora prima, Belle Moulder e Clarissa Heerenmacht. Tutt'e quattro fanno il bagno e stanno insieme per un po', ma appena prima delle cinque e mezzo, le altre due fanno ritorno alla colonia per conto proprio... si tratta di circa quattrocento metri, non di più. Sul posto rimangono Belle e Clarissa, che hanno rispettivamente quattordici e dodici anni.»

Fece una breve pausa, ma il suo ospite non batté ciglio.

«Una mezz'ora dopo, la più grande delle due è seduta nel refettorio e recita la sua preghiera di ringraziamento. La più giovane... Clarissa... be', lei probabilmente è ancora viva, ma altrettanto probabilmente ha già incontrato o sta per incontrare il suo assassino. In ogni caso, non ha più molte ore da vivere.»

«Uff» fece Przebuda, togliendosi gli occhiali. «No, non voglio scambiare il mio lavoro con il tuo, spero che mi vorrai scusare. Ma che cosa dice quella Belle, dunque? È così che si chiama?»

Il commissario annuì.

«Belle Moulder. È qui che sta il problema. In primo luogo, non dice granché. È quella del gruppo che tiene duro più a lungo... che rompe il silenzio per ultima. Evidentemente è una sorta di leader di tutta la banda, e non un leader particolarmente bonario, se ho interpretato bene i segnali. In secondo luogo, credo che menta quando alla fine si decide a dire qualcosa. Sostiene di aver voluto che lei e Clarissa tornassero a casa insieme dallo scoglio, ma che Clarissa aveva voglia di rimanere sola un momento per riflettere su qualcosa. Perciò l'ha lasciata là.»

«Ah, ecco» fece Przebuda. «E tu che cosa credi che sia successo, allora? Perché in questo caso vedo che un'opinione ce l'hai.»

«Credo che l'abbia sgridata» disse Van Veeteren.

«Sgridata?» chiese Przebuda, e cominciò a ripulire la pipa grattando con uno stuzzicadenti. «E perché?»

«Perché era stata un po' troppo aperta quando avevano parlato con me.»

«Ah» mormorò Przebuda. «E lo era stata davvero?»

Il commissario sospirò.

«Neanche per sogno. Ma loro sono fatti così.»

Przebuda rifletté un momento.

«Be'» disse poi. «Non riesco comunque a vedere come possa avere un significato determinante. La ragazza più grande lascia quella più giovane, vuoi dopo un litigio, vuoi ancora in rapporti abbastanza buoni con lei. Che importanza può avere?»

«Non so» rispose Van Veeteren. «Forse nessuna, però c'è ancora un piccolo dettaglio. A quanto pare, Belle Moulder avrebbe anche avuto un colloquio a quattr'occhi con Jellinek più tardi quella sera... dopo la riunione ma prima che fosse ora di andare a letto. Verso le nove e mezzo, all'incirca. Un paio delle ragazze hanno lasciato intendere di averli visti insieme... ma solo vagamente, e sa il cielo se è vero: lei lo nega.»

«E che significato può avere l'eventualità che abbia parlato con Jellinek?»

«Difficile fare delle supposizioni. La cosa più probabile naturalmente è che lui abbia voluto raccogliere informazioni su Clarissa Heerenmacht. A quell'ora doveva pur aver scoperto che la ragazza non c'era. Se è stato lui a ucciderla, ovviamente lo sapeva ancora meglio.»

Przebuda annuì e cominciò a caricare la pipa.

«Capisco» disse. «Sì, credo che l'immagine mi sia chiara. Vuoi un altro bicchiere?»

«È proprio indispensabile?» chiese il commissario. «Be', vada per un paio di gocce, allora.»

Andrej Przebuda si alzò e andò all'angoliera.

«E dopo?» riprese Przebuda. «Giù allo scoglio, intendo.»

«Ottima domanda» commentò il commissario. «Ecco, dopo, probabilmente entro un quarto d'ora da che Belle se n'era andata, entra in scena l'assassino. O lui si trova già nelle vicinanze dello scoglio, oppure sbuca da qualche parte mentre la ragazza sta tornando alla colonia. Non credo che lei avesse deciso di saltare la cena, anche se naturalmente non si può escludere.»

«Hai detto 'lui'» fece osservare Przebuda.

«Supponiamo che si tratti di un uomo» disse il commissario. «La violenta e la uccide mediante strangolamento, e poi abbiamo la complicazione seguente.»

«A cosa ti riferisci?»

«Al posto» spiegò il commissario. «Mi piace pensare che esista una specie di logica anche nei disegni più perversi, ne abbiamo già parlato, mi pare. L'assassino la uccide da qualche parte, e l'unica cosa che possiamo dire con certezza è che non è stato nel posto dove in seguito l'abbiamo trovata. Non ci sono segni di lotta o di violenze sul luogo del ritrovamento, il che significa che la ragazza dev'essere stata portata lì in un secondo tempo. Subito dopo il delitto o più tardi. Dall'assassino o da qualcun altro.»

«Dall'assassino o da qualcun altro...?» ripeté Przebuda con il sopracciglio leggermente alzato.

«Anche il motivo di spostare il corpo è un po' rovesciato» continuò Van Veeteren. «Normalmente, un cadavere viene spostato per nasconderlo, ma qui sembra che sia stato esattamente l'opposto: per aiutarci a trovarlo.»

Andrej Przebuda annuì.

«Quella famosa voce femminile al telefono...?»

«Sì» disse il commissario. «Ricordati solo di non scrivere di lei; te ne sarei grato. Forse è una follia, ma la direzione delle indagini ha deciso di tenere segreta la sua esistenza, per ora. Allora, che conclusioni ne trai?»

Seguì un attimo di silenzio. Van Veeteren guardò il pacchetto di sigarette che aveva davanti sul tavolo, ma lo lasciò dov'era. Invece, intrecciò le mani dietro la nuca e si lasciò andare contro lo schienale, riflettendo se aveva detto tutto l'essenziale o se mancava qualche dettaglio.

E se in generale era possibile giungere a qualche conclusione sensata.

«Due» stabilì Przebuda alla fine. «Due conclusioni. Lei sembra sapere di che cosa parla; e vuole aiutare la polizia. La donna delle telefonate, intendo.»

Van Veeteren non replicò.

«Due domande, anche» continuò Przebuda. «Perché? E chi cavolo è?»

«Il signor redattore è un fuoco artificiale di domande intelligenti» constatò il commissario. «Ma ce n'è un'altra ancora.»

«Lo so» disse Przebuda. «Come? Come diavolo fa a sapere così tante cose?»

«Esatto» disse Van Veeteren. «È da qualche giorno che ho il pensiero fisso su questi rompicapi: Chi è? Come fa a sapere? Perché vuole aiutarci?»

«Be', probabilmente basterebbe...» cominciò Przebuda, ma si interruppe.

«Che cosa?»

«Ecco, credo che basterebbe trovare la risposta a una di quelle domande. Poi le altre verrebbero da sé. O no?»

Il commissario sospirò.

«Probabilmente» opinò. «Si può avere un'ipotesi, allora? Una su tre un vecchio scrittore esperto dovrebbe riuscire a risolverla, no?»

Przebuda scoppiò a ridere. Poi si schiarì la gola e tornò serio.

«No» disse. «Ma non può essere possibile che l'intuizione del signor commissario sia rimasta a dormire tutta la settimana? Credi che sia una di loro? Di quelle tre donne della colonia?»

Van Veeteren osservò le fiammelle tremolanti delle candele per dieci secondi.

«Non lo so» disse poi. «Credo di poterne escludere una, in ogni caso.»

«Pur sempre qualcosa» disse Przebuda.

Passando dal cimitero alla periferia occidentale dell'abitato e poi lungo una serpeggiante strada ciclabile e pedonale verso la zona residenziale di Kaasenduijk – dove fra l'altro il commissario supplente Kluuge abitava con la sua Deborah – ritornarono a Sorbinowo da nord dopo aver percorso un ben ponderato semicerchio. In tutto un'ora di passeggiata; tre o quattro chilometri a passo lento attraverso la profumata sera d'estate. All'inizio, Przebuda intrattenne il commissario con osservazioni sparse su varie cose che incontravano sul loro cammino: edifici, curiosità locali, flora e fauna (principalmente zanzare e bestiame dal vivace mantello bianco e nero); ma poco a poco si stancò e tornarono all'ordine del giorno che sembrava essere quello stabilito e inevitabile.

«Quel tipo, Jellinek... si sarebbe allontanato a un'ora imprecisata della notte, oppure...?»

«Anche qui, non lo sappiamo» borbottò il commissario. «Nessuna delle ragazze l'ha più visto dopo le dieci meno un quarto di domenica sera, perciò calcoliamo che deve essersene andato prima dell'alba. C'è una ragazza, ma solo una, nota bene, che crede di aver sentito partire una macchina durante la notte.»

«Una macchina?»

«Sì, avevano una macchina là fuori. Una vecchia Vauxhall, intestata a Madeleine Zander. Jellinek non ha nemmeno la patente.»

«Ma poi la macchina c'era ancora, dopo?»

«Certo. La mattina di lunedì era parcheggiata al solito posto. Lei, o qualcuna delle altre, può averlo accompagnato da qualche parte durante la notte, ma non è in nessun modo confermato.»

«Come avrebbe potuto allontanarsi altrimenti?»

Van Veeteren alzò le spalle.

«Lo sa il cielo. Sì, naturalmente la cosa più probabile è che sia sparito con l'aiuto di quella macchina, ma saperlo dove ci porta?»

«Come stanno a vicini, là fuori?» domandò Przebuda.

«I Fingher da una parte» rispose Van Veeteren. «Con loro avevano qualche contatto. Una coppia che si chiama Kuijpers un po' più in là nel bosco. C'era gente in casa in entrambi i posti quella notte, ma nessuno ha sentito una macchina. Anche se naturalmente questo non significa un fico secco. Credo che si possa presumere che Jellinek se ne stia nascosto presso qualche altro seguace della sua Chiesa... Sono circa un migliaio, perciò occorrono parecchie risorse se vogliamo cominciare a cercare sul serio. La polizia giù a Stamberg sta mettendo le grinfie su tutti quelli che le capitano a tiro, ma non sembra che stia ottenendo grossi risultati. C'è da dire che è anche periodo di ferie... oltre alla solita mancanza di volontà di collaborare, naturalmente.»

«Ah, è così» disse Przebuda, e cercò di scacciare uno sciame di moscerini. «Non soffia esattamente un vento favorevole.»

Continuarono a camminare in silenzio.

«Perché?» riprese il redattore, dopo che ebbe seguito il filo dei propri pensieri fino al nodo successivo. «Perché se n'è andato via se era innocente? Questo non lascia comunque supporre che sia stato lui?»

«Possibilissimo» disse il commissario. «Anche se può avere avuto motivo di sparire dalla circolazione in ogni caso. Ha già avuto a che fare con la polizia in precedenza, e se adesso cominciano a sparire ragazze dal suo campo estivo, non è certo così stupido da non rendersi conto che la situazione non è delle più felici. È una maniera poco simpatica di svignarsela, ma per nulla inspiegabile. Non dobbiamo dimenticare che, in tutti i casi, abbiamo a che fare con uno stronzo. Un autentico stronzo.»

«Perciò c'è comunque una certa logica, vuoi dire?»

«Senza dubbio» confermò il commissario. «Ci ho pensato, ed effettivamente sarebbe stato più strano se fosse rimasto. In particolare se si considera quest'altra ragazza che è sparita – ricordati che anche questo deve restare fra noi; tu sei l'unico giornalista in tutto il paese che sa di questa faccenda – e in particolare se si considera di che pasta è fatto Jellinek, come si diceva.»

«Capisco» disse Przebuda. «Anche se non afferro esattamente quale sia la sostanza di tutto questo ragionamento... non c'è proprio nulla che leghi direttamente Jellinek e la sua cricca a quelle nefandezze?»

«No» sospirò Van Veeteren. «Nessun legame particolarmente forte. Per quanto ne so, è possibilissimo che abbiamo a che fare con un pazzoide del tutto anonimo che se ne va in giro per i boschi.»

«Senza collegamenti con la Vita Pura?»

«Senza la minima relazione.»

«Porca miseria» esclamò Przebuda.

«Anche se naturalmente è altrettanto possibile che ci siano dietro loro.»

«Naturalmente» convenne Przebuda. «Qualcuno di loro, per lo meno.»

Si fermò di botto e accese la pipa, dopo di che tanto lui quanto il commissario sprofondarono a lungo in riflessioni private, mentre continuavano tranquilli – e a passo molto lento – a passeggiare fianco a fianco nelle immediate vicinanze della fine della pista da jogging dell'assistente Kluuge. Anche se di questo dettaglio geografico nemmeno il redattore era minimamente a conoscenza.

«Be'» disse Przebuda quando furono nuovamente in vista dell'abitato. «O l'uno o l'altro... brutta storia, comunque. Spero che la risolverete. Devo riconoscere che purtroppo non ho molti contributi da dare... Credo fra parentesi che qui le nostre strade si dividano. Il Grimm è là sotto, come vedi... ma se qualche volta avrai ancora bisogno di un dottor Watson, il mio modesto cervello è a tua disposizione.»

«Ti ringrazio» disse Van Veeteren. «Sì, due modesti cervelli sono sempre meglio di uno.»

Si congedarono, ma Andrej Przebuda non aveva ancora fatto cinque passi su verso Kleinmarckt, che si fermò.

«Credi che ce la farai a risolvere questo garbuglio?» domandò. «Di solito li risolvi, i tuoi casi?»

«La maggior parte» rispose Van Veeteren.

«Ma ce ne sono anche di insoluti?»

«Uno» constatò il commissario. «Ma non parliamone più. Ogni giorno ha la sua croce... come si diceva.»

«Poco ma sicuro» convenne Przebuda, e Van Veeteren ebbe l'impressione di sentirlo sorridere nel buio. «Buonanotte, commissario. E sogni d'oro.»

No, pensò il commissario cupamente, quando il giornalista si fu allontanato. Non cominciamo anche a lambiccarci il cervello sul caso G, adesso. Ne ho già abbastanza del resto.

Quando superò le porte di vetro color latte dell'hotel Grimm, lo sconforto l'aveva raggiunto.

Avrei dovuto tirare fuori altre cose, pensò. Focalizzarmi su qualcos'altro.

Katarina Schwartz, per esempio. Oppure Ewa Siguera. O potenziali personaggi violenti della zona. Ci scommetto la testa che lui avrebbe avuto qualche idea!

Anche se forse l'autocritica era ingiusta. La sparizione della piccola Schwartz era ancora – dopo quasi una settimana di riflettori puntati – una notizia che erano riusciti a tenere nascosta ai giornalisti. Probabilmente più per fortuna che per abilità loro, e del resto ci si poteva domandare se questa discrezione portava davvero qualche vantaggio. Forse sì, forse no.

E dalla polizia francese non si era ancora sentito niente.

Bonaccia, pensò il commissario (che in vita sua era stato su una barca a vela solo due volte, entrambe in compagnia di Renate). Durante tutto quel sabato non era quasi soffiato un filo di vento su Sorbinowo, e il caso non era avanzato di un solo millimetro.

Bonaccia, quindi.

Gli tornò in mente la suggestiva tranquillità del giorno prima su a Wolgershuus e capì che quella faccenda della cessazione e della morte aveva probabilmente più sfaccettature di quante comunemente ci si immaginava.

Madeleine Zander e Ulriche Fischer! pensò poi con disgusto, mentre in piedi davanti al banco della reception aspettava la sua chiave. Davvero le cose erano così malmesse che avrebbe avuto bisogno di affrontare anche quelle due?

E quando il giovane portiere di notte finalmente comparve, saltò fuori che c'era ancora un'altra donna a causargli frustrazione.

Anche se in un modo un po' diverso.

Reinhart aveva inviato un messaggio. Era breve e conciso: «Non c'è nessuna dannata Ewa Siguera in tutto il Paese. Devo continuare con il resto del mondo?»

La risposta di Van Veeteren fu altrettanto stringata: «Basta l'Europa. Grazie in anticipo».

Be', pensò quando fu finalmente tra le lenzuola. Tanto vale continuare come programmato.

25

La seconda vittima dell'assassino della setta, come vari giornali in seguito l'avrebbero chiamato, fu rinvenuta alle sei del mattino della giornata di domenica da due scout, un ragazzo di sedici anni e una ragazza di quindici che stavano facendo un'uscita nei boschi a nord-ovest di Sorbinowo. Su pressante richiesta di entrambi, non fu mai chiarito che cosa in realtà li avesse portati a più di quattro chilometri dall'accampamento a una simile ora antelucana, ma il commissario Kluuge – che anche stavolta fu il primo ad arrivare sul posto – aveva naturalmente i suoi sospetti.

Il cadavere della ragazzina giaceva sotto un mucchio di rami secchi e ramoscelli a una ventina di metri circa dalla stretta strada che correva da Waldingen verso Limbuis e Sorbinowo, e lo separavano centocinquanta metri dall'edificio più vicino della colonia. La distanza del luogo del primo ritrovamento rispetto a quella del nuovo, misurata in seguito, risultò essere grossomodo tre volte tanto, e forse si sarebbe potuto pretendere che la pattuglia investigativa che per due giorni aveva setacciato i dintorni dopo il primo delitto avesse scoperto il corpo, e forse, pensò Kluuge, forse l'insolito pallore della ragazza scout derivava dalla sua difficoltà a dimenticare la cosa in cui era stata impegnata nelle vicinanze, all'ombra proprio di quel mucchio di rami.

Questo fu ciò che pensò nel guardarla, e seppe anche che queste speculazioni piuttosto irrilevanti, mentre tutti e tre stavano seduti su una catasta di tronchi ad aspettare l'arrivo del team della scientifica e a guardare il sole che sorgeva sopra il bosco, gli erano spuntate nella mente solo per tenere sotto scacco i pensieri.

Quando paragonava la Katarina Schwartz che aveva passato quasi tre settimane in forma di cadavere, ridotto a meri processi chimici, con l'immagine della ragazzina sorridente dalle trecce bionde che stava nel suo portafogli, non aveva più nessun dubbio che i suoi pensieri avessero bisogno di tutta la distrazione che potevano trovare.

Sono diventato vecchio, pensò. Eppure non è passata più di una settimana da quando sono diventato adulto.

Un primo rapporto stilato da un gruppo abbastanza completo di periti fu pronto subito dopo l'una del pomeriggio, e certificò che la vittima era una certa Katarina Emilie Schwartz, tredici anni, residente a Stamberg. Era stata violentata (nessuna traccia di sperma) e strangolata, aveva subito più o meno lo stesso tipo di lesioni della vittima precedente, Clarissa Heerenmacht, e aveva verosimilmente incontrato il suo assassino in un lasso di tempo compreso fra dodici e sedici giorni prima. Nessun indumento – o traccia di indumenti – era stato rinvenuto sul luogo del ritrovamento o nelle immediate vicinanze, e si riteneva molto probabile che la ragazza fosse stata uccisa in un posto diverso da quello dove era stata trovata. Nel comunicato stampa che fu diffuso nel corso del pomeriggio si faceva menzione di tutte le circostanze relative alla tragica scoperta, tralasciando il dettaglio che la polizia era stata informata già prima della scomparsa della ragazzina.

Contemporaneamente al comunicato stampa, furono anche diramati due avvisi di ricerca.

Uno, ripetuto, del capo della setta, Oscar Jellinek.

E uno, nuovo, dei genitori della ragazza.

Come per combinazione, quello stesso pomeriggio arrivò anche un fax dalla polizia francese – avevano trovato il signore e la signora Schwartz presso un agriturismo in Bretagna – e, prima che il sole facesse tramontare quella lunga giornata domenicale su Sorbinowo, la povera coppia era già in viaggio verso casa, per sostenere al più presto il confronto con le spoglie mortali della loro figliola.

E quando la vecchia signora Grimm, proprietaria dell'albergo e persona fondamentalmente fredda verso tutto ciò che non avesse a che fare con altezze reali o porcellane boeme, quella sera diede una scorsa al registro degli ospiti, poté constatare sia che l'albergo era al completo, sia che il numero dei clienti che aveva annotato «giornalista», o un'attività collegata, nella colonna della professione era notevole.

Riguardo al signor Van Veeteren (orologiaio) che occupava da dieci giorni la stanza numero 22, a mezzanotte non era ancora tornato dall'escursione che aveva intrapreso quella mattina.

Ma siccome sembrava aver lasciato gran parte del suo bagaglio nella stanza, la signora non nutriva alcun timore che se la fosse svignata e non avesse intenzione di ritornare a saldare il conto.

In generale, aveva senz'altro dato l'impressione di essere un individuo perbene.

V

28–31 luglio

26

Per i primi chilometri si sentì quasi come un fuggitivo felice.

Solo vagamente in colpa. Più o meno come durante il periodo del liceo, gli tornò in mente, in una di quelle giornate d'inizio estate in cui se n'era infischiato del francese o della fisica e invece era sceso in bicicletta al canale insieme con qualche altro della sua stessa idea, per guardare gli allenamenti di nuoto delle ragazze. O fuori a Oudenzee, per stare semplicemente sdraiato sulla spiaggia a fumare di nascosto.

Una bigiata. Nessun dubbio sul fatto che aveva piantato in asso Kluuge e tutti gli altri. E di conseguenza anche nessun dubbio che la libreria antiquaria Krantze fosse un'alternativa abbastanza praticabile, tutto considerato.

Un po' strano, che riuscisse a mantenere un certo distacco. Almeno questa era la sensazione mentre sedeva dietro il volante nel traffico scarso del mattino. Servinus l'aveva informato per telefono del nuovo ritrovamento già alle otto. Il cadavere di un'altra ragazzina. Dopo aver lottato contro la prima ondata di disgusto, aveva parlato alternativamente con Kluuge, Lauremaa e Suijderbeck diverse volte nel corso della mattinata, ma non aveva modificato i suoi programmi.

Non era andato a Waldingen per farsi un'idea propria e non si sentiva in colpa... o comunque solo moderatamente, come già detto. Aveva però sentito la stanchezza che cominciava a crescere, e bisognava tenerla a bada... quel banco di nuvole che si stendeva sopra il paesaggio dell'anima e lo metteva in ombra, un'ombra oscura di morte, pensò in un altro dei suoi attacchi di follia creativa... il cielo tenebroso della stanchezza e del tedio. L'aveva saputo, naturalmente. Per tutti quei giorni aveva atteso proprio quella scoperta, e adesso la conferma era arrivata.

Perciò quella faccenda del distacco forse non era molto più che un muro contro l'impotenza, a ben vedere. Preparato e giustificabile, in un certo senso. Nonostante tutto, non era più un giovanotto. Erano cose che aveva già visto.

Forse anche un po' troppo spesso.

«Ho un paio di piste» aveva spiegato. «Probabilmente nulla d'importante, ma credo che sia meglio seguirle. Voi ve la cavate anche da soli. È pur sempre quello che ci aspettavamo, o no?»

Kluuge non aveva osato protestare. Aveva accennato che erano in arrivo nuovi rinforzi e che sperava che il commissario sarebbe stato presto di ritorno.

«Si vedrà» aveva replicato Van Veeteren. «Se le mie piste si riveleranno infruttuose, mi farò vivo forse già questa sera.»

Una bugia bell'e buona, certamente. Aveva intenzione di fermarsi a Stamberg almeno due notti, ed era soltanto per la vergogna che non aveva lasciato il Grimm in maniera definitiva.

Ma meglio un paio di doppi pernottamenti – che pure avrebbero senz'altro causato qualche commento da parte dell'economato – piuttosto che dover stare faccia a faccia con il cadavere martoriato di un'altra ragazzina.

O dover spiegare perché non poteva sopportare l'idea. Era così. Nulla che si potesse negoziare, semplicemente.

E quando cominciò poco per volta a esaminare queste considerazioni e decisioni un po' più da vicino, mentre i chilometri scivolavano via e Boccherini lo carezzava dagli altoparlanti, rimase un po' sorpreso, ma era una sorpresa che portava il marchio della saturazione rassegnata. Anche qui. Niente che lo turbasse e niente per cui potesse fare qualcosa.

Ne ho avuto abbastanza, pensò. Non voglio essere costretto a guardare un'altra tredicenne morta ammazzata. Si è arrivati a un punto, finalmente. Tutto chiarito.

La decisione ormai è presa.

*

Si fermò più o meno a metà strada, dopo circa ottanta chilometri, in un'area di sosta all'altezza di Aarlach. Il manto nuvoloso aveva continuato a ispessirsi durante tutta la mattinata, un vento da nord-ovest piuttosto teso spazzava la pianura e lui pensò che probabilmente prima di sera sarebbe arrivata la pioggia. Ciò nonostante, si sedette a un tavolino all'aperto con caffè, acqua minerale e la prima edizione dei quotidiani della sera. Il «Poost» e la «Neuwe Gazett».

Non c'era niente sul nuovo omicidio di Waldingen, non ancora, ma non sarebbero passate molte ore prima che cominciasse il tormento delle locandine. Non era molto difficile indovinare il tono dei titoloni. E nemmeno immaginarsi l'atmosfera tesa alla direzione delle indagini.

O la fame delle orde di giornalisti che in quel preciso istante erano in viaggio verso i boschi di Sorbinowo per poter affondare i denti in un nuovo, fresco cadavere di ragazzina.

No, fresco non proprio, si corresse. Piuttosto, vecchio di un paio di settimane, a questo punto.

Il che non migliorava certo le cose.

Rabbrividì di disagio e bevve l'acqua minerale sino in fondo.

Quindi accese una sigaretta e cercò di concentrarsi invece su ciò che forse lo attendeva a Stamberg. Basta con i pensieri di fuga.

Il colloquio con il sovrintendente Puttemans durò circa un'ora, e per tutto il tempo lui rimase a osservare la lenta discesa delle gocce di pioggia lungo i vetri delle finestre leggermente ondulati. Non sapeva spiegarsi perché, ma c'era qualcosa in quei rivoli sottili e irregolari che lo affascinava, e con cui non voleva interrompere il contatto. Per non perdere l'attimo imprevedibile in cui una di quelle infinite gocce d'improvviso ne avrebbe avuto abbastanza e avrebbe deciso di scorrere all'insù; sì, probabilmente era qualcosa del genere che gli girava per la mente. Qualcosa che aveva a che vedere con rivolta e affinità elettive.

Oppure con i primi sintomi dell'Alzheimer, pensò terrorizzato.

Quando ebbero finito di parlare, si strinsero la mano. Puttemans ritornò a casa dalla famiglia e dall'anatra arrosto del pranzo domenicale che lo aspettava (pranzo a cui Van Veeteren declinò cortesemente ma fermamente l'invito), mentre il commissario si fermò ancora un momento alla centrale di polizia a telefonare ad alcune delle persone che il collega aveva selezionato per lui.

Prese accordi per incontrarle il giorno seguente e, quando ebbe messo giù il ricevitore, dopo l'ultima telefonata, constatò che stava ancora piovendo.

E che le gocce mantenevano la loro direzione all'ingiù.

Rimase lì altri venti minuti, mentre esaminava gli appunti presi durante la conversazione con Puttemans. Quindi fumò una sigaretta e poi la pioggia cessò. Lasciò gli uffici della polizia. Girovagò incerto per un po' nei quartieri centrali della città. Fece dietrofront due volte sulla porta di bar che avevano l'aria squallida come le sue motivazioni per entrarci, e poi, subito dopo le cinque, trovò un albergo più o meno del calibro che aveva in mente.

Si chiamava Glossmann. Appartato. Piccolo. Di sicuro con almeno cinquant'anni sul gobbo.

Sala da pranzo discreta con tovaglie bianche, e televisore in camera.

Quest'ultimo una concessione per sopportare il resto, senza dubbio. Si registrò e spiegò che aveva intenzione di fermarsi un paio di notti. Eventualmente, una o due in più. Prese con sé due birre dalla reception, e poi si concedette un lungo bagno tonificante in compagnia delle stesse e di un groviglio di pensieri di natura più o meno bellicosa.

In forza della sua età e della sua importanza, la città di Stamberg contava un certo numero di chiese di epoche e stili diversi (fra l'altro, la cosiddetta basilica Moresca nel cuore della città vecchia, con altare del Despré, o di qualcuno dei suoi allievi), ma quando Van Veeteren finalmente ebbe scovato il santuario della Vita Pura, capì che si trattava di un genere differente di spiritualità.

Molto differente. Architettura dei tardi anni Sessanta,

senz'altro, nella misura in cui c'erano architetti in quegli anni. Cemento a vista con inserti di mattone da quattro soldi. Finestre sproporzionate in segmenti dritti, tagliati a casaccio. Una palestra oppure una scuola superiore chiusa per le vacanze estive, furono le prime associazioni che gli vennero in mente. L'impressione di abbandono e di malinconia era sorprendente; le aiuole trascurate e le piante di dente di leone che spuntavano dalle crepe dei lastricati erano un chiaro sintomo che l'attività era ridotta. Molto ridotta. Che era estate e che i campi dell'anima erano in riposo.

Dimenticato da Dio e dagli uomini! constatò il commissario, e con un calcio tirò una lattina di birra vuota nella siepe disordinata di spirea. Era anche fuori mano; perso in qualcosa che cominciava a somigliare a una zona industriale, con muti edifici a forma di scatola e strade deserte senza marciapiedi. Non esattamente una chiesa nel cuore del villaggio. Quando girò intorno alla costruzione lunga e stretta, capì anche che c'erano forze esterne che si erano assunte il compito di tenere lontani i fedeli.

SPORCHI ASSASSINI stava scritto a lettere alte mezzo metro tracciate in diagonale con lo spray sopra le porte d'ingresso del lato corto. MORTE AL PORCO, si leggeva un po' più in basso; il che insieme a un certo numero di FUCK e altre oscenità generiche dava un'impressione generale alquanto deprimente. Il commissario ebbe anche il sentore che la maggior parte delle scritte fosse di data recente; che quei giovani artisti anonimi con ogni probabilità si fossero dati da fare proprio negli ultimissimi giorni.

O notti, piuttosto.

L'Altro Mondo, pensò, e cominciò ad allontanarsi da quello squallore.

E, lo colpì il pensiero, se effettivamente era vero che il parallelismo con i primi cristiani e le relative persecuzioni costituiva una sorta di dogma nella catechesi della Vita Pura, allora almeno sotto quel punto di vista sembravano avere avuto un po' di ragione.

Il che, date le circostanze, non doveva essere una gran consolazione.

Dopo aver tirato in lungo con la cena nella sala da pranzo semideserta, fu di ritorno nella sua stanza proprio in tempo per il notiziario delle dieci. Accese la TV e si sedette sul letto, poggiandosi contro la testata.

La trasmissione durò venti minuti e, con amaro disgusto, poté constatare che quasi la metà del tempo era dedicata agli sviluppi di quanto successo nei boschi di Sorbinowo.

Immagini dei luoghi dei ritrovamenti, quello nuovo e quello vecchio. Immagini degli edifici della colonia e di tutt'e due le ragazze, ma da vive, che sorridevano allegre. Informazioni su età, provenienza e interessi. Mappe pedagogiche con croci e freccette. Riassunto completo del lavoro d'indagine aggiornato alla data odierna e poi le interviste.

Prima Kluuge, che aveva l'aria sudata e impacciata, e che non dava certo un'impressione di sicurezza, dovette purtroppo ammettere il commissario. Poi Suijderbeck, che si lasciò scappare quattro imprecazioni nel giro di mezzo minuto e sembrava avere una chiara difficoltà a non mandare a quel paese l'impomatato reporter.

Infine un ritaglio dalla conferenza stampa, e qui finalmente emergeva il primo segnale un po' più luminoso da qualche tempo a quella parte.

Almeno secondo il modo di vedere di Van Veeteren. Nei due posti all'estremità destra della tavola rotonda di poliziotti erano infatti seduti niente meno che il sovrintendente Reinhart e l'assistente Jung, anzi, scusate, l'ispettore Jung, come lo si doveva chiamare adesso; e anche se nessuno di loro sembrava avere in serbo qualche sorriso (Reinhart aveva piuttosto l'aria di essere seduto su una bottiglia di vetro rotta), tuttavia il commissario non poté fare a meno di notare un ripetuto tic nel muscolo della guancia. Il suo, a destra.

È vero che passò subito non appena i colleghi furono scomparsi dallo schermo, ma la loro inattesa presenza sulla scena portava innegabilmente con sé un vago senso di consolazione e di cauto ottimismo. Il primo da molto tempo.

Chissà se sono scesi al Grimm, pensò Van Veeteren. Magari si potrebbe fare una telefonata?

Dopo averci riflettuto, decise di lasciar perdere. Invece, dedicò due ore a leggere tutta la documentazione sulla Vita Pura e i suoi adepti che gli aveva dato Puttemans e, quando ebbe finito, concluse che probabilmente era stata solo fatica sprecata.

Anche questa.

27

Il mattino dopo, comunque, telefonò.

«Non abbiamo niente a che fare con l'inchiesta» gli spiegò Reinhart. «Siamo venuti a cercare un vecchio commissario della polizia giudiziaria che è sparito dalla circolazione.»

«So io dov'è» disse Van Veeteren. «Non vi preoccupate.»

«Bene» commentò Reinhart. «Che diavolo stai combinando?»

«Sto seguendo un paio di fili sciolti.»

«Questa è una citazione.»

«Può darsi. Tornerò a farmi vivo domani o dopodomani. Come va lì?»

«Un disastro» rispose Reinhart. «Dovresti saperlo. Chi sarà stato? Quel messia del cavolo?»

«Possibilissimo» disse Van Veeteren. «Non so.»

«E dove si nasconde allora?»

«Non ne ho idea. Qui, forse. Ci sono almeno cinquecento famiglie a Stamberg che sarebbero disposte a ospitarlo. La maggior parte di per sé è già stata controllata, ma è ovvio che non si sa mai.»

«No, è ovvio» convenne Reinhart, e tossì la sua tosse mattutina da fumatore. «Ho qualche difficoltà a immaginarti andare in giro a bussare alle porte, ecco tutto, ma non sono affari miei. Be', se non è lui, chi dovrebbe essere allora?»

«Allora è qualcun altro» buttò lì Van Veeteren.

«Questa devo segnarmela» ribatté Reinhart. «E il signor commissario per cosa pensa che dovrei utilizzare la mia vispa materia grigia in una giornata come oggi, allora?»

Van Veeteren rifletté un momento.

«Per trovare l'assassino» decise. «Sì, credo che migliorerebbe discretamente la tua posizione.»

«Mi segno anche questa» borbottò Reinhart. «Se chiami stasera, ti sarà fatto un rapporto. Tra l'altro, parlando seriamente...»

«Sì?»

Passarono tre secondi.

«Questa storia non mi piace.»

«Nemmeno a me» disse Van Veeteren.

Nuova pausa, mentre Reinhart probabilmente cercava pipa e tabacco.

«Questa gente che ammazza i bambini è il peggio che c'è, da come la vedo io.»

«Ragione di più per beccarli» disse il commissario.

«Esatto» fece Reinhart. «Farò quello che posso. Come sono i colleghi, saltando di palo in frasca?»

«Promossi» rispose Van Veeteren. «Suijderbeck probabilmente è il migliore.»

«Quello con la gamba finta?»

«Sì.»

«Allora a stasera» salutò Reinhart, e riattaccò.

Come prima cosa, la donna lo osservò a lungo attraverso lo spioncino. Gli fece anche sollevare il tesserino davanti al piccolo occhio di pesce, prima di cominciare la complessa operazione di apertura della porta. Questa procedura prese un altro mezzo minuto e lui cominciò a domandarsi se avesse tutte le rotelle a posto.

Anche se forse era una caratteristica comune a tutti, pensò poi, quando finalmente lei ebbe finito e lui poté entrare nella stretta anticamera.

A tutte le teste di rapa di quel povero gregge.

D'altro canto, considerate certe scritte sui giornali e sui muri, c'erano forse buoni motivi per barricarsi in casa, di quei tempi. Se si voleva evitare un contatto troppo invadente con l'Altro Mondo. Chi era lui per giudicare?

La stretta di mano della donna era fredda e umidiccia. Lo

precedette nel soggiorno e gli fece cenno di accomodarsi su un divano a fiori davanti a un tavolino ovale apparecchiato con tè e biscottini.

«Prego» lo invitò con voce un po' incerta.

«Grazie» disse Van Veeteren.

Lei versò un tè pallido pallido dalla teiera, mentre lui la osservava di nascosto. Una donna esile e un po' anemica. Quaranta e qualcosa. Lo stesso colorito poco sano delle tre Norne di Sorbinowo, notò, e si chiese da che cosa potesse dipendere.

Una spiritualità che stava per soffocare tutte le funzioni e le necessità corporee? Il trionfo della volontà?

Oppure si trattava solo dei suoi soliti pregiudizi e delle sue idee sul ruolo tradizionale dell'uomo e della donna? Difficile dire. In ogni caso, Renate gli comparve per un breve attimo davanti all'occhio della mente. Gli lanciò un'occhiata di rimprovero e scomparve.

«Potrebbe raccontarmi un po' della vostra Chiesa?» la pregò. «Che cosa fate, come vi distinguete dalle altre congregazioni... e cose del genere.»

Lei poggiò rumorosamente la tazza sul piattino.

«Sì...» attaccò, e si schiarì la gola un paio di volte. «Noi crediamo nel Dio vivente.»

«Sì?» fece il commissario, con un cenno d'incoraggiamento.

«Nel Dio vivente...»

Van Veeteren prese un biscotto.

«Gesù si trova in mezzo a noi.»

«L'ho sentito dire.»

«Colui che ha visto una volta la luce della fede...»

«...?»

«... è una grazia poterlo sperimentare.»

«Questo l'avevo capito» tagliò corto il commissario. «E quanto tempo fa lei è entrata a far parte della Vita Pura?»

«Due anni» rispose lei prontamente. «Due anni, due mesi e undici giorni... È stato durante la campagna di primavera che Cristo mi si è rivelato.»

Van Veeteren bevve un sorso di tè, che sapeva di acqua calda con un piccolo tocco di menta. Deglutì con una certa difficoltà. Alzò lo sguardo e osservò il quadro alle spalle della donna. Un olio di grandi dimensioni con alcune figure biancovestite su un fondo di tronchi chiari di betulla e un pallido cielo vagamente luminescente. Semolino, pensò. In controluce. Su, vada avanti, in nome di Dio!

«Lei non può capire» spiegò la donna, ora con una certa dose di affettazione nella voce. «Non può! Se davvero sapesse che cosa significa vivere nella luce, taglierebbe i ponti con la sua vecchia vita oggi stesso.»

«Alleluia» commentò Van Veeteren.

«Cosa?»

«Mi scusi. Può dirmi qualcosa di Oscar Jellinek, invece? Saprà senz'altro cos'è accaduto su a Waldingen.»

La donna intrecciò le mani in grembo, ma non rispose. Il vivace ottimismo era come svanito. Lui capì che l'aveva ferita. Di già.

«C'è mai stata?»

Lei scosse la testa.

«Che cos'ha da dirmi di Jellinek, allora?»

«Oscar Jellinek è la nostra guida.»

«Lo so.»

«Lui è l'anello di collegamento con il Dio vivente.»

«In che modo?»

«In che modo? Ecco, lui ha quel contatto grazie alla sua purezza ed elevazione.»

«Capisco» disse Van Veeteren. «Sa dove si trova, attualmente?»

«No.»

«Però sa che è fuggito dalla colonia di Waldingen?»

«Sì... no, non è fuggito.»

«E come vorrebbe definire la cosa?»

«Lui segue solo la voce di Dio.»

«La voce di Dio?»

«Sì.»

«Ha letto cosa scrivono sui giornali? Molti credono che ci sia Jellinek, dietro gli omicidi.»

«È impossibile. È una menzogna e una calunnia. La gente è piena di invidia e malvagità, è per questo che dicono cose del genere. Anche Cristo fu perseguitato...»

Chiazze d'indignazione cominciarono a fiorirle sul collo e sulle guance. Il commissario attese qualche secondo mentre cercava di catturare il suo sguardo errante.

«È sicura di quello che dice? »

«Oscar Jellinek è un sant'uomo. »

«E questo gli dà il diritto di proteggere un assassino? »

«Non capisco a che cosa si riferisca. »

«Non capisce? Ma se è la cosa più semplice al mondo da capire. È d'accordo sul fatto che quelle due ragazzine sono morte? »

«Sì, suppongo... »

«Che sono state brutalizzate e uccise? »

«Sì, ma... »

«Pensa che sarebbe giusto lasciare in libertà il loro assassino? »

«No, ovviamente non lo penso... »

«Come può allora giustificare che le uniche persone che potrebbero darci delle informazioni scelgono di non dire niente? La prego, vorrei proprio che rispondesse a questa domanda. »

Lei non rispose.

«Lei sa dove si trova Oscar Jellinek? »

«Io? »

«Sì. »

«Naturalmente no. »

«Pensa che sia giusto tacere? »

«Non voglio entrare in questa discussione. Credo... »

«L'assassino è ancora libero perché la Vita Pura rifiuta di collaborare con la polizia » continuò il commissario instancabile. «Voi state a braccetto con delinquenti, criminali e... e sì, con il diavolo in persona. Alcune persone credono che siete dei satanisti, del resto. Lo sapeva? »

Lei non rispose neanche stavolta. Van Veeteren tacque. Si poggiò all'indietro e osservò la sua muta confusione per mezzo minuto. Si rendeva conto di avere esagerato, ma non in tutte le situazioni era facile moderarsi. Cambiò argomento.

«Conosce quelle tre donne che partecipavano al campo estivo: Ulriche Fischer, Madeleine Zander e Mathilde Ubrecht? »

Lei alzò leggermente le spalle.

«Vagamente.»

«Cosa intende?»

«Noi viviamo tutti nella stessa famiglia.»

«Nella Vita Pura?»

«Sì.»

«Ma queste tre non sono fra le sue amiche più intime?»

«Io frequento di più altre persone.»

«Ha degli amici che non sono membri della vostra congregazione?»

La donna esitò un istante.

«Amici veri e propri, no.»

«Perciò ha abbandonato tutta la sua cerchia di conoscenze quando ha incontrato Gesù due anni or sono?»

«No, lei non capisce...»

Pubblicani e peccatori, pensò Van Veeteren.

«Perché la vostra chiesa se ne sta lì abbandonata, almeno questo me lo può spiegare? Ci sono stato, ieri. Non avete nessun genere di attività comunitaria, d'estate?»

«Noi abbiamo... abbiamo un periodo.»

«Un periodo?»

«Sì.»

«Che genere di periodo?»

«Di solitudine e di esame.»

«Preghiera, Rinuncia e Purezza, forse?»

«Sì, anche se quelli sono i pilastri fondamentali. Che valgono sempre.»

«Perciò non ci sono servizi religiosi quando il pastore è assente?»

«No. Perché...?»

«Sì?»

«Perché è così arrabbiato con me?»

Perché mi vengono rigurgiti acidi in continuazione, pensò Van Veeteren.

«Non sono arrabbiato. Non può comunque provare a spiegare perché quelle donne hanno scelto di non collaborare con la polizia?» azzardò di nuovo. «Se davvero Jellinek è innocente.»

Lei fece ancora spallucce.

«Non lo so.»

«Forse perché gliel'ha detto Jellinek?»

Lei non rispose.

«È al corrente del fatto che tutt'e tre hanno una relazione sessuale con lui?»

La donna non reagì come aveva pensato.

Non reagì del tutto. Si limitò a rimanere seduta nella poltrona azzurra con la tazza di tè sulle ginocchia e la bocca dritta e sottile come una lametta da barba.

«Oppure tutte le donne della congregazione vanno a letto con lui?»

Forse come una sorta di rito d'iniziazione? gli venne in mente. Ma, santo cielo, dovevano essere diverse centinaia! E nonostante tutto c'erano altri uomini nella chiesa, anche se non erano molti. La donna spostò lo sguardo qualche volta fra la tazza di tè e il nodo della sua cravatta. Alla fine disse:

«Posso pregarla di lasciarmi in pace adesso? Non credo che lei sia una persona buona».

Van Veeteren si schiarì la gola.

«Grazie» disse. «Le assicuro che per me non ci sarebbe nulla di più invitante che potermene andare via di qui. Però si dà il caso che abbia un lavoro da svolgere. Il mio compito è di trovare un assassino e, se è questo che preferisce, possiamo andare giù alla stazione di polizia e continuare la nostra conversazione là.»

La donna sussultò e mise da parte la tazza. Intrecciò le mani ancora più strette e chiuse gli occhi. Lui ignorò il gesto.

«Solo un altro paio di domande» continuò. «Lei ha figli?»

La donna scosse la testa.

«È mai stata sposata?»

«No.»

«Crede di essere a conoscenza di qualcosa che ci potrebbe tornare utile in questa storia? Qualsiasi cosa.»

Nuovo cenno di diniego. Lui si alzò. Sei mai stata a letto con un uomo? pensò.

Solo quando fu in anticamera, sparò l'ultima domanda.

«Ewa Siguera. Chi è?»

«Siguera?»

«Sì.»

«Non ne ho idea. Non potrebbe lasciarmi in pace? Ho bisogno di rimanere sola.»

Lui vide che adesso aveva cominciato ad avere dei tic. Piccoli spasmi intorno agli occhi e alla bocca, e si chiese se effettivamente non soffrisse anche di qualche malattia psicosomatica, oltre a tutto il resto.

«Va bene» disse. «Tolgo il disturbo. Grazie per la conversazione davvero illuminante.»

Cercò di aprire la porta, ma fu solo dopo che la padrona di casa lo ebbe aiutato con due delle serrature che lui poté uscire di nuovo nell'aria libera delle scale. Udì i catenacci richiudersi, uno dopo l'altro, e fece due profondi respiri.

Cazzo, pensò. Possibile che non ci sia nemmeno una persona in tutta la congregazione che potrebbe superare una perizia psichiatrica?

O almeno un esame di maturità?

Poi gli tornò in mente che la donna che si era appena barricata in casa nell'elenco del telefono si qualificava come insegnante e per un secondo gli si annebbiò la vista.

Insegnante?

Anche se forse si poteva nutrire la pia speranza che prestasse servizio presso la loro scuola. L'istituto d'istruzione privato della congregazione. Questo avrebbe dovuto limitare almeno un po' i danni.

Ma, in ogni caso, i poveri bambini? Scese le scale a lunghe falcate, quasi con disperazione. A prescindere che vivessero nella Luce o nell'Altro Mondo, che marchio avrebbero avuto addosso, dopo un simile corso di studi? Un marchio indelebile per tutta l'eternità.

Che follia! pensò Van Veeteren, e si affrettò a uscire in strada. All'inferno!

E di quella liberale tolleranza religiosa, con la quale aveva flirtato qualche giorno prima, al momento non avvertiva più nemmeno l'ombra.

Vino rosso, decise invece. Erano solo le undici del mattino, ma dopotutto non era neanche un minuto troppo presto per un bicchiere e una sigaretta. Santo cielo.

28

Il bar si chiamava la Grotta di Platone e, mentre sedeva al suo interno fra le ombre, si dedicò soprattutto a quella famosa questione sorta durante l'ultimo colloquio con Andrej Przebuda.

Che il fatto di prendersela con i bambini, di esporli a questo e quest'altro, e in qualche modo di privarli della loro infanzia, in realtà era l'unico crimine, l'unica azione che non si poteva mai perdonare.

A parte forse il fatto di accusare, senza fondamento, qualcun altro proprio di questo.

Che equilibrio, pensò. Che equilibrio tremendamente delicato! Su un piatto della bilancia, tutti i bambini che avevano subito un incesto senza che i colpevoli ricevessero la giusta punizione.

E sull'altro tutti quelli che avevano ricevuto una punizione, nonostante fossero innocenti.

Perché di processi alle streghe ne erano stati fatti, altroché. Un po' dappertutto.

Una questione certo non nuova, ma il falso paradosso che sembrava dolere dentro lui stesso e dentro questo caso, gli sembrava sempre più ripugnante a ogni ora che passava, o quasi.

A ogni ora e a ogni nuovo, inutile interrogatorio.

Come se lui fosse un'ombra, pensò, e si guardò intorno lungo le pareti.

O stesse seduto sotto un platano a Spili.

Nel corso del pomeriggio, parlò con altri due convertiti. Un uomo e una donna, in quest'ordine. Entrambi erano sui trentacinque anni, entrambi single e facevano parte della congregazione rispettivamente da quattro e sei anni. L'uomo, un certo Alexander Fitze, aveva l'aria di essersi fermato allo stadio infantile anche per un bel po' dopo i vent'anni, a giudizio di Van Veeteren. Parlava con spiccata cautela, come se le parole fossero di porcellana, ma riusciva ad apparire sia forzato che nervoso. Al commissario ricordò un vecchio insegnante di lingue che aveva avuto una volta durante i primi anni dell'adolescenza, e che si era comportato in quello stesso modo per mesi prima di crollare e di impiccarsi in soffitta.

La donna si chiamava Marlene Kochel e aveva un profilo considerevolmente più flemmatico, un corpo da foca e una pronuncia blesa nelle risposte lente, ma le testimonianze in sé, che il commissario fu costretto ad ascoltare durante quelle ore pomeridiane sempre più roventi, mostrarono una sorprendente uniformità.

La stessa, quasi clinica mancanza di spiegazione del reale contenuto delle dottrine e del messaggio della Vita Pura.

Le stesse frasi fumose sulla Luce, la Purezza e la Vita Elevata.

Le stesse esternazioni devote su Oscar Jellinek, sulle sue qualità divine e sulla sua santità.

Le stesse beate idiozie. Volta per volta, Van Veeteren si sorprendeva a pensare ad altro, più le tirate si accumulavano una sull'altra e si mordevano la coda. Oppure a stare semplicemente seduto a guardare – osservare – il suo interrogato da una prospettiva del tutto diversa da quella che era consueta in situazioni del genere. O che avrebbe dovuto essere consueta.

Un ascoltatore distratto ed estenuato, il quale, piuttosto che ascoltare e cercare di farsi un'opinione su ciò che veniva detto (e sulla sua eventuale credibilità), si dedicava invece a interrogarsi su che razza di creatura fosse quella che stava seduta e parlava a vanvera (o con pronuncia blesa) sulla sedia di fronte. Che sparava quegli sproloqui senza il minimo ancoraggio né nella realtà né in qualche sorta di struttura logica. Parole, parole, parole. In una lingua che non capiva.

Come una specie diversa, quasi. Qualcosa di fondamentalmente incomprensibile.

Anche se – un pensiero che non era mai troppo distante – poteva essere proprio lui, l'animale in gabbia. L'oggetto di osservazione. Solo e abbandonato, che osservava da dietro le sbarre un intero mondo di... sì, proprio, di cose incomprensibili. *Folie à deux*, pensò. Non esiste nessuna realtà oggettiva.

«Che cosa ne pensa del problema della teodicea?» chiese una volta.

«Scusi, mi può ripetere il nome di quella donna?» rispose il signor Fitze, e sorrise nervoso.

Riguardo ad argomenti di natura più tangibile, nudità, esorcismo, catechismo e simili, i due colloqui riuscirono a diradare un po' di nebbie, ma non certo tutte. Sicuro che c'erano occasioni in cui si stava nudi. Incontrare il proprio Dio nella stessa condizione libera da orpelli di quando si era venuti al mondo era chiaramente uno dei pilastri del vangelo di Jellinek. E quando si trattava di scacciare a colpi di frusta i peccati, o perfino i demoni, allora era una grande facilitazione se il peccatore in questione aveva addosso meno indumenti possibile. L'operazione aveva in un certo senso maggiore efficacia, questo perfino un commissario di polizia secolarizzato avrebbe dovuto capirlo...

Constatò Marlene Kochel con un sorriso furbo.

Che sia gli angeli sia Dio padre stesso avessero l'abitudine di girovagare nudi per i paraggi celesti era una verità circondata di dogmatica ovvietà: perciò perché non cominciare a farci l'abitudine già da questa parte del confine, quando si aveva la fortuna di appartenere alla schiera degli eletti? Bambini e adulti allo stesso modo.

Già, perché no?

Ma carnalità? No. Erotismo e sfrenatezza e scopate incontrollate (termine del commissario, non espresso)? Nemmeno per idea. La cosa fu negata decisamente e con una tale fermezza e frenesia che lui da una parte capì che non sarebbe potuto andare oltre su questa strada; e dall'altra intuì che probabilmente non tutto era così inappuntabile come si voleva sostenere.

E riguardo al profeta e alle sue amanti estive, né Alexander Fitze né Marlene Kochel avevano commenti da fare. La questione sembrava collocarsi ben al di sopra delle presunte capacità di comprensione di un commissario di polizia; una spiritualità di un grado tale che si dovevano provare le vertigini. Provare le vertigini e chiudere il becco.

Per dirla prosaicamente.

Perciò, nel complesso, Van Veeteren non si sentiva molto più saggio quando finalmente uscì nella vivacità liberatoria della folla dopo l'ultimo colloquio. Di per sé nemmeno molto più fesso, e la cosa che appariva più ovvia da fare era tracciare una bella parentesi intorno all'intero pomeriggio e metterlo agli atti. Un altro ancora.

In particolare dal momento che neanche lì aveva trovato un aiuto per la questione Ewa Siguera.

Be', pensò il commissario. Così sono invecchiato ancora di qualche ora con una certa dignità.

Poi si rese conto che intanto si erano fatte quasi le sei e che aveva a disposizione poco più di un'ora, se voleva ascoltare i segnali che gli mandava il corpo a proposito della cena.

L'incontro con Uri Zander era fissato per le sette e mezzo, infatti, e, a quanto gli pareva di capire, l'indirizzo era da qualche parte alla periferia della città.

Cibo! E niente esitazioni sul menu.

E in effetti impiegò meno di cinque minuti ad accomodarsi e a ordinare un bel pezzo sostanzioso di carne in uno dei ristoranti di fronte alla stazione ferroviaria.

Basta etere ed estasi adesso, pensò prendendo uno stuzzicadenti mentre aspettava. Il mio bisogno di spiritualità è stato soddisfatto per almeno due anni.

Nonostante i buoni propositi, la sua seconda sera a Stamberg finì per trasformarsi in qualcosa di diverso.

La bistecca, di per sé niente male, si alleò perfidamente con il corposo vino rosso e con la sua stessa stanchezza; così, anziché fiondarsi verso sconosciuti quartieri di periferia, chiamò il signor Zander dal telefono dell'ingresso e rimandò l'incontro al giorno dopo. Poi rimase seduto ancora un'altra ora con un tagliere di formaggi misti e un paio di chiassosi giornali della sera, prima di fare ritorno sotto un crepuscolo blu al suo albergo.

Due birre, il notiziario delle dieci alla TV (questa volta con gli avvenimenti di Sorbinowo concentrati nello spazio di un minuto e mezzo) e quattro capitoli dalle *Osservazioni* di Klimke lo portarono a superare la mezzanotte, e si addormentò con un vago ma ben noto senso di coscienza sporca e senza essersi lavato i denti.

Un segno di decadenza, senza dubbio, e nel corso della giornata non aveva dedicato nemmeno un pensiero a Ulrike Fremdli o alla libreria antiquaria Krantze. Non appena i sogni lo assalirono, furono tuttavia questi due capisaldi a esigere la sua attenzione. Forse, immaginò con un'antenna di sensibilità ancora desta, si trattava solo di questo.

Sogni.

29

Reinhart vuotò il suo bicchiere di acqua aromatizzata al limone e fece cenno al cameriere di portargli un'altra bottiglia.

Dopo essere stati esposti a dieci ore di informazione più o meno continua (con interruzioni per qualche ora di sonno notturno e per visite individuali alla toilette), lui e Jung si erano ritirati in un angolo appartato e vagamente fresco della sala da pranzo del Grimm. Erano le undici di mattina e gli avventori dell'ora di pranzo non erano ancora arrivati. Un paio di giornalisti della TV erano seduti a un tavolo vicino ai finestroni con davanti la prima birra del mattino, è vero, ma era evidente che non erano ancora esattamente in gran forma.

«Allora» disse Reinhart. «Cosa ne pensi?»

«Che non è una bella storia» rispose Jung.

«Neanche un po'» convenne Reinhart. «Nemmeno misurata con il nostro metro.»

«No» disse Jung. «E tu, qual è il tuo parere, allora?»

Reinhart si strinse nelle spalle.

«Non so. Ma se VV adesso è a Stamberg, direi che non è impossibile che la soluzione stia laggiù. Lui inciampa sempre in questo o quest'altro, quando va in giro.»

Jung annuì.

«Oppure ha solo preso un'insolazione» completò Reinhart, afferrando la nuova bottiglia di acqua al limone.

«Oppure se ne infischia.»

Reinhart tirò fuori pipa e tabacco.

«Mmm, sì» borbottò. «Non mi pare da lui mollare una cosa come questa, ma è anche vero che circolano certe voci.»

«Sì, in effetti» disse Jung, e sbadigliò. «Allora, a che cosa ci dedichiamo noi oggi? Non mi è parso che quel Kluuge abbia esattamente dato direttive a destra e a manca. Aveva più che altro l'aria di sperare che risolvessimo noi per lui questa faccenda... noi oppure VV. Oppure quegli altri là, anche se a essere onesti ho i miei dubbi...»

«Pie speranze» disse Reinhart. «Ad ogni modo, credo che dobbiamo darci una mossa. Come il commissario supplente qui, anch'io ho una moglie incinta e non ho nessunissima voglia di starle lontano più del necessario, per la miseria.»

«Non lo sapevo» esclamò Jung. «Posso congratularmi?»

«Certo che puoi» rispose Reinhart. «Allora, da dove vuoi cominciare?»

Jung rifletté.

«Non sarebbe male trovare quel prete, Jellinek.»

«Geniale. E dove pensi di cercarlo?»

«È proprio questo il punto» disse Jung. «Anche se naturalmente è ricercato, perciò forse la cosa si risolverà senza il mio aiuto... Ormai mi sembra di vedere la sua faccia in un programma televisivo su due. C'è solo da aspettare che salti fuori, forse.»

«Oppure che salti fuori qualcosa d'altro» opinò Reinhart, esaminando la pipa. «Cazzo, devo dire che questa porcheria mi dà proprio la nausea... Be', se non pensi di andare alla ricerca di falsi profeti, allora, cos'altro hai sul tuo elenco dei desiderata?»

Jung bevve almeno mezzo litro di acqua minerale prima di rispondere.

«Quell'istituto» disse poi. «Wolgershuus o come cavolo si chiama. Se non altro, potrebbe essere interessante dare un'occhiata a quelle tre donne.»

«E ascoltare il silenzio?» prospettò Reinhart.

«Magari anche quello» rispose Jung. «C'è dentro parecchio, nel silenzio.»

Come a sottolineare la saggezza di queste parole, Reinhart rimase zitto per mezzo minuto mentre a occhi socchiusi guardava fuori verso il sole e intanto asciugava il bocchino della pipa con la punta di un tovagliolo.

«Giornata calda anche oggi» constatò con aria meditabonda. «*All right*. A te piegare le sacerdotesse. Procedi con il tuo stile modesto, e si vedrà. Non credo proprio che i colleghi abbiano riportato dei trionfi psicologici.»

«Sì» disse Jung. «Ognuno ha i suoi talenti. E a che cosa pensa di dedicarsi lei allora, caro sovrintendente?»

«Mah» mormorò Reinhart. «A questo punto rimangono solo le annate un po' più recenti... suppongo.»

«Buona caccia» gli augurò Jung, alzandosi.

«Grazie» disse Reinhart. «Allora ci vediamo verso sera.»

Belle Moulder aveva l'aria imbronciata e spaventata. E senza motivo, pensò Reinhart, in particolare considerando che lui aveva passato più di due ore al telefono e in macchina per riuscire a raggiungerla.

Dopo la frettolosa partenza dalla colonia di Waldingen, la ragazza si era chiaramente fermata un paio di giorni a casa a Sorbinowo, dopo di che era stata spedita da una zia, che aveva più o meno le stesse idee, ad Aarnergen, dove adesso ci si aspettava che trascorresse le restanti settimane di vacanza pregando, facendo il bagno nel fiume e lunghe e tonificanti escursioni in bicicletta sotto la supervisione di due grassi cugini... per leccarsi in tal modo le ferite e superare il ricordo dei giorni traumatici vissuti fra i boschi di Sorbinowo, si poteva presumere.

Con ciò senza voler dire nulla di male della Vita Pura. Per carità.

Edwina Moulder lo accolse in shorts, seduta su un dondolo giallo, ed era evidente che non aveva la minima intenzione di lasciare la sua nipotina da sola con il sovrintendente della polizia giudiziaria venuto apposta per lei.

Nemmeno per un secondo, così Reinhart interpretò la piega decisa della sua bocca. Nel giro di un attimo lui considerò situazione e strategie, per poi cedere e accomodarsi nella sedia da giardino che era stata preparata per lui sotto l'ombrellone.

«Mi dispiace di dovervi disturbare» esordì. «Ma abbiamo l'obbligo di catturare quel folle.»

«Ce ne rendiamo conto» disse Edwina Moulder.

«Bene» commentò Reinhart, e gettò un'occhiata alla ragazza. «In verità, avevo pensato di portare Belle con me alla sta-

225

zione di polizia, ma naturalmente sarebbe più simpatico se potessimo sbrigarcela qui, invece.»

«Belle ha davvero detto tutto quello che sa, del resto...»

Reinhart alzò un dito in un gesto di ammonimento.

«Andiamoci piano. Sua nipote era fra quelle che hanno intralciato di più il lavoro della polizia all'inizio, perciò tutto dipende dalla sua volontà di collaborare.»

«Cosa...?»

«Se la smette di immischiarsi, può rimanere seduta dov'è» chiarì Reinhart. «Ma esigo che faccia silenzio. Ha capito?»

«Cosa? Lei viene qui e...?»

«Ha capito?» ripeté Reinhart.

«Uhm» fece Edwina Moulder.

Reinhart bevve un sorso del caffè scipito. Aggiustò la sedia in modo da non dover guardare la donna arrostita dal sole e da avere invece la ragazza al centro del campo visivo.

«Belle Moulder?»

«Sì.»

«Hai già parlato molte volte con la polizia di queste cose spiacevoli...»

La ragazza annuì senza incontrare il suo sguardo.

«...e all'inizio ti sei comportata in modo abbastanza sciocco.»

Belle Moulder si guardò l'unghia del pollice.

«Ma adesso questo non ci interessa. Parto dal presupposto che dirai la verità e mi aiuterai come meglio puoi. Se mi accorgo che ti inventi le cose o se ti rifiuti di rispondere, allora sarò costretto a portarti in città e a interrogarti alla stazione di polizia. Questo lo capisci bene, vero?»

«Sì, ma...»

«Ottimo. La cosa che più mi interessa è cosa accadde quella domenica sera quando Clarissa Heerenmacht scomparve. Suppongo che te ne ricordi molto bene?»

«Più o meno.»

La ragazza alzò le spalle e cercò di darsi un'aria noncurante. Nella mente di Reinhart passò rapido il pensiero di Winnifred e del bambino che stavano aspettando.

Mica sarebbe diventato come questa qui?

Scacciò il pensiero schiarendosi la voce e continuò.

« Perché hai lasciato Clarissa sola giù allo scoglio? »

« Era lei che voleva rimanere sola. »

« E come mai? »

« Non so. »

« Avevate litigato? »

« No. »

« Sicura? »

« Sì. »

« Clarissa era triste, quando te ne sei andata? »

« No. »

« Allegra? »

« Era come al solito. »

« E com'era, quando era come al solito? »

« Come... al solito. »

Reinhart assaggiò di nuovo il caffè. Non era migliorato.

« E poi hai parlato con Jellinek. »

« Cosa? »

« Sei stata a colloquio con Jellinek più tardi quella sera. Quando è successo? »

« Sì, è successo... dopo la preghiera serale. »

« A che ora? »

« Nove e mezzo... dieci meno un quarto forse, non so. Me l'hanno già chiesto in precedenza, noi non teniamo... tenevamo... conto del tempo con precisione, a Waldingen. Non c'era bisogno, tanto ci chiamavano sempre... ma dev'essere stato intorno a quell'ora, in ogni caso. »

« Fra le nove e mezzo e le dieci meno un quarto? »

« Sì. »

« Di che cosa avete parlato? »

« Di Clarissa. »

« Perché? »

« Perché era sparita, ovviamente. »

« Voi allora sapevate che era scomparsa? »

« È chiaro. Non c'era, a cena. E neanche agli esercizi e alla preghiera... »

« Che cosa voleva chiarire Jellinek? »

Belle Moulder esitò un secondo.

«Se sapevo qualcosa. Nessuno l'aveva più vista da quando eravamo state giù allo scoglio, io dovevo essere l'ultima che era stata con lei.»

«Ti ricordi esattamente che cosa ti ha detto Jellinek?»

«Mi ha chiesto se sapevo dov'era.»

«E tu che cosa hai risposto?»

«Che non lo sapevo, si capisce.»

«E dopo? Siete andati avanti a parlare per dieci minuti, non è così?»

«No, non per così tanto tempo. Lui è rimasto anche seduto in silenzio a riflettere.»

«Ma deve pur averti chiesto qualcos'altro, no?»

«Sì, che cosa avevamo fatto durante il pomeriggio e cose del genere, ma non era niente di speciale.»

«Niente di speciale?»

«Tutte queste cose Belle le ha già raccontate» si intromise Edwina Moulder.

«E lei come lo sa?» domandò Reinhart.

«Eh?»

«Le ho chiesto come fa lei a saperlo» ripeté Reinhart irritato. «Ha forse accesso ai verbali della polizia? Se non è capace di mantenere il silenzio, la pregherei di andare a tagliare la siepe o che cavolo d'altro vuole fare. È chiaro?»

Edwina Moulder aprì la bocca e la chiuse di nuovo. Poi abbassò lo sguardo e sembrò giudicare più sicuro non rispondere.

«Allora» riprese Reinhart. «Altro?»

«Cosa, altro?»

Di nuovo la stessa sdegnosa indifferenza, notò lui. Nonostante avesse ancora l'aria impaurita. O forse era così che erano, a quell'età?

«Che cos'altro ha detto Jellinek? E vedi di non fare la stupida, signorina.»

«Eh?» fece Belle Moulder. «Ecco, non ha detto granché, effettivamente.»

«Ti ha ordinato di tacere, o sbaglio?»

«Sì, ovviamente... anche se sono state soprattutto le sorelle a dircelo, più tardi.»

«Ah, sì?»

«Sì, e poi abbiamo recitato una preghiera.»

«Tu e Jellinek?»

«Sì.»

«Che genere di preghiera?»

«Eh?»

«Di che preghiera si trattava? Qual era il contenuto?»

«Era... no, non capisco che cosa intende.»

«Recitamela, allora!»

«No, non è possibile.»

«E perché?»

«Ecco, era lui che pregava, come dire. Io pregavo solo fra me e me.»

Fra me e me, pensò Reinhart, e sospirò.

«Perciò non ti ricordi le parole?»

«No... no, non me le ricordo.»

«E ci avete messo dieci minuti?»

«Lui è rimasto anche seduto a riflettere, gliel'ho già detto.»

Reinhart accese la pipa e aspettò un momento.

«*All right*» disse poi, gettando un'occhiata a Edwina Moulder. «Ti ha anche toccato?»

«Eh?» fece Edwina Moulder.

Reinhart le soffiò in faccia una nuvola di fumo.

«Ultimo avvertimento» spiegò, e tornò a puntare lo sguardo sulla ragazza. «Allora, ti ha toccato?»

«Mi ha solo tenuto stretta.»

«Ti ha solo tenuto stretta?»

«Sì.»

«E come?»

Lei fece un gesto un po' goffo.

«Da dietro?»

«Sì.»

Reinhart strinse il bocchino della pipa fra i denti.

«Mentre pregavate?»

«Sì.»

«Solo allora?»

«Sì.»

L'abbronzatura di Edwina Moulder sembrò essersi d'improvviso dileguata nel giallo del dondolo, e le sue mascelle si muovevano con un vago stridore.

«E dopo?»

«Dopo? Be', dopo lui se n'è andato.»

«Dove?»

Nuova alzata di spalle.

«Non so. Giù verso il lago, credo.»

«Allo scoglio?»

«Forse.»

«Però non lo sai per certo? Lui non ti ha detto che cosa avrebbe fatto?»

«No, ma...»

«Sì?»

«Ma probabilmente pensava di andare giù allo scoglio... forse l'ha anche detto... No, non mi ricordo.»

Reinhart fece una pausa, ma non venne nient'altro, né dalla ragazza né dalla zia.

«Perciò tu ritieni» riprese «che Oscar Jellinek sia sceso allo scoglio in un momento imprecisato subito prima delle dieci di domenica sera?»

«Sì. Forse sì.»

«L'hai visto ancora, in seguito?»

Lei rifletté.

«No... no, non l'ho più visto.»

«Sai se qualcun altro l'ha incontrato più tardi?»

«Non lo so. Ma nessuna delle ragazze, probabilmente...»

Lui aspettò di nuovo qualche secondo, ma lei continuò solo a fissarsi le ginocchia, in particolare il destro, dove si vedevano ancora i sudici rimasugli di un cerotto. Lui mise via la pipa.

«Quindi tu sei stata l'ultima persona a vedere Clarissa Heerenmacht in vita, e forse l'ultima a vedere Jellinek prima che scomparisse... hai raccontato alla polizia che forse lui è andato giù allo scoglio?»

Lei ci pensò su.

«No, non mi sembra.»

«E perché?»

«Perché nessuno me l'ha chiesto.»

«Nessuno te l'ha chiesto?»

«No.»

Tipico, pensò Reinhart.

Quindi lasciò zia e nipote al loro destino e tornò alla macchina.

30

Uri Zander era vestito grossomodo come negli anni Sessanta, e sopra il divano di velluto a coste in soggiorno era appeso un poster firmato di un gruppo pop che si chiamava Arthur and the Mother-fuckers. Non era nemmeno impossibile che il signor Zander stesso fosse uno di quei quattro accigliati giovanotti in maglia a rete e occhiali da sole, ma Van Veeteren non si curò di investigare più da vicino la questione.

A ogni buon conto, il tempo aveva lasciato i suoi segni su Uri Zander; i capelli pendevano lunghi e arruffati solo sui lati della testa e sulla nuca – più su c'era il vuoto – e una pancetta cascante in combinazione con un'evidente gibbosità del dorso lo faceva più che altro somigliare a un punto interrogativo malriuscito.

Inoltre non aveva nemmeno l'aria di essere particolarmente felice.

«Vuole qualcosa?» domandò dopo che il commissario si fu accomodato con circospezione su un coso rosso di plastica morbida.

Van Veeteren scosse la testa.

«E comunque non avrei niente in casa.»

Si tolse gli occhiali tondi e cominciò a pulirli con un angolo della camicia. Che era attillata e a fiori; il commissario credette di ricordarsi il disegno da una di quelle estati all'alba dei tempi – Sessantasette o Sessantotto, doveva essere – quando lui era ancora così giovane che di tanto in tanto doveva adattarsi a essere mandato sul campo come rappresentante in uniforme dei tutori dell'ordine. Vale a dire quando la forza pubblica aveva carenza di personale: e l'aveva sempre.

A quei festival musicali e manifestazioni d'amore olezzanti

di hashish, che, almeno a pensarci in retrospettiva, a quell'epoca dovevano letteralmente fioccare.

C'erano ricordi migliori, perfino nella sua vita.

«Ecco, come le ho già spiegato» cominciò, «non è a lei che siamo interessati, ma alla sua ex moglie. Madeleine Zander.»

«Uff, sì» fece il signor Zander.

«Suppongo che lei sappia di cosa si tratta» continuò il commissario. «Stiamo indagando sugli omicidi di Sorbinowo, e quella famosa setta di cui la sua ex moglie fa parte è in qualche modo coinvolta. C'erano tre donne su alla colonia, Madeleine è una di loro... Come forse avrà sentito dire, si sono rifiutate di collaborare con la polizia fin dal primo momento. Non ho idea di come lei la pensi su...»

«Sono degli stupidi idioti» sbottò Uri Zander.

Ah, ecco, pensò Van Veeteren. Bene. È vero che praticamente non l'aveva temuto, però c'era comunque il rischio che Uri Zander si mettesse dalla parte della ex moglie. Ma era più che ovvio che erano stati timori infondati.

«Quella stramaledetta chiesa» rincarò la dose il suo ospite. «E quel prete... Sì, secondo me dovrebbero metterli tutti quanti in galera, sono una vergogna per la città. Per il genere umano, che diavolo.»

«Lei li conosce bene?» domandò il commissario.

«Si può forse farne a meno, di questi tempi?» ribatté Uri Zander, inforcando di nuovo gli occhiali. Ma senza dubbio non era contento del risultato, perché li levò subito e ricominciò a strofinarli.

«Quanto tempo è stato sposato con Madeleine?»

«Otto anni» rispose Uri Zander. «Dal '74 all'82. Lei aveva solo vent'anni quando ci siamo conosciuti... rimase incinta la prima volta che uscimmo insieme. Eravamo in tournée, ovviamente credevo che fosse una delle solite groupie, ma lei era quasi vergine e be', ecco, andò come andò...»

«Vi sposaste prima della nascita del bambino?»

«Certo. Sì, lei mi piaceva, a quei tempi. Era anche ora che smettessi di suonare. Esageravamo un po' troppo con questo e quest'altro, se capisce cosa intendo...»

Van Veeteren annuì, con l'aria di chi la sa lunga.

«Sì, ci sistemammo, si può proprio dire. Cominciai a lavorare sul serio, mentre Madeleine si prendeva cura di Janis, nostra figlia... Sì, e forse sarebbe potuta andare bene, in fondo rimanemmo insieme otto anni, la maggior parte dei matrimoni va a rotoli molto prima. O sbaglio?»

«Forse» disse Van Veeteren, che per parte sua aveva resistito per un periodo tre volte più lungo. «Nessun altro figlio?»

Uri Zander scosse la testa.

«No. Anche se, a ben pensarci, mi rendo conto che era fallito già in partenza.»

«In che senso?»

«Mah, che ne so. Lei era talmente giovane e inesperta. Io sono sette anni più vecchio e, sì, era come se lei fosse costretta a provare di tutto, una volta che le gioie della maternità furono passate... e passarono piuttosto in fretta, lo sa il cielo se non è vero.»

«Racconti» lo incitò Van Veeteren.

Finalmente Uri Zander si mise gli occhiali e cominciò a cercare le sigarette. Dopo un po' ne trovò un pacchetto sotto il mucchio disordinato di giornali e scartoffie che c'era sul tavolo. Con una certa discrezione fece dapprima il conto del numero, e quindi ne offrì una al commissario e accese a entrambi.

«Sì, dunque» continuò. «Lei non era esattamente contenta di doversene stare a casa con la piccola... Janis, voglio dire. Non era contenta di niente, a essere sinceri. Aveva un sacco di idee merdose su tutto quanto, ma un cazzo di niente che avesse qualche valore un po' duraturo.»

«Di che genere di idee si trattava?» chiese Van Veeteren.

«Di tutto» sbuffò Zander, così che il fumo gli uscì dalle narici pelose. «Di tutto, porca miseria! Era femminista e buddista e spiritista e alla fine pure lesbica.»

«Veramente?» chiese il commissario.

«Sì, anche se poi le passò. Tutto passava, certe manie duravano solo qualche mese, altre un po' di più, e ogni volta che cominciava con qualcosa di nuovo era come se niente di quelle vecchie contasse più. Come se... come se dovesse cominciare una nuova vita due volte all'anno. Non proprio il senso di sicurezza che ci vuole per un bambino, lei che ne dice? Fu quel suo dannato svolazzare da una cosa all'altra che alla fine non fui più capace di sopportare.»

«Posso capire» disse Van Veeteren, ed era vero. «Ma quella faccenda della Vita Pura comunque è durata, evidentemente.»

Uri Zander annuì, fumando.

«Sì, così sembrerebbe. C'è da chiedersi perché; credo che lei ne abbia fatto parte fin dal principio, in effetti... Devono essere più di dieci anni, ormai. Ovvio che sarebbe stato meglio se si fosse fermata in qualche altro posto invece, ma oggi come oggi me ne faccio un baffo. Janis ormai se n'è andata a vivere per conto suo e di madri nuove non ha intenzione di procurarsene.»

«Chi fu a occuparsi di lei?» domandò il commissario. «Dopo che vi separaste, intendo.»

«Io naturalmente» disse Uri Zander, e forse c'era una traccia di umile orgoglio nella sua voce. «Mica poteva abitare con quella trottola! Nei primi anni si incontravano nei fine settimana, ma poi Madeleine se ne andò negli Stati Uniti per sei mesi; quella volta si trattava di qualche altra setta di emancipazione, credo che in seguito siano stati coinvolti in qualche scandalo, ma allora lei se n'era già andata, sì, e da allora in effetti non hanno più avuto nessun contatto del tutto. Janis non voleva, e la trottola nemmeno, credo...»

Van Veeteren rifletté un attimo su quell'idillio familiare.

«Lei ne sa parecchio sulla Vita Pura?» domandò poi. «Che cosa fanno e via dicendo?»

Uri Zander tirò un paio di boccate di fumo con aria annoiata, e guardò fuori della finestra.

«No» disse. «Non più di quanto si è letto sui giornali... e di quanto si sente dire in giro dopo quella faccenda dei delitti, si capisce. Sì, è ovvio che personalmente penso che siano una banda di stronzi, e che sia un modo schifoso di attirare un sacco di poveri cristi talmente imbecilli da non saper più distinguere il proprio culo da un buco per terra... sia giovani che vecchi, e tutto solo per scopare col prete ed eccitarsi a vicenda.»

«Lei crede che si tratti di questo?»

«Sì» rispose Uri Zander. «Ne sono convinto. E non sono il solo.»

Van Veeteren rifletté un attimo.

«Che cosa pensa dei due delitti?» domandò poi.

Uri Zander spense il mozzicone della sigaretta e assunse un'espressione meditabonda.

«Non so» disse. «Quel Jellinek può benissimo essere un maledetto psicopatico, su questo non ho il minimo dubbio... sì, a ben pensarci, credo che sia stato proprio lui. E adesso se ne starà di sicuro nascosto qui in città a casa di qualche pazzoide affiliata alla sua setta, e ce n'è un bel po'... a scoparsela, probabilmente. Sì, porco diavolo. La Vita Pura, *fuck me*!»

«Mmm» fece il commissario, e gettò una rapida occhiata al poster. «Perché allora Madeleine e le altre tengono la bocca cucita, secondo lei?»

«Perché gliel'ha detto lui, si capisce. Lui è il loro dio chiavatore e naturalmente ubbidiscono a ogni cazzata che snocciola. Lei di sicuro è al corrente del processo contro di lui di qualche anno fa?»

«Certamente» riconobbe Van Veeteren.

«Ecco, posso solo dire che spero che lo troviate e che mettiate fine sia a lui sia alla sua cazzo di banda» si augurò Uri Zander. «È un'indecenza che possano andare avanti a... e hanno anche una scuola, per giunta. Ma ci pensa, cacciare in testa a dei bambini tutte quelle stronzate!»

Van Veeteren cominciò a rendersi conto che ormai il più era stato detto, e che forse non aveva granché senso rimanere ancora ad ascoltare le esternazioni del signor Zander. In quel preciso momento stava cercando di nuovo il pacchetto delle sigarette. Chiaramente doveva essere troppo sguarnito per sopportare un nuovo giro con offerta, perciò l'uomo lo ricacciò sotto un giornale.

«La sua ex moglie...?» disse Van Veeteren. «Sì, Madeleine intendo... nessuno di voi si è risposato?»

Uri Zander scosse energicamente la testa.

«Ha qualche messaggio per lei? Qualcosa che vorrebbe mandarle a dire? La teniamo ancora sotto chiave a Sorbinowo per il momento, con tutta probabilità la incontrerò domani o dopodomani...»

Uri Zander lo guardò stupefatto.

«Un messaggio per Madeleine? No, può scommetterci le palle che non ne ho.»

«E sua figlia invece? Pensa che avrebbe voglia di mandarle a dire qualcosa?»

«Loro non hanno nessun contatto, gliel'ho già spiegato.»

«Sì, ha ragione» disse il commissario.

Bene, pensò, e prese lo slancio per tirarsi su da quella specie di poltrona che gli si era sagomata intorno. Si poteva chiudere lì, allora. Alla fin fine, aveva acquisito un'immagine abbastanza dettagliata di Madeleine Zander, in special modo se la paragonava con l'impressione curiosamente sfuggente che aveva portato con sé dopo gli incontri di Waldingen.

Anche se sotto il profilo dell'utilità, ci sarebbe stato naturalmente da discutere.

«Ewa Siguera?» gli venne in mente quando già erano nell'ingresso. «Sa per caso chi è?»

«Siguera?» ripeté Uri Zander, grattandosi la pelata. «No, non conosco nessuno con quel nome... a meno che non intenda Figuera. Sì, credo che si chiamasse così...»

«Figuera?»

«Sì.»

«E chi sarebbe, questa Ewa Figuera?»

Uri Zander alzò le spalle.

«Bah, io ovviamente non la conosco» spiegò, «ma se non ricordo male, era una tizia con cui Madeleine abitò per un certo periodo... Forse era lesbica pure lei, ma di più non so.»

«Quando succedeva questo?»

Uri Zander ci pensò su.

«Non ricordo con precisione» disse. «Fu Janis a dirlo... un paio d'anni fa, credo. Le incontrammo solo per combinazione, giù al fiume.»

«E vive ancora qui in città?» chiese Van Veeteren.

«E come cavolo faccio a saperlo?» replicò Uri Zander. «Perché non controlla sulla guida del telefono?»

Mica una cattiva idea, pensò il commissario, e si congedò dal suo burbero ospite.

Ancora uno sguardo dentro una vita interessante, riassunse poi quando fu di nuovo fuori nel sole. E si rese conto che non si era nemmeno curato di sapere di che cosa si occupasse Uri Zander attualmente. Sempre che si occupasse di qualcosa.

Anche se forse c'era nell'elenco del telefono, anche questa informazione, se il bisogno di dare una risposta a quella domanda si fosse fatto troppo imperioso.

«Figuera?» borbottò poi fra sé, infilandosi un fresco stuzzicadenti alla menta fra gli incisivi, per controbilanciare l'aria impregnata di fumo di casa Zander. Pensa un po' se fosse risultato che tutto questo caso era appeso a uno stupido errore di scrittura?

F invece di S.

Non c'era nulla che portasse a far credere a una soluzione del genere, ma non ci sarebbe stato da meravigliarsi.

Proprio per niente. Erano successe cose anche più strane.

31

Siccome l'ispettore Jung, come sua abitudine, era arrivato con un buon margine d'anticipo, dovette restare ad aspettare Ulriche Fischer per un po'.

Non che la cosa di per sé avesse una grande importanza. Rifiutò cortesemente ma con fermezza l'invito dell'aspirante Matthorst di fargli compagnia. Si accomodò invece a un tavolo sotto uno dei castagni che circondavano il grande prato, dove alcuni internati, e anche alcuni infermieri, gironzolavano senza una meta precisa, ed ebbe così la possibilità di pianificare e affinare la tattica in vista del colloquio che lo attendeva.

Il problema era soltanto che non riusciva a concentrarsi. Non per più di tre secondi di fila. Per quanto cercasse di addomesticare e guidare i pensieri, questi ritornavano come sonnambuli cocciuti sullo stesso soggetto.

Le ferie.

Le ferie ormai prossime e il viaggio con Maureen e Sophie. Ecco dove sta il nocciolo! pensò disorientato. Qualcosa che aveva letto, probabilmente.

Maureen. Con qualche interruzione di poco conto, stavano insieme ormai da quattro anni, e durante tutto questo tempo non era mai sorto il pensiero che dovessero andare a vivere insieme; per davvero, vale a dire. Tutto dipendeva da una serie di fattori e circostanze non meglio definibili, ma soprattutto – su questo purtroppo non c'erano dubbi – dalla sua codardia e comprovata ambivalenza.

Se poi un'ambivalenza si poteva comprovare.

Basterebbe prendere me, pensò Jung.

Adesso però non era molto lontana, lo sapeva. La decisione. C'erano momenti in cui o si andava avanti, oppure si buttava tutto alle ortiche, lo capiva perfino un ispettore di polizia di fresca nomina. E questo viaggio, vacanza insieme, tre settimane con la macchina in Inghilterra e Scozia, con Maureen e la sua figliola quindicenne, sì, ecco, era uno di quei famosi momenti. Nessun dubbio, come si diceva. Rimaneva inespresso come innumerevoli altre cose nella loro relazione, eppure era chiaro come... sì, proprio come il sole.

Sospirò e bevve un sorso del succo di frutta che una bionda inserviente era venuta a portargli.

Gli piacevano, questo sì. Tutt'e due. Forse Maureen l'amava anche; almeno certe volte, e probabilmente non gli sarebbe mai, proprio mai più, capitato di provare sentimenti più forti per nessun'altra persona; o, almeno, così credeva. Perciò perché esitare? Perché?

Ma se fosse riuscito a capire perché esitava, davvero le cose sarebbero state più facili?

Forse no, pensò, e quando cercò di figurarsi un futuro, e un'incombente mezza età, senza Maureen né Sophie, non erano certo immagini allegre quelle che prendevano forma davanti al suo occhio torbido di scapolo.

Football. Birra. *One-night-stands*, come diceva Rooth. Serate solitarie davanti alla TV e sconsolanti cataste di biancheria sporca cui non aveva mai la forza di mettere mano. E telefonate snervanti da una madre anziana che si domandava perché non poteva mai avere dei nipotini per i quali confezionare sciarpe di lana per Natale.

Sferruzza, sferruzza, le diceva lui. Il nipotino è in arrivo. (Tanto lei dimenticava regolarmente ciò che le veniva detto.)

Le stesse immagini di prima che incontrasse Maureen, in altre parole. Solo con lui un po' più vecchio e un po' più grigio.

Quindi perché esitare?

La forza di Maureen? La sua tranquilla determinazione? Sarebbe stata una minaccia? La stanchezza di Sophie per la scuola e i suoi periodi di irragionevole acidità d'umore.

Paura di essere dominato?

Non c'era proprio ragione.

Abbandonare qualcosa che non sapeva più che cosa fosse? Era questo, il punto?

Scomparire? La tua vita è un'orma nell'acqua, diceva sempre Reinhart. Perciò che importanza aveva in realtà?

Al diavolo, pensò Jung, e vuotò il bicchiere. Posso fare testa o croce. Oppure posso anche chiedere a lei e confidare che il suo discernimento sia migliore del mio. Sì, questa sarebbe una soluzione ingegnosa.

Tanto vale farlo prima che partiamo, decise proprio nell'attimo in cui Matthorst usciva per dirgli che Ulriche Fischer era pronta a riceverlo.

Adesso però non ci sarebbe stata male un po' di concentrazione. Cos'è che aveva detto Reinhart? Reinhart, perfino lui sarebbe diventato padre...

Modestia?

D'accordo, allora.

«Mi scusi» esordì, lasciando cadere il taccuino sul pavimento. «Mi scusi se... se vengo a disturbare, ma sono gli altri che mi hanno mandato qui.»

Lei non replicò. Forse le due rughe fra i lati del naso e della bocca si assottigliarono un po', ma era un'osservazione carica di incertezza.

«Ho delle domande, ma ovviamente non è obbligata a rispondere se non vuole...»

Si infilò la penna in bocca per traverso e cominciò a sfogliare il taccuino.

«...anch'io facevo parte di una chiesa riformata quand'ero più giovane, ma poi mia madre mi proibì di andarci.»

«Glielo proibì?»

«Sì... ah, io mi chiamo Jung.»

Lei lo osservò sospettosa, ma poi il suo sguardo si ammorbidì di nuovo.

Primo passo, pensò Jung. Come cavolo fa a essere così pallida, con questo tempo?

«La cosa che mi piaceva di più era la libertà» continuò. «Quel potersi abbandonare... sì, naturalmente avevo solo quindici, sedici anni, perciò è probabile che non sia mai riuscito a capire la vera essenza del messaggio, però mi piaceva l'atmosfera. La luce, in un certo senso, ma non era di questo che dovevamo parlare, è ovvio...»

«Mi sta prendendo in giro?» chiese Ulriche Fischer.

Jung arrossì. Era un'abilità che aveva sviluppato con gli anni, e ormai era in grado di riuscirci in meno di un secondo.

«Mi scusi» disse. «Non era nelle mie intenzioni... ora le farò le mie domande.»

Ulriche Fischer mormorò qualcosa che lui non riuscì a cogliere.

«Temo che avrà già sentito queste domande. Almeno in parte. È poco che sono stato coinvolto in questa indagine... Anche se naturalmente mi hanno messo al corrente di tutto. È spaventoso, terribilmente spaventoso, spero veramente che riusciremo a prenderlo prima che lo faccia di nuovo... Lei di figli non ne ha, signorina Fisch? Volevo dire, Fischer.»

Lei fece per aprire bocca, ma il movimento si bloccò prima.

«Io nemmeno» disse Jung. «Ma mi piacerebbe averne, un giorno o l'altro. Quello che vogliono stabilire in questo caso è quando, cioè in quale momento preciso, di quella famosa domenica notte è scomparso il vostro prete... o forse è stato il lunedì mattina?»

Lei deglutì. E alzò lo sguardo di un po'.

«E se vi ha detto quali erano i suoi progetti...»

«...»

«Per il momento sono inclini a ritenere che voi non sappiate dove si trovi. Che in qualche modo l'abbia tenuto segreto per proteggervi... Sarebbe un atteggiamento nobile, in un certo senso.»

«...»

«Nonostante tutto, non è poi così strano che si tenga nascosto. Forse sarebbero anche disposti a concedergli un qualche genere di amnistia...»

«Un qualche genere di cosa?» chiese Ulriche Fischer.

«Sì, non è che lo sappia di preciso» disse Jung. «Ho solo cercato di interpretare l'aria che tira. Nessuno l'ha detto chiaro e tondo.»

Aspettò. Evitava di guardarla, mentre si grattava un po' nervosamente sui polsi. Non dirà un accidente di niente, pensò.

Perché diavolo dovrebbe scegliere di parlare proprio con me, dopo che è stata zitta per... per quanto tempo, in effetti?

Una settimana?

No, di più. Più o meno dieci giorni, devono essere.

Inutile. Sospirò.

«È successo di sera» disse lei d'improvviso.

Lui trasalì e non osò dire nulla. Passarono cinque secondi.

«Di sera» ripeté lei. «Non l'ho più visto, dopo di allora.»

«Ah, sì?» disse Jung.

«Lui non ha niente a che fare con la morte della ragazza» spiegò lei dopo una nuova pausa di riflessione, talmente protratta che Jung già credeva che non ci sarebbe stato nessun seguito.

«Proprio niente?» domandò.

«No.»

Nuovo silenzio. Lui si chiese se doveva far cadere il taccuino un'altra volta, avere un attacco di tosse o arrossire, ma niente gli sembrava esattamente adeguato e, nonostante tutto, il suo repertorio era un po' limitato.

«Che ore erano, all'incirca?» chiese alla fine. «Quando l'ha visto l'ultima volta, voglio dire.»

Lei fece uno strano movimento con le braccia. O con le spalle, piuttosto... come se muovesse le ali, pensò Jung, e fu sul punto di sorridere. Allenamento a fare l'angelo.

«Circa le nove e mezzo.»

«Ma come fa a essere sicura che le sue consorelle non l'abbiano incontrato anche dopo?»

«Perché noi siamo un corpo e un'anima.»

«Cosa?» disse Jung.

È matta, pensò. Come cavolo ho fatto a dimenticarmi che è completamente fuori di testa?

«Credo di capire» disse. «Lei si riferisce a quella storia della trinità.»

D'improvviso le labbra di lei si piegarono in un sorriso e lui ribatté con un bel rossore.

«Uff» disse. «Sono cose che non capisco. È passato tanto di quel tempo da quando c'ero dentro anch'io.»

Il sorriso appassì e scomparve.

«Ma santo cielo» provò lui. «Allora questo significa che nessuno ha idea di dove possa trovarsi? Oppure vi ha fatto avere sue notizie?»

Ulriche Fischer non rispose.

«Nove e mezzo di domenica sera» riprese lui. «Dove l'ha visto, allora?»

Ma era evidente che ormai non gli avrebbe detto più nulla. Quella storia del corpo e dell'anima doveva essere il gran finale, ipotizzò. Il sorriso che le aveva visto comparire sulle labbra era di sicuro solo una generica espressione di pazzia.

Rifletté un momento. Poi si arrese e cominciò tranquillamente e metodicamente a snocciolare le domande che aveva sul blocco, diciotto in tutto, ma a nessuna di esse riuscì a ottenere da lei una risposta.

Nemmeno una, e nemmeno una reazione minima come la fronte corrugata.

Probabilmente si stava pentendo, suppose. Di aver aperto la bocca.

Per tutto il tempo lui osservò la stessa inappuntabile cautela e correttezza, anche se naturalmente alla fine gli pesava non poco. Come risposta al suo silenzio, a ogni domanda che lei ignorava lui tracciava sul blocco una riga chiara e perfettamente udibile, e c'era qualcosa, in quei rumori brevi e netti, ricorrenti e implacabili come lamette da barba, che aveva in sé un che di profondo e attraente.

Come incisioni chirurgiche, pensò.

Dieci minuti dopo, lasciò Wolgershuus: l'intera visita, comprese le sue private meditazioni sotto il castagno, gli aveva portato via meno di un'ora, ed era difficile prevedere quanto valore potessero avere i frammenti che era riuscito a strappare a Ulriche Fischer.

Anche se naturalmente c'erano altri che erano più idonei di lui a giudicare la cosa.

Così pensava l'ispettore Jung con la sua usuale modestia, mentre cominciava a incamminarsi di nuovo attraverso il bosco. C'era profumo di resina calda in mezzo agli abeti, sentì, e, prima ancora di arrivare in vista di Sorbinowo, notò che la camicia gli si incollava alla schiena e che cominciava a sentirsi disidratato.

Se Reinhart non è ancora tornato, mi faccio una bella nuotata nel lago, decise.

E una birra.

32

Dopo il colloquio con Uri Zander, il commissario Van Veeteren tornò come prima cosa in città e pranzò al ristorante Stamberger Hof. Era già quasi l'una e mezzo quando cominciò a mangiare, e siccome quel giorno non si accontentò di meno di tre piatti, pâté, sogliola e fichi al cognac, quando terminò erano già le tre passate.

Dopo una certa esitazione (ma con un saggio voto in armonia con il problema della digestione), concluso il pasto, si mise di nuovo in macchina e si diresse fuori Stamberg. Guidò dritto in direzione ovest per quindici minuti e poi trovò, senza troppa difficoltà, un attraente pendio ombreggiato sulle sponde del fiume Czarna. Lì si preparò un semplice giaciglio con l'aiuto di una coperta e un cuscino, si tolse le scarpe e si coricò per schiacciare un pisolino.

Di nuovo sognò una tranquilla libreria antiquaria, una donna con i capelli castani e un mare turchino, e quando si svegliò dopo quaranta minuti, si rese conto che effettivamente aveva un posto prenotato su un volo che sarebbe partito da Maardam di lì a un paio di giorni appena. Si mise seduto.

Un po' strani, era innegabile, sia il sogno che le prospettive per il futuro. Specialmente in considerazione del fatto che in quel preciso momento era seduto in riva a un pigro fiume sconosciuto a osservare alcuni bovini altrettanto pigri e sconosciuti che lo fissavano in mezzo all'erba alta sulla sponda opposta.

Che cavolo sto facendo? pensò, conscio che si trattava di una domanda molto vecchia e ben nota. È rimasta sempre senza risposta.

A centocinquanta chilometri da lì, una squadra investigativa e un centinaio di giornalisti stavano aspettando che i contorni di un duplice omicida si facessero più visibili.

O forse che proprio lui, il famigerato commissario Van Veeteren, che aveva alle spalle un solo caso irrisolto, scovasse quell'uomo.

O quella donna?

Si spostò di due metri, poggiò la schiena contro il tronco di un faggio e d'improvviso si ricordò una delle citazioni preferite di Mahler: « La vita non è una passeggiata attraverso un campo aperto ».

Una massima russa, probabilmente. Ne aveva tutta l'aria, almeno.

Poi accese una sigaretta e cercò di mettere ordine nei pensieri.

Due ragazzine.

Dodici e tredici anni. Violentate e uccise.

A una settimana di distanza, all'incirca. Prima Katarina Schwartz. Poi Clarissa Heerenmacht. Però ritrovate in ordine inverso.

Tutt'e due di Stamberg. Tutt'e due partecipanti al campo estivo organizzato dall'equivoca setta della Vita Pura nei pressi di Sorbinowo.

Nella bella regione un po' selvaggia di Sorbinowo.

E poi il prete.

Appena prima della scoperta del cadavere della più giovane delle ragazze, il presunto uomo di Dio e guida spirituale della setta, Oscar Jellinek, sparisce dalla circolazione. Altre persone coinvolte, vale a dire i membri della setta, si cuciono la bocca. La generazione più giovane, una dozzina di ragazzine adolescenti, comincia poco a poco a lasciarsi sfuggire qualcosa, ma quello che hanno da raccontare non ha in realtà particolare rilevanza per l'enigma degli omicidi.

Oppure sì? pensò Van Veeteren e prese a osservare una delle vacche, che al momento gli aveva rivolto il posteriore e stava dando dimostrazione del perfetto funzionamento della sua digestione.

Non avrà certo mangiato fichi al cognac per pranzo, suppose il commissario, e continuò a seguire il filo dei suoi pensieri.

Avevano forse mancato di cogliere qualcosa di essenziale nei racconti con le lacrime agli occhi delle ragazze? C'era qualcosa di più, qualcosa di nascosto più in profondità, in tutte quelle testimonianze sulla Purezza e la Rinuncia e la nudità? Al di là dell'ambiguità in sé, insomma.

Non sapeva. L'immagine delle ragazze che facevano il bagno in riva al lago, colta in quel suo primo giorno, gli tornò di nuovo alla mente, e si domandò se proprio un'immagine del genere non potesse essere anche nel bagaglio dell'assassino.

Nel movente stesso. Nella misura in cui avesse un senso parlare di movente in un caso del genere. Forse sì e forse no; ad ogni modo, non era nulla su cui si potesse continuare a costruire.

Le donne, allora? Quelle sacerdotesse sorvegliate, che probabilmente sapevano un bel po' di cose ma che avevano scelto la retta via del silenzio. Poteva essere che l'omicida fosse una di loro? Certo era un'alternativa che aveva tenuto di riserva fin dall'inizio. Certo. Un asso nella manica. Un'assassina?

Anche se non poteva dire che col passare del tempo fosse diventata una carta più facile da giocare. D'altro canto, nemmeno più difficile.

Non si poteva almeno dare per scontato che fosse stata una di loro a telefonare alla polizia fornendo le informazioni?

Forse.

Però la loro corresponsabilità si poteva definire comunque evidente? Per la miseria!

Altamente probabile, decise.

La questione era solo: corresponsabilità in che cosa?

«Al diavolo!» borbottò il commissario Van Veeteren. «Non sto arrivando da nessuna parte.»

E in un momento di amara autocritica si rese conto che le mucche sull'altra sponda del fiume non erano solo un simbolo della saggezza irraggiungibile, demiurghi e via dicendo, ma anche un emblema della sua stessa irrisolta ottusità.

Accese una sigaretta e cambiò binario.

Figuera, allora?

Ewa Figuera? Be', doveva andare a cercarla e chiarire perché ci fosse anche lei insieme alle altre sacerdotesse sulla fotografia di Przebuda. Scoprire che cosa ci facesse a Waldingen l'estate precedente.

Dal momento che adesso aveva risolto il problema dell'ortografia.

E dal momento che aveva seguito la sua preziosa intuizione ed era venuto fin lì a Stamberg. Anche se, a dire il vero, fino a quel punto i suoi sforzi non avevano dato grandi risultati.

Oppure c'erano tracce nascoste anche nelle conversazioni di quegli ultimi giorni? Quegli adepti disorientati avevano forse contribuito con qualcosa che lui non era in grado di scoprire?

Al diavolo, pensò di nuovo Van Veeteren. Che grande analista sono! Prima dico A, poi dico non-A. In continuazione.

Sospirò. Qualcosa di più di questa semplice dialettica, e di quel fiume scuro, che lo separava dalle vacche, per il momento non gli veniva in mente.

Ergo? pensò cupo. Potevano esserci segni più evidenti che fosse ora di restituire il tesserino? Difficile.

C'erano forse altri segni? Qualcosa che indicasse altre direzioni? Per niente.

Si rimise in piedi e decise per una mezz'ora di guida in compagnia di Fauré al posto di quello sconsolante vegetare.

Poi si sarebbe dedicato all'elenco del telefono.

Proprio. Ogni cosa a suo tempo.

La mezz'ora si trasformò in un'ora intera, e a Fauré si aggiunse anche Pergolesi. Quando il commissario parcheggiò dietro il Glossmann erano già le sette, e il peggio del caldo era passato. Alla reception lo aspettava un fax da Reinhart, ma conteneva solo una battutaccia sul fatto che nella direzione delle indagini quelli che non avevano la gamba di legno sembrava che di legno avessero la testa. Van Veeteren buttò il foglio nel cestino della carta e chiese di potersi portare in camera un elenco telefonico di Stamberg. Oltre alle due birre d'ordinanza.

«C'è n'è uno nel cassetto della scrivania» spiegò il cronicamente assonnato portiere. «In tutte le stanze. Chiare o scure?»

«Il solito» rispose Van Veeteren, e ne ricevette una bottiglia per tipo.

Una volta in camera sua, si stese sul letto con la prima birra, quella chiara, e con la guida di Stamberg, che effettivamente si trovava nel cassetto della scrivania sotto la bibbia e la carta da lettere con il logo dell'albergo.

Bevve una sorsata e cominciò a sfogliare. Non era uno di quei tomi massicci; Stamberg in fondo era solo una cittadina di... quanti? cinquantamila abitanti? e trovò quasi subito quel che cercava. Era evidente che almeno l'alfabeto lo conosceva ancora.

Scorse lungo le file di nomi, ed eccolo lì.

Solo un fremito, in realtà. Un breve, piccolo fremito in qualche oscura circonvoluzione del suo vecchio, stanco cervello, ma capì che qualcosa finalmente stava succedendo.

O si era messo in movimento, piuttosto.

Era ora, accidenti! pensò.

Fissò le informazioni per qualche secondo. Poi chiuse gli occhi e si poggiò all'indietro contro i cuscini, mentre cercava di liberare la mente da tutto il ciarpame. Mucche, preti e altro. Rimase steso così un buon momento senza muoversi e senza formulare un solo pensiero.

Ed ecco che dalla palude dell'oblio spuntarono fuori: due battute sparse che aveva sentito un pomeriggio di quasi due settimane prima.

Oppure erano due pomeriggi distinti, a ben vedere?

Non se lo ricordava, e naturalmente non aveva nessuna importanza.

Lasciò scorrere via ancora qualche minuto, ma non accadde nient'altro. Solo questi dati dall'elenco telefonico e queste due battute: quando aprì di nuovo gli occhi, comprese altresì che con ogni probabilità non si trattava d'altro che di semplici sensazioni.

Ma, si rese conto, se c'era qualcosa che aveva imparato in tutti quegli anni, ecco, era proprio l'arte di saper valutare una sensazione.

Scolò entrambe le birre. Poi cominciò a telefonare e a prendere appuntamenti per il giorno dopo.

Quando ebbe terminato, lesse altri due capitoli del Klimke, fece la doccia e andò a dormire.

Alle sette e due minuti del mattino dopo, squillò il telefono.

Era Reinhart; prima ancora che il commissario avesse fatto in tempo a mandarlo all'inferno, aveva preso il comando.

«Hai la TV in camera?»

«Sì...»

«Accendila allora! Canale 4.»

Poi chiuse la comunicazione. Van Veeteren afferrò il telecomando e riuscì a trovare il pulsante giusto. Tre secondi dopo, era perfettamente sveglio.

Il consueto notiziario del mattino, a quanto pareva. Una concitata voce di giornalista. Immagini tremolanti di un edificio in fiamme. Vigili del fuoco e sirene. Intervista fortemente realistica con un ufficiale nero di fuliggine.

Riconobbe il posto alla prima occhiata. Per qualche secondo, la telecamera fece una rapida carrellata delle frasi ingiuriose che si era trovato a fissare pochi giorni prima.

SPORCHI ASSASSINI e via dicendo.

Per il resto le fiamme sembravano avvolgere tutto quanto, e il capo dei vigili del fuoco non lasciava nemmeno molte speranze che si potesse salvare qualcosa. Gli sforzi erano invece concentrati a impedire che il fuoco si diffondesse agli edifici circostanti, spiegò. Tirava anche vento. Perciò ormai per quella chiesa non c'era più speranza, a suo parere.

Però per il resto la situazione era sotto controllo.

Doloso?

Naturale che era doloso. L'allarme era arrivato alle quattro del mattino, loro erano giunti sul posto venti minuti dopo, e ormai era già tutto quanto in fiamme.

Altroché, se era doloso! E forse lo si poteva anche capire...

Van Veeteren spense la TV. Poi restò a letto un altro mezzo minuto a riflettere. Quindi si infilò camicia e pantaloni, scese alla reception e inviò un fax all'agenzia di viaggi Wickers a Maardam.

Cancellava la sua prenotazione per il volo charter del primo agosto.

Poi risalì in camera e fece la doccia più lunga della sua vita.

33

In senso prettamente fisico, quella mattina il commissario supplente Kluuge si sentiva un rottame.

Quando scese dalla bicicletta davanti alla stazione di polizia nella gradevole aria mattutina, si accorse che ansimava e che aveva le palpitazioni, e purtroppo dal punto di vista spirituale le cose non andavano molto meglio. Si rese conto che c'era poco da stupirsene; le ultime tre notti non aveva dormito più di una decina di ore in tutto, e da qualche parte si arrivava sempre a un limite. O a un muro.

Questa faccenda bisogna proprio che finisca presto, decise. Ancora due giornate così e mi metto in malattia.

D'altro canto ormai mancavano solo cinque giorni al rientro di Malijsen in servizio, perciò forse era meglio tenere duro, nonostante tutto.

Strano che non si fosse mai fatto vivo, pensò Kluuge mentre trafficava con il lucchetto. Per quanto isolato fosse lassù in riva alle sue acque pescose, non era ai limiti dell'inverosimile che non fosse venuto a sapere di niente? Che ci potesse essere anche una sola persona nel paese che non fosse a conoscenza di quanto era successo a Sorbinowo in quelle torride settimane d'estate... Ecco, era davvero molto strano.

E ancora più strano, naturalmente, se si era anche il commissario di polizia titolare del posto.

Tuttavia Malijsen era Malijsen, si capisce. Si sarà probabilmente seppellito in attesa dei giapponesi, ipotizzò Kluuge, asciugandosi il sudore dalla fronte.

Sulla porta incontrò Suijderbeck.

«Non partecipi alla riunione?»

«Sigarette» borbottò Suijderbeck e sputò in un'aiuola.

«Vado giù al chiosco, sarò di ritorno prima ancora che tu abbia fatto in tempo a pisciare.»

Divertente, pensò Kluuge. Cameratismo e buona atmosfera, proprio come ci dicevano alla scuola di polizia. Entrò nell'ufficio, che negli ultimi giorni aveva subito una serie di cambiamenti nella disposizione dei mobili al passo con le esigenze dell'inchiesta in corso. La scrivania era però rimasta al suo posto, e lui vi sprofondò dietro dopo aver salutato con un cenno tutti gli altri.

Servinus era seduto al suo solito posto. Tolltse e Lauremaa pure, così come uno degli ultimi due contributi giunti dalla polizia di Maardam, l'ispettore Jung. L'altro contributo, quel singolare sovrintendente Reinhart, era in piedi a fumare la pipa attraverso la finestra aperta, e la sedia del commissario Van Veeteren era vuota, come di consueto.

Eccoci qui, pensò Kluuge quando Suijderbeck finalmente ricomparve. È tempo che ci rimettiamo in moto, allora.

«È tempo che ci rimettiamo in moto, allora» disse di conseguenza.

«Buona idea» commentò Reinhart.

«Devo dire» riconobbe Servinus «che mi dà sempre un po' fastidio quando la gente comincia a bruciare le chiese. Nonostante il mio ateismo profondamente radicato.»

«Adesso inizia davvero a essere un po' troppo» concordò Kluuge.

«Sta prendendo il sopravvento la plebaglia» affermò Lauremaa. «Ci sono davvero tutti i motivi per risolvere questo caso al più presto. L'avrete sentito quello psicologo alla TV, no? Questo genere di cose istiga sempre alle imitazioni... e noi sappiamo come funzionano i piromani, vero?»

«Certo» disse Reinhart. «Ma adesso infischiamocene di Stamberg. Avranno certamente le loro forze di polizia laggiù, oso sperare.»

«Sì, credo di sì» concordò Suijderbeck. «Con ogni probabilità perderemo anche una cinquantina di giornalisti, perciò ho idea che non sarà necessario stare a piangere tutto il giorno...»

«No, ma adesso vorrei essere informato» lo interruppe Reinhart. «La scienza anzitutto, se posso esprimere un desiderio.»

«Ok» disse Kluuge, stiracchiandosi. «In sintesi, si può senz'altro dire che tutte le supposizioni sono state confermate. Katarina Schwartz era morta da circa due settimane quand'è stata ritrovata... perciò si finisce intorno al 16 luglio. Per quanto mi sembra di capire, dovrebbe concordare abbastanza bene con gli altri dati che abbiamo. Tolltse?»

L'ispettrice Tolltse sfogliò il suo taccuino.

«Sì, probabilmente quadra» disse. «Noi... l'ispettrice Lauremaa e io cioè, abbiamo parlato di nuovo con cinque delle ragazze e, a quanto sembra, Katarina Schwartz dovrebbe essere sparita proprio allora. Forse qualche giorno prima, il 14 o il 15, ma loro non hanno le idee ben chiare sulle date. Nessuna ha tenuto un diario e, a quanto pare, non c'era in giro nemmeno un calendario laggiù. Almeno, non dove stavano le ragazze.»

«Fuori del tempo e dello spazio» borbottò Servinus.

«Le circostanze, allora?» chiese Reinhart, impaziente. «Si può almeno supporre che la ragazza sia scomparsa in un certo momento della giornata. Oppure si è dissolta, come dire, gradualmente?»

«No, ci sono circostanze precise» confermò Lauremaa. «Come prima cosa è stato imposto a tutte di dimenticare che fosse mai stata alla colonia... Dev'essere stata la sua scomparsa quella per cui la sconosciuta ha telefonato la prima volta, ma fin dall'inizio sia la direzione sia le ragazze hanno negato che ci fossero mai state più di dodici partecipanti al campo. Certo non è facile comprendere il motivo e la logica di tutto questo: personalmente ritengo che dimostri la pazzia di Jellinek in maniera più chiara di qualsiasi altro fatto, ma quando le ragazze alla fine cominciano a riconoscere che in effetti c'era stata una Katarina Schwartz con loro fino al... diciamo fino al 15 luglio, ecco, allora piano piano salta fuori anche dell'altro.»

«Per esempio che cosa?» volle sapere Reinhart.

«Dati temporali, anzitutto» proseguì l'ispettrice Tolltse. «La ragazza è scomparsa di notte. È andata a dormire come al solito nel suo letto la sera, e il mattino dopo non c'era più.»

«Sicuro?» domandò Suijderbeck.

«Sicuro» confermò Lauremaa.

«Cosa?» disse Suijderbeck. «Deve significare che il colpevole l'ha praticamente tirata giù dal letto. Questo non riduce piuttosto drasticamente la scelta dei candidati?»

«Certo» disse Lauremaa. «Se escludiamo che sia uscita di sua iniziativa, è ovvio.»

«Uscita?» chiese Suijderbeck. «E cosa diavolo poteva andar fuori a fare?»

Lauremaa si strinse nelle spalle.

«Non chiederlo a me. Non è impossibile, in ogni caso, anche se ammetto che è un po' inverosimile.»

«Non che ci sia granché di verosimile, in tutta questa storia» commentò Servinus. «Altro?»

Tolltse voltò pagina.

«Abbiamo ancora una cosetta» disse. «Forse solo una bagattella, ma non si sa mai. C'è stata anche una specie di controversia, in cui era implicata Katarina. Ne ha fatto cenno Marieke Bergson, del resto... cioè la prima ragazza che il commissario ha interrogato.»

«Controversia?» domandò Reinhart. «Che controversia?»

«Qualcosa fra lei e Jellinek» disse Lauremaa. «La ragazza aveva sbagliato in qualche modo. Gli deve aver detto qualcosa, chissà che, non siamo riusciti a farcelo specificare da nessuna delle ragazze.»

«Senz'altro hanno un po' paura anche di questo aspetto» spiegò Tolltse.

«Aha» fece Reinhart. «Una piccola ribelle in paradiso?»

«Forse» disse Lauremaa. «Pensare con la propria testa non deve essere un'attività particolarmente incoraggiata, nella loro educazione. In ogni caso, sembra che Jellinek abbia avuto un colloquio privato con la ragazza, la notte prima della sua scomparsa...»

Ci fu qualche secondo di silenzio. Poi Suijderbeck si schiarì la gola e si chinò in avanti poggiandosi sui gomiti.

«Perciò tutt'e due... voglio dire, tutt'e due quelle povere ragazzine... erano uscite un po' dalla retta via?» chiese. «Clarissa si era un po' tradita con il commissario, non è così?»

«Sì, certo» confermò Kluuge. «C'è una concordanza, qui.»

Seguì qualche secondo di silenzio. Poi Servinus picchiò il pugno sul tavolo.

«Jellinek!» gemette. «Se avessi quel bastardo di buon pastore qui adesso, gli farei colare del piombo fuso nel didietro, porco diavolo!»

«Penso che dovresti sviluppare questo concetto in sede di conferenza stampa» propose Reinhart.

«Mmm» fece Kluuge. «Forse potremmo andare avanti adesso. Oppure Tolltse e Lauremaa hanno dell'altro?»

«No» disse Lauremaa. «A parte il fatto che ci è parso di vedere il commissario Van Veeteren in un ristorante... quando eravamo a Stamberg a parlare con le ragazze.»

«Ah, ma guarda» disse Suijderbeck. «Avete anche visto cosa stava mangiando?»

Non ottenendo risposta, si accese una sigaretta.

«Quanto alle lesioni sui corpi» riprese Kluuge, «ne abbiamo già abbondantemente parlato. Non è emerso nulla di nuovo. La procedura è stata a grandi linee la medesima in entrambi i casi... Sì, penso che nessuno di noi creda che abbiamo a che fare con due diversi criminali...»

«Nessuno» confermò Servinus.

«Allora forse dovremmo concentrarci su quella famosa domenica sera» propose Kluuge. «Su questo punto abbiamo ricavato qualcosa, chiaramente. Chi di voi...?»

Passò con lo sguardo da Reinhart a Jung.

«Può parlarvene Jung» disse Reinhart. «Altrimenti finisce che si addormenta.»

«Grazie» disse Jung. «Ecco, se mettiamo insieme i risultati di Reinhart e i miei, forse possiamo azzardarci a trarre alcune conclusioni. Sembrerebbe in effetti che Oscar Jellinek sia scomparso da Waldingen già nella serata di domenica. Se le informazioni sono corrette, quelle che abbiamo ricevuto ieri da quella ragazza, la Moulder, e da Ulriche Fischer, ecco, allora la cosa più credibile è che abbia lasciato la colonia appena prima delle dieci. Ha parlato un momento con la ragazza dopo la preghiera serale e poi si è allontanato, dirigendosi probabilmente allo scoglio... dove Belle Moulder aveva lasciato Clarissa Heerenmacht quattro ore prima, pressappoco. Dopo di che... sì, dopo di che nessuno evidentemente l'ha più visto. »

« Tutto questo contiene comunque una buona parte di congetture, o no? » disse Servinus, con aria un po' perplessa.

« Certamente » concesse Reinhart, « ma le nostre congetture di solito si rivelano esatte. Dipende ovviamente da come giudichiamo la quantità di vero che c'è nella piccola mossa della signorina Fischer, ma se la colleghiamo con quello che il commissario è riuscito a cavare a quell'altra... com'è che si chiamava? »

« Mathilde Ubrecht » suggerì Kluuge.

« Giusto. Se mettiamo insieme le loro due parsimoniose dichiarazioni, tutto sta a indicare una cosa soltanto. Che non sembrano sapere dove diavolo sia finito. »

« Perciò quella storia che ha incontrato Dio e ricevuto un incarico, e che era un periodo di prova, sarebbe stata confezionata da quelle donne, allora? » chiese Lauremaa.

Reinhart alzò le spalle.

« Perché no? » rispose. « L'importante era comunque riuscire a far tacere le ragazze, suppongo. Sì, credo che regga. »

Ci fu di nuovo silenzio.

« La terza, allora? » suggerì Tolltse. « Madeleine Zander. Forse non dovremmo dimenticare che erano in tre. È un po' una semplificazione fare continuamente di ogni erba un fascio. È vero che all'esterno formano un gruppo compatto, ma nulla ci dice che all'interno non ci siano delle crepe... magari un sacco di crepe, in realtà. »

« E profonde » completò Servinus. « Personalmente trovo che sia quasi contro le leggi di natura che tre donne possano formare un gruppo così compatto. E mantenere il silenzio, per giunta. »

« Filosofia da parrucchiere » commentò Lauremaa.

« Parrucchiere da uomo » aggiunse Tolltse.

« A meno che non si tratti di umiliare un uomo, si capisce » disse Servinus.

Kluuge cominciò ad assumere un'aria preoccupata.

« Su, su » si intromise con circospezione. « Sono incline a concordare con il sovrintendente Reinhart, su questo punto.

Regge. La questione è soltanto dove arriviamo, con ciò... sapendo che sarebbero del tutto all'oscuro. Voi che ne pensate?»

Nessuno fece in tempo a pensarne alcunché, perché nello stesso istante la porta si aprì di venti centimetri e la signorina Miller mise dentro la testa.

«Scusate» disse. «C'è una telefonata per il commissario.»

«Non ora» cominciò Kluuge. «Le ho spiegato che...»

«Credo che possa essere importante» insistette la signorina Miller.

«*All right*» disse Kluuge. «La prendo di là, allora.»

Si scusò e lasciò la stanza.

«Allora, era l'assassino che chiamava per costituirsi, immagino?» disse Suijderbeck quando Kluuge ricomparve.

«Non esattamente» rispose il commissario supplente.

«Perché sei così bianco in faccia?» domandò Servinus. «Non ti senti bene?»

«Verde» lo corresse Suijderbeck. «Tende di più al verde, mi pare.»

Kluuge si sedette.

«Era la signora Kuijpers, di Waldingen» spiegò. «Sostiene di aver trovato un altro cadavere... sì, o che l'hanno trovato i suoi cani, piuttosto.»

«Santo cielo» esclamò Tolltse.

«Un altro ancora?» disse Reinhart. «Che diavolo...?»

«Quei simpatici cagnolini?» disse Suijderbeck.

«Non è solo quello» continuò Kluuge. «Sembrava anche sicura di chi si trattava.»

«Chi?» domandò Lauremaa.

«Oscar Jellinek» rivelò Kluuge, e sospirò. «Se il nome vi dice qualcosa.»

VI

31 luglio – 1° agosto

34

La quarta persona che perse la vita per gli eventi legati al campo estivo organizzato dalla Vita Pura nei boschi di Sorbinowo quell'estate fu un certo Gerald deGrooit.

DeGrooit aveva cinquantasette anni e da oltre due decenni lavorava come responsabile dell'attualità al giornale «Telegraaf», gli ultimi tre anni in posizione dirigenziale. Aveva moglie e due figli, e la fama di essere un buon marito e padre, esperto e competente nella sua professione, ancorché un tantino collerico quando in redazione il ritmo diventava un po' troppo stressante; e l'infarto che pose fine alla sua carriera di giornalista e alla sua esistenza terrena in realtà non giunse come una sorpresa per la cerchia più intima dei suoi colleghi di lavoro. Avere la responsabilità di gestire, con la redazione a ranghi ridotti a causa delle ferie, due notizie-bomba come l'incendio doloso di Stamberg e l'omicidio del prete a Sorbinowo – nella stessa infausta giornata! – ecco, per il redattore deGrooit fu proprio la goccia che fece traboccare il vaso.

Probabilmente il «Telegraaf» era anche l'unico quotidiano dell'intera nazione che non avesse un reporter a Waldingen in quel torrido mercoledì.

Almeno, il sovrintendente Reinhart considerò che mai in vita sua aveva visto così tanti pennivendoli in una volta sola. Non in un bosco, almeno. Mentre la squadra addetta all'esame del luogo del delitto gironzolava ancora all'ora di pranzo nella canicola all'interno della zona sbarrata alla ricerca di indizi, Reinhart stabilì il rapporto di presenza fra le forze dell'ordine e il quarto potere a circa venticinque contro settantacinque.

In percentuale, naturalmente. In numero reale le cifre andavano quasi raddoppiate. Venti uomini delle volanti di Oostwerdingen, Rembork e Haaldam erano stati chiamati in tutta fretta; la poco fortunata pattuglia addetta alla ricerca delle tracce era di nuovo sul posto e insieme con gli investigatori, i medici e i tecnici giustificava pienamente il fatto che tutte le trasmissioni speciali alla radio come alla televisione parlassero di mobilitazione generale. Se davvero era stato uno dei segni distintivi della Vita Pura (almeno dopo il primo processo contro la setta) quello di mantenere un profilo basso nella pratica della fede, ebbene quel giorno tale desiderio venne frustrato in misura quasi caricaturale. Notiziario dopo notiziario, per tutto il pomeriggio e la sera, reporter eccitati strombazzarono le ultimissime da Waldingen, Sorbinowo e Stamberg. Una mezza dozzina di psicologi e altri esperti di scienze comportamentali di diverse scuole si espresse baldanzosamente su questo e quest'altro, così come una manciata di criminologi, un gruppetto di aderenti a sette religiose (non necessariamente collegati alla Vita Pura), due teologi barbuti, un ex piromane e un vescovo in vacanza.

A Waldingen non andava molto meglio. A poca distanza dal luogo del ritrovamento (situato circa quattrocento metri a sinistra del luogo del ritrovamento numero uno e circa seicento metri dal cosiddetto scoglio) furono ben presto organizzate delle piccole comodità a beneficio di tutte le persone coinvolte: due pratiche toilette portatili (una per ogni sesso), uno spaccio di birra e bibite, un chiosco che vendeva panini e due banchetti ambulanti che preparavano hot dog. La città di Sorbinowo aveva routine flessibili e collaudate, quando si trattava di far fronte a un'affluenza improvvisa di turisti.

Una prima conferenza stampa (più tardi riportata in centoundici media nazionali, calcolò qualcuno) si tenne tra le due e le due e mezzo fuori sulla terrazza dell'edificio principale della colonia, e non fu affatto un successo. In un paio di occasioni, contro la direzione delle indagini fu sferrata una critica così diretta che il sovrintendente Suijderbeck si vide obbligato a dare una lavata di capo a un reporter della radio, pesante sia di fisico che di parole, in termini tali che dopo si guadagnò una reprimenda dal guardasigilli in persona.

Sì, proprio un mercoledì infernale.

Verso le diciotto, la squadra investigativa duramente provata decise di lasciare Waldingen nelle mani del corpo di vigilanza di Oostwerdingen insieme con reporter, gente comune e Tizio, Caio e Sempronio eventualmente rimasti sul posto. Le tracce e i fili conduttori che si erano potuti salvare erano stati salvati. Le investigazioni che si erano potute fare erano state fatte, gli interrogatori dei vicini (le famiglie Fingher e Kuijpers) si erano conclusi (almeno la prima tornata), e le spoglie terrene del pastore Jellinek erano state composte nel bodybag e viaggiavano nella loro stessa carovana in direzione di Sorbinowo.

Su consiglio di Reinhart, Kluuge aveva ordinato due ore di riposo, prima di tornare nuovamente a sedersi intorno a un tavolo per continuare e approfondire la discussione; una decisione che fu accolta con controllato entusiasmo.

Per parte sua, durante questa tregua, Reinhart si isolò nella sua stanza. Jung cenò insieme a Suijderbeck e Servinus al Florian, mentre Tolltse e Lauremaa, a quanto pareva, scelsero di fare un picnic e una breve nuotata nel lago.

Il commissario andò a casa dalla sua Deborah e le disse che la amava, e che aveva intenzione, non appena ne avesse avuto il tempo, di intraprendere studi indirizzati a un settore professionale completamente diverso. Guardiano di faro, frate trappista o qualsiasi altra cavolo di occupazione.

Dopo che ebbe parlato per la terza volta con il portiere dell'hotel Glossmann a Stamberg, e ricevuto la stessa risposta negativa circa il signor Van Veeteren (commesso viaggiatore in strumenti a fiato in legno e libretti), Reinhart si arrese e invece telefonò a Winnifred Lynch. Parlarono venti minuti di amore, di ostetricia, di bei nomi e del fatto se poteva far bene bere vino rosso durante la gravidanza, e quando ebbe appeso il ricevitore fu colpito da un paio di secondi di vuoto assoluto durante i quali non ebbe la minima idea di dove si trovasse.

O perché.

Ma poi gli tornò in mente.

«Bene, adesso vi faccio io il riassunto» esordì Suijderbeck. «Non ho la forza di stare ad ascoltare qualcun altro, dovete scusarmi... e non correggetemi se sbaglio.»

«Siamo tutt'orecchi sordi» disse Reinhart, ma Suijderbeck non colse la battuta.

«Oscar Augustinus Jellinek è rimasto cadavere a Waldingen per circa dieci giorni. Non c'è nulla che stia a indicare che non sia morto proprio quella famosa domenica sera in cui è successo tutto il resto. Il 21 luglio. Perché avrebbe dovuto fuggire e nascondersi per poi tornare per farsi ammazzare, ecco, è una cosa che almeno io non capisco... anche se sono pronto ad ammettere che ci sono un bel po' di altre cose in questa zuppa che non riesco a capire.»

«Sei in buona compagnia» disse Lauremaa.

«Contrariamente alle due ragazzine uccise» continuò Suijderbeck, «il pastore Jellinek non presenta nessun segno di violenza sessuale... per prendere a prestito l'elegante formulazione di Servinus alla TV.»

«Ma va' a...» accennò Servinus.

«Sempre a differenza delle ragazze, è deceduto in seguito a trauma cranico. Che cosa dice l'ultimo referto del medico legale?»

Kluuge cercò il foglio.

«Vari colpi violenti inferti con un oggetto affilato. Ancora non si sa di che cosa si tratti... qualcosa di piuttosto pesante con i bordi affilati... o almeno un bordo affilato.»

«Quanti colpi?» domandò Jung.

«Più di quanti fossero necessari» rispose Reinhart. «Dieci o undici. Probabilmente l'assassino ha continuato a colpire anche dopo che Jellinek era morto. Forse è andato subito a segno, ma non era sicuro...»

«Non particolarmente professionale, in altre parole» riprese Suijderbeck. «Quasi spinto dal panico, piuttosto. Se dobbiamo credere agli esperti... diversi colpi sul petto e nella zona scapolare, anche... Sì, un accenno di disperazione c'è senz'altro, nel quadro.»

«E nessuna resistenza» aggiunse Jung.

«Chiaramente» disse Servinus. «Ma ci vorrà ancora qualche giorno prima che l'analisi sia completa.»

«Che cosa stanno cercando?» domandò Kluuge. «Frammenti sotto le unghie e cose del genere?»

«Sì» rispose Reinhart. «E capelli e forfora e impronte digitali.»

«Dopo dieci giorni?» si stupì Tolltse. «Può essere davvero una buona idea?»

«La forfora è quasi impossibile da eliminare» affermò Jung, grattandosi la testa.

«C'è stata anche quella pioggia torrenziale, poi» ricordò Kluuge. «Quando è stato...»

«Adesso vorrei riprendere la mia esposizione» lo interruppe Suijderbeck. «Probabilmente neanche lui è stato ucciso dov'è stato ritrovato, il nostro caro pastore. Anche se questa volta l'assassino ha cercato di occultare il cadavere... una pura coincidenza che quei cagnetti l'abbiano fiutato. Una montagna di vecchi rami e rametti d'abete, sì, l'abbiamo visto con i nostri occhi... eppure avrebbe potuto essere nascosto ancora meglio.»

«Se ce ne fosse stato il tempo» intervenne Servinus.

«Il tempo, sì...» disse Suijderbeck, con aria pensosa.

«La signorina Miller non doveva procurarci caffè e panini?» si domandò Reinhart maneggiando con aria incerta pipa e sacchetto del tabacco.

«Sarà qui alle dieci» promise Kluuge. «Ancora una mezz'oretta. Allora? C'è altro? Qual è la vostra opinione?»

Adesso Suijderbeck sembrava essersi stancato di riassumere. Si alzò e cominciò a gironzolare per la stanza.

«Prurito nella protesi» spiegò. «È sempre così, quando il cervello si ferma.»

«Questi Kuijpers» disse Servinus «sono una coppia piuttosto stravagante, o no?»

«Ne ho viste anche di più stravaganti» disse Tolltse. «Personalmente non trovo che i Fingher siano molto meglio.»

Ci fu qualche secondo di silenzio.

«Non penserete che siano coinvolti in qualche modo?» chiese Lauremaa, aggrottando la fronte.

Suijderbeck si fermò.

«Difficile» disse. «Anche se, comunque la si giri, qualcuno dev'essere pur stato.»

«Pensiero acuto» commentò Lauremaa.

«C'è nessuno che sappia trarre qualche altra conclusione... possibilmente sensata?» domandò Tolltse facendo scorrere lo sguardo intorno al tavolo. «Perché allora lo faccio io.»

«Prego» la invitò Reinhart, e accese la pipa.

«Non è stato Jellinek a uccidere le due ragazze» affermò Tolltse.

«Davvero?» disse Jung. «Ne sei proprio sicura? Probabilmente non si è ammazzato da solo, su questo sono d'accordo, ma per quanto ne sappia può ancora essere colpevole degli altri due omicidi.»

L'ispettrice Tolltse rifletté.

«*All right*» disse. «Ritiro ciò che ho detto. Chi è stato a uccidere lui, allora? Non è questo, che dobbiamo scoprire?»

«Ottima domanda» commentò Servinus. «Dov'è che le andate a prendere voi donne?»

Reinhart soffiò una nuvola di fumo diversiva sopra il campo di battaglia.

«Non so chi abbia ammazzato Jellinek» disse. «Ma so che è ora di metterlo a confronto con le sue tre amanti che stanno a Wolgershuus. Sì, il fatto che lui è morto, volevo dire. Prima lo si fa, meglio è. Se non abbiamo niente di più sensato da fare, propongo che ci occupiamo di questo dettaglio senza ulteriori indugi.»

Kluuge si guardò intorno in cerca di opinioni nell'una o nell'altra direzione. Non riuscendo a coglierne traccia, si schiarì la gola e prese la decisione al volo.

«Esatto» stabilì. «Diciamo così. Reinhart e Jung possono andare là, dovrebbero bastare loro due... forse è meglio che le affrontiate una per volta, cosa ne dite?»

«Come dovremmo comportarci altrimenti?» sbuffò Reinhart. «Quanto a mostrare il cadavere, per ora aspettiamo. Dovrebbe bastare un video con la notizia e qualche giornale... nel caso non dovessero crederci.»

«Ce l'abbiamo, un video con la notizia?» domandò Jung.

Kluuge scosse la testa, con aria infelice.

«Probabilmente è possibile prepararne uno, ma temo che ci voglia un po' di tempo.»

«Non importa» tagliò corto Reinhart. «Può andare benissimo una radio, in fondo trasmettono il notiziario otto volte ogni ora. Dovremmo riuscire a convincerle che il principe della luce è morto.»

«Il principe della luce» gli fece eco Suijderbeck. «Al diavolo.»

«Aspetta un attimo» disse Servinus. «Non potrebbe essere che quelle lo sappiano già, semplicemente?»

«Sono isolate» gli ricordò Kluuge. «Ho telefonato a Schenk e dato severe disposizioni prima di uscire questa mattina.»

«Bene» disse Reinhart.

«Chi è Schenk?» chiese Servinus.

«Dà il cambio a Matthorst, di tanto in tanto» rispose Kluuge. «E probabilmente ce n'è bisogno. Matthorst dice che ha cominciato a sentirsi un po' strano.»

«Ci credo» commentò Tolltse. «È là da quando ci sono state portate le tre grazie.»

«C'è gente che è lì da quindici anni» le ricordò Suijderbeck.

«In ogni caso...» mormorò Lauremaa. «Voglio dire, se quelle tre gentili signore sanno qualcosa della morte di Jellinek, vorrebbe dire che l'hanno sempre saputa?»

«Esatto» confermò Reinhart. «E allora sono cazzi. Su, ispettore, è ora che ci muoviamo.»

«Lasciateci un paio di panini» concluse Jung, e si alzò.

«C'è nessuno che ha qualche notizia del commissario?» chiese Lauremaa quando Reinhart e Jung se ne furono andati.

«Neanche l'ombra» disse Suijderbeck. «Devo dire che avevo iniziato a nutrire una certa fiducia in lui, ma adesso comincia a somigliare a un disertore qualsiasi. Di che cavolo si starà occupando?»

«Ah, non lo so di certo» sospirò Kluuge. «Proviamo a combinare qualcosa, che ne dite? Forse sarebbe bene se cercassimo di fare una figura migliore alla conferenza stampa di domani.»

«Io ci rinuncio volentieri» disse Suijderbeck.

«Avevo quasi pensato di suggerirtelo» ribatté Lauremaa, e sorrise per la prima volta in tutta la giornata.

35

Van Veeteren incontrò Marie-Louise Schwartz in una villetta a schiera all'estrema periferia meridionale di Stamberg. La visita si protrasse per un'ora, e cinquanta minuti di quest'ora il commissario li passò sprofondato in una poltrona rivestita di cretonne a guardare la padrona di casa che piangeva in un'altra poltrona di cretonne.

Di tanto in tanto la donna riusciva a ricomporsi un po', ma non appena lui le faceva una domanda, scoppiava di nuovo in lacrime. Un po' alla volta il commissario si stancò anche di tentare; si limitò a starsene seduto dov'era, e lasciò che fosse la sua disperazione a parlare.

Forse poteva anche avere una sua utilità, pensò, e, quando la lasciò, lei gli prese entrambe le mani e lo guardò con gli occhi pieni di lacrime. Come se veramente lui avesse fatto qualcosa, dato prova di grande calore e umanità, o quel che fosse. Forse non aveva nemmeno capito che era un poliziotto. Riuscì a spiegare che gli era molto grata di essere venuto, e che adesso sarebbe salita in camera da letto al piano di sopra per vedere come stava suo marito, che aveva difficoltà a gestire il proprio dolore.

Santo cielo, pensò Van Veeteren.

Si congedò, uscì e si sedette in macchina; quindi girovagò senza meta per mezz'ora ascoltando Pergolesi e Händel. Quando parcheggiò di nuovo dietro l'hotel Glossmann per recuperare il suo bagaglio, accese per caso la radio e sentì che Oscar Jellinek era stato trovato morto nei boschi di Waldingen.

Per un attimo non capì se stava sognando o se era sveglio.

Poi si rese conto che non aveva nessuna importanza.

*

Il successivo incontro era stato fissato per le diciannove (c'erano svariati impegni, figli da andare a prendere e da mettere sul treno, accordatori di pianoforti da istruire e via dicendo), e lui trascorse tutto il pomeriggio spostandosi fra diversi caffè, sfogliando il suo Klimke e seguendo le trasmissioni radio e televisive. Col passare delle ore cominciarono anche a comparire i primi giornali della sera e, come al solito, non migliorarono le cose.

Un paio di volte telefonò alla stazione di polizia di Sorbinowo, ma riuscì solo a sapere dalla signorina Miller che gli altri si trovavano fuori nei boschi, ed evitò di lasciare messaggi.

Tutto sommato, non aveva nulla da comunicare.

Più che una vaga intuizione alla quale non aveva ancora trovato conferma.

E che non andava esattamente d'accordo con gli ultimi sviluppi della vicenda. Con l'omicidio di Oscar Jellinek. Oppure sì?

Tanto valeva lasciarli lavorare in santa pace, pensò.

Tanto valeva tenersi in disparte e lasciare che subentrassero gli altri. In fondo, non era quello che aveva già deciso di fare?

Lei era seduta al caffè ad aspettarlo, come avevano concordato, e lui si chiese nuovamente perché avesse preferito incontrarlo lì anziché a casa.

Per proteggere la sua vita privata? pensò, accomodandosi sulla sedia di fronte. Per mantenere comunque qualcosa di sacro e inviolato? Forse la si poteva anche capire, in tal caso.

Si presentò e lei gli tese una mano nervosa attraverso il tavolino.

«Sì, ecco» disse la donna. «Mi spiace di non essermi potuta liberare prima. Ne sono successe parecchie, oggi.»

Lui annuì e tirò fuori uno stuzzicadenti. Quadra, pensò d'improvviso. Glielo vedo in faccia. Come accidenti facevo a saperlo?

«Lei sa di cosa le voglio parlare?»

Era un grosso azzardo, ma lui aveva deciso per quella mossa d'apertura. In realtà non c'erano molte altre strade praticabili. Mosse alternative.

Lei esitò un attimo.

«Sì, credo...»

Lui capì che non era proprio il caso di metterle fretta. Era più importante darle tutto il tempo e lasciare che le cose venissero nell'ordine che le sarebbe sembrato più naturale. O meno sgradevole.

«Eravamo insieme da otto anni quando me ne accorsi» cominciò la donna. «Otto anni... e sposati da cinque.»

«Sono cose che possono svilupparsi anche in un secondo tempo» suggerì lui. «Non è necessario che ci fossero state da sempre.»

Lei annuì.

«Anch'io ho cercato di pensare in questi termini, ma non so se possa essere una consolazione... È così... sì, così maledettamente incomprensibile. Non è possibile da capire, ecco l'unica conclusione cui sono arrivata. Questa cosa non potrò mai digerirla, devo dimenticarla e seppellirla... Credevo che fosse l'unica possibilità, ma adesso capisco che anche questo era sbagliato.»

Fece una pausa e frugò nella borsetta. Comparve un cameriere e, senza consultarla, Van Veeteren ordinò caffè e cognac per tutti e due.

«Racconti» la esortò quando lei si fu accesa una sigaretta.

Lei grattò via con l'unghia dell'indice una macchia di cera dalla tovaglia e sbatté gli occhi un paio di volte. Il commissario si accorse che stava trattenendo il respiro; come se fosse la sua presenza a riportare alla luce quelle vecchie atrocità, ma si trattasse di minimizzarne gli effetti.

«Durò troppo tempo» cominciò lei. «Ciò che non mi posso perdonare è di aver lasciato che andasse avanti per così tanto tempo, anziché reagire subito ai primi segnali. Più di sei mesi... semplicemente non riuscivo a credere che fosse vero. È il genere di cose di cui si legge sui giornali e... Sì, lei sa cosa intendo.»

Van Veeteren annuì.

«Fu nella vasca da bagno, che lo sorpresi. Judith aveva solo cinque anni, ma era comunque abbastanza grande per capire di che cosa si trattasse... e per vergognarsi. La cosa più incomprensibile di tutte è che lui potesse comportarsi come se nulla fosse.»

«Confessò?»

Lei tirò una boccata di fumo e sorseggiò il cognac prima di rispondere.

«No» disse. «O forse, in un certo senso, sì. Fece finta di non capire di cosa stessi parlando... d'altro canto, accettò immediatamente di separarsi. Se ne andò... Lo costrinsi a fare le valigie quel giorno stesso.»

«Non vi vedete mai?»

«No. Non appena ebbi superato lo shock, mi rivolsi a un avvocato. Mi preparai a dover dare battaglia, ma non ci fu mai nessuna battaglia. Lui mollò tutto e ci lasciò senza una parola... È questo che considero come la prova che ammetteva la sua colpevolezza.»

Seguì una nuova pausa. Van Veeteren spezzò uno stuzzicadenti e prese invece una sigaretta.

«Fin dove si era spinto?» domandò.

«Molto in là» si limitò a rispondere lei.

«La fece visitare da un medico?»

Lei annuì.

«Sì, volevo sapere... sì, era andato fino in fondo. Su questo non c'erano dubbi.»

Il commissario sentì ancora una volta un'ondata di nausea impotente crescergli dentro, e bevve tutto il cognac che aveva nel bicchiere come antidoto.

«E quando succedeva tutto questo?» domandò.

«Quattro anni fa» rispose lei. «Quattro anni e due mesi...»

«Non sporse nessuna denuncia?»

«No» disse lei, con un pesante sospiro. «Non lo feci...»

Van Veeteren osservò le sue mani strette intorno al bicchiere. Avrebbe potuto rimproverarla, adesso. Inasprire il tono di voce e chiederle come aveva potuto trascurare una cosa così importante, ma non ce n'era motivo.

Nessun motivo di tormentarla ulteriormente; l'intero colloquio era durato meno di dieci minuti e si era svolto proprio come aveva immaginato.

O, piuttosto, temuto.

Saputo?

« Cercherò di fare in modo che non veniate coinvolte » disse.
« Ma è difficile prevedere come andrà... »

Lei lo interruppe.

« Mi metto a disposizione » dichiarò. « Non deve preoccuparsi, non ho intenzione di fare un'altra volta lo stesso errore. »

« Quand'è così » disse Van Veeteren. « Mi farò vivo se ce ne
sarà necessità. »

Si strinsero di nuovo la mano e lui se ne andò. Fuori in strada si accorse che stava gelando, e che era un freddo che non aveva nulla a che fare con la serata estiva ancora calda e piacevole. Proprio nulla.

Cercò una cabina telefonica e provò nuovamente a telefonare a Sorbinowo, ma sentì solo il messaggio registrato della signorina Miller che diceva che la stazione di polizia per quel giorno aveva chiuso i battenti e che si poteva chiamare uno dei due numeri che forniva, se si avevano da trasmettere informazioni sul caso Waldingen.

Sì, pensò Van Veeteren. Credo di poter proprio dire che ne ho.

Tuttavia non fece altre telefonate. Nonostante tutto, rimanevano dei punti interrogativi – circa la morte di Jellinek, per esempio – e ciò che più lo allettava era poter servire ai colleghi l'intera soluzione su un vassoio d'argento. Completa e impacchettata.

Un argomento che puzzava di vanità, si capisce, ma se davvero quello era il suo ultimo caso, forse gliela si poteva anche perdonare.

E poi non c'era niente, ma proprio niente, che aiutasse a risolvere gli interrogativi rimanenti di un bel viaggio in macchina. Un lungo, tranquillo viaggio in macchina nella notte.

Si soffermò un attimo a riflettere. Insieme con Penderecki,
decise poi.

Ancora una volta Penderecki.

36

«Sono le dodici meno cinque» disse Reinhart. «Tanto vale che andiamo direttamente in albergo. Non credo che saranno ancora lì a elaborare piani.»

«Possiamo sempre telefonare per controllare» propose Jung. «Anche se cosa diremo di quelle tre signore, proprio non lo so.»

«Sì, accidenti» gemette Reinhart. «Lauremaa, in ogni caso, non aveva del tutto torto quando parlava di differenze tra di loro.»

«Certo» disse Jung, soffocando uno sbadiglio. «Però bisogna ammettere che l'intera situazione non sta né in cielo né in terra, vero?»

La visita a Wolgershuus era stata portata a termine, e forse la definizione di Jung non era la più adeguata al contesto. Ma cercando di riassumere la propria impressione, su due piedi, non era riuscito a trovarne di migliori. Sapeva solo che non aveva mai visto niente di simile. Mai.

Qualcosa che non stava né in cielo né in terra. Eppure loro avevano seguito la tattica stabilita punto per punto. Discrezione. Atteggiamento professionale; non più chiasso di quanto richiedessero la necessità e la situazione. Senza grande difficoltà avevano trovato uno spazio neutrale, delimitato quanto bastava, dove poi avevano fatto condurre le donne per comunicare loro la notizia senza tanti ornamenti.

La notizia della morte di Oscar Jellinek.

Una alla volta, secondo l'ordine. Per prima, Madeleine Zander.

Reazione: nessuna. Li ascoltò per mezzo minuto, quindi girò i tacchi e lasciò la stanza. A Jung sembrò di aver notato un paio di lievi spasmi a un angolo della bocca, ma nient'altro. Sia lui che Reinhart si erano innegabilmente sentiti un po' a disagio dopo quella prima ronda. E quando poi Mathilde Ubrecht fu fatta entrare e messa di fronte allo stesso scarno comunicato proposto alla sua amica, Jung cominciò a nutrire un certo timore che avrebbero assistito alla stessa muta reazione tre volte di fila. Lo stesso inflessibile autismo.

Tuttavia non andò così. Nella signorina Ubrecht ci fu invece un argine che si ruppe. Prima che loro avessero fatto effettivamente in tempo a rendersi conto di ciò che stava per succedere, lei aveva già distribuito un buon numero di pugni e di calci, colpendo la testa di Jung, lo stinco di Reinhart, la schiena di Jung, aveva scagliato una sedia e un vaso attraverso la stanza e si era gettata urlando dritto contro un muro. Quest'ultimo gesto, si poteva presumere, almeno, in un disperato tentativo di ridursi in stato d'incoscienza. Gradualmente erano riusciti a inchiodarla sul pavimento, e quando i ben più temprati infermieri erano sopraggiunti, le sue urla avevano cominciato a trasformarsi in una sorta di gorgoglio epilettico. Il più anziano degli infermieri aveva preso senza tante storie una siringa e gliel'aveva infilata in pancia, dopo di che lei era caduta addormentata nell'arco di dieci secondi.

In vista del terzo confronto, con Ulriche Fischer, quella delle tre con cui Jung aveva già parlato, gli infermieri si fermarono in una stanza adiacente, ma quando Reinhart le gettò in faccia la notizia, stavolta con evidente cautela e con la guardia alzata, lei per i primi secondi reagì solo con lo stesso silenzio di Madeleine Zander. Poi si accasciò sopra il tavolo, si circondò la testa con le braccia e scoppiò a piangere.

Un pianto rumoroso, lamentoso, come se un grande dolore le fosse finalmente esploso dentro dopo essere rimasto troppo a lungo incapsulato, un'analisi che in larga misura quadrava anche con le poche frasi che poi riuscirono a cavarle.

«Me lo sentivo!» gemeva, passandosi avanti e indietro i pugni chiusi sul viso e sulla testa. «Non poteva essere diversamente! Non poteva averci abbandonate a quel modo! Non poteva!»

Molto di più non disse, e l'ispettore Jung a quel punto era talmente scosso che fu solo in grado di provare un'immensa gratitudine per il medico che era stato chiamato in seguito all'esplosione della signorina Ubrecht, e che adesso entrò in scena domandandosi che cosa diavolo stesse succedendo.

«Indagini di routine» aveva spiegato Reinhart. «Ma adesso abbiamo finito.»

Finito si sentiva anche Jung quando smontò dalla macchina nel parcheggio antistante l'hotel Grimm. Talmente finito che rifiutò recisamente la proposta di Reinhart di un bicchierino prima di andare a dormire, e invece raggiunse la sua stanza, dove crollò senza essersi levato altro che scarpe e giacca.

Un mercoledì infernale, come qualcuno giustamente aveva detto.

C'era qualcosa, in Penderecki.

Qualcosa in quel requiem polacco carico di dolore che non somigliava a nient'altro, e che quasi senza eccezione lo faceva sentire libero. Purificato e maestoso come una cattedrale.

Toccato dal divino, come avrebbe detto Mahler. Il suo buon amico poeta. Non il compositore.

Era anche una questione di tensioni. Tensioni che si allentavano e tensioni che si accumulavano; una sorta di agopuntura dell'anima e una via di fuga dai tormenti della carne. Anche queste parole di Mahler, probabilmente... Di per sé, qualcosa che forse valeva per tutta la musica, ma da nessuna parte era così evidente e così dolorosamente bello come in Penderecki.

E fu dunque in questo spazio, sotto questa cupola di spietata chiarezza, che coprì i centosessanta chilometri per ritornare da Stamberg a Sorbinowo.

E in questo spazio che trovò una risposta agli interrogativi ancora irrisolti nel caso Waldingen.

Quel caso che aveva due settimane. Perché in qualunque modo volesse valutare quel lungo periodo di malvagità, più di quattordici giorni non erano passati da quando si era fermato in quell'area di sosta e aveva lasciato correre lo sguardo su quell'idillio estivo con le sue acque scure e scintillanti.

Due settimane.

Due ragazzine violentate e assassinate. Un prete ammazzato. Una chiesa ridotta in cenere e una setta in disfacimento.

Quella era la sostanza.

La summa del suo ultimo caso. Un bel risultato, pensò. Innegabilmente.

E la soluzione, che dire di questo? La soluzione, che gli era arrivata attraverso un comunissimo elenco del telefono. Attraverso un trivialissimo errore di ortografia. Il vecchio pensiero su linee e disegni e intromissioni nell'esistenza gli parve così naturale che non si curò nemmeno di fissarlo nella mente.

A caval donato non si guarda in bocca, pensò. Ecco almeno una differenza fra la vita e il gioco degli scacchi.

No, meglio allora cercare di guardare qualche ora in avanti e concentrarsi su ciò che ancora rimaneva. La fase conclusiva. Mettere i colpevoli di fronte alle accuse. Indurli a cedere e a confessare. Gettare loro in faccia la prova schiacciante e stare a osservare il crollo.

L'ultimo gesto. Lo scacco matto.

Con il minor numero possibile di mosse.

Certamente avrebbe avuto voglia di lasciare questo compito ad altri, ma spettava a lui, lo sapeva. Anche questo.

Disegni e disegni.

Si concesse solo una sosta di un quarto d'ora lungo la strada, e quando, dopo quattro giorni di assenza, superò nuovamente la soglia dell'hotel Grimm, era ormai mezzanotte e mezzo passata. Chiese di poter controllare il registro alla reception e cinque minuti dopo bussava alla porta del sovrintendente Reinhart con due birre in ogni mano.

Due chiare e due scure.

Per la prima volta dopo quel pomeriggio in barca, tornava ad avvertire lo stimolo. Quella certa sensazione negli inguini e nelle cosce, che richiamava a sé tutta l'attenzione; e capì che era di nuovo ora. Ora di prestarle ascolto.

Dopo un thriller d'azione piuttosto anemico alla TV, andò a coricarsi verso mezzanotte; cercò di addormentarsi masturbandosi ma non gli bastava. Rimase sveglio un paio d'ore ad aspettare mentre la voglia cresceva e pulsava fino a dominare praticamente ogni angolo del suo essere. La forza che lo costringeva. L'istinto malvagio.

Alla fine si alzò. Fuori non aveva ancora cominciato ad albeggiare, e lui esitò un attimo. Si fermò davanti alla finestra e guardò verso la sottile striscia rossa sopra il bosco, a est. Pensò alle ragazze. Alle loro gambe aperte e al loro grembo appena coperto di peluria. Alla loro nuda impotenza. Poi si infilò i vestiti. Si assicurò di avere ancora i preservativi nel taschino, quel piccolo piacere extra quando li srotolava infilandoli non era da disprezzare. Sorrise alla propria immagine scura riflessa nello specchio, scese di soppiatto le scale e sgusciò attraverso la porta della cucina.

Tirò fuori la bicicletta dal capanno. Controllò la pressione e fissò il manganello di gomma al portapacchi. Si avviò.

Impiegò venti minuti a raggiungere la strada principale. Nell'atto stesso del pedalare c'era un ritmo che senza dubbio ricordava quell'altro, e le immagini che si proiettavano davanti al suo occhio interno erano forti e senza pietà.

Senza pietà. Il manganello nero che penetrava e apriva la strada. La loro pelle elastica. Liscia e magnificamente elastica. Il buco, quel buco. Un godimento oltre ogni misura. Il terrore selvaggio nei loro occhi prima che lui lo spegnesse... definitivamente.

Immagini forti. Immagini irresistibili. Guardò l'ora. Solo le tre e mezzo. Capì che sarebbe stato costretto a stare lì nel bosco ad aspettare qualche ora, prima, ma non lo sentiva come un impedimento. L'importante era che fosse nuovamente arrivato il momento. Che presto o tardi, prima che quel giorno che cominciava giusto a illuminarsi fosse giunto al termine, ne avrebbe incontrata un'altra... bionda; sperava che questa volta avrebbe avuto i capelli biondi e lunghi, sì, se si fosse creata una situazione in cui poteva scegliere, doveva ricordarsi di prenderne proprio una così.

Continuò a pedalare e ascoltò la pulsazione che gli cantava dentro.

37

Le macchine erano tre.

Sulla prima viaggiavano Van Veeteren, Reinhart e Kluuge. Poi seguivano Tolltse e Lauremaa. Ultimi, Jung e Servinus. Su sua espressa richiesta, Suijderbeck era rimasto alla stazione di polizia; naturalmente non era affatto un'idea sbagliata avere qualcuno anche alle spalle.

Nell'eventualità che qualcosa fosse andato storto, dal momento che era già successo.

Partirono alle quattro meno un quarto in punto, quando i primi accenni dell'alba erano solo un vago presentimento sopra il sistema lacustre e i boschi addormentati. Svegliare tutti, organizzare la riunione e fare il punto della situazione aveva preso il suo tempo; il commissario aveva raccontato e illustrato e spiegato senza particolare fretta, ma quando la verità gradualmente era penetrata in ognuno dei presenti, si era giudicato all'unanimità che non c'era nessun motivo ragionevole di aspettare un nuovo giorno.

Meglio colpire senza indugio, sia Reinhart sia Van Veeteren sapevano che cosa potevano causare un paio d'ore di inutile campo libero. Nei casi peggiori.

E c'era parecchio che portava a far credere che questo fosse proprio un caso peggiore.

Arrivarono alle quattro e venti. Una nebbia grigia stava per alzarsi sul lago, e il bosco era pieno di cinguettii. Parcheggiarono in fila sulla stretta strada sterrata, scesero alla casa in gruppo compatto; il commissario bussò due volte alla porta, ma non si notavano segni di vita.

Abbassò la maniglia. Era aperto e, facendo meno rumore possibile, tutto il gruppo si portò nel soggiorno immerso nella penombra. Jung trovò un interruttore e accese la luce; poi il commissario fece un cenno a Kluuge e insieme cominciarono a salire le scale verso il piano di sopra.

A metà strada si fermarono. Una porta si aprì da qualche parte su in alto e la signora Fingher andò loro incontro.

In pantofole e vestaglia blu, ma senza segni visibili di essere stata svegliata di soprassalto.

Van Veeteren fece un nuovo cenno a Kluuge.

«Signora Fingher» disse Kluuge. «Mi conceda di poterla arrestare come sospettata per l'omicidio di Oscar Jellinek e...»

Poi andò in confusione. Mi conceda di poterla arrestare? pensò Reinhart.

«... e per complicità nell'omicidio di Clarissa Heerenmacht e Katarina Schwartz. È suo diritto tacere, ma tutto ciò che dirà potrà essere usato contro di lei.»

La signora Fingher rimase ferma, sostenendosi alla ringhiera. Il suo viso dai lineamenti grossolani fu percorso da un tremito, poi lei si accasciò sul gradino e piegò la testa fra le mani. Passarono cinque secondi.

«È finita adesso» disse Van Veeteren, tendendole una mano.

Lei la prese e lui la accompagnò giù in soggiorno. La sistemò in una delle poltroncine con lo schienale dritto e aspettò ancora qualche istante. Lei tirò fuori un fazzoletto e si soffiò il naso.

«Sì» disse poi. «Adesso è finita.»

«Dov'è suo figlio?» domandò Reinhart.

Lei fece un cenno col capo verso il piano di sopra. Reinhart e Jung si infilarono su per le scale e scomparvero nel buio.

«Perché ha ucciso Oscar Jellinek?» domandò il commissario.

Lei fece un respiro profondo.

«Sono stata costretta» rispose.

«Ah, sì?» disse il commissario.

«Era comparso.»

«Comparso?»

La donna fu scossa da un nuovo brivido, ma la cosa sembrava lasciarla indifferente. Il commissario capì che il confine fra il suo corpo e la sua anima per il momento era chiuso.

«Sì, era comparso... là fuori, sulla strada.»

«Quando lei aveva appena sistemato il cadavere di Clarissa sotto il pioppo tremulo?»

Lei annuì.

«Sì. Vidi... vidi che aveva capito. Me lo disse, anche... che cosa dovevo fare?»

«E come fece?»

«Il badile» rispose lei. «Lo colpii con il badile. Mi spiace... Io ho... È stato...»

Ma non ci fu nessun seguito. Invece, sul pianerottolo comparve Reinhart.

«Non è nel suo letto» spiegò. «Dov'è suo figlio, signora Fingher?»

Lei alzò gli occhi sorpresa.

«Non capisco...»

«Che cosa diavolo sta succedendo?»

La figura massiccia di Mathias Fingher, in pigiama celeste pallido, stinto dagli innumerevoli lavaggi, si fece largo a gomitate superando Reinhart, seguito a ruota da Jung.

«Che cazzo significa che venite qui a...»

«Si sieda e stia zitto!» lo interruppe Van Veeteren. «Siamo venuti ad arrestare suo figlio per l'omicidio di due ragazzine e sua moglie per l'omicidio di Oscar Jellinek!»

«Cosa?»

«Vuole farci credere di non saperne nulla?» sparò Reinhart. «Ci sono sospetti anche su di lei, per complicità e favoreggiamento.»

Per un attimo parve che Mathias Fingher stesse per svenire. Vacillò, ma ritrovò l'equilibrio. Scese gli ultimi gradini e si guardò intorno confuso, prima che Servinus lo spingesse giù sul divano a righe.

«Che cavolo...?» balbettò. «Dev'esserci...»

«Mi spiace» ripeté la signora Fingher senza guardare il marito. «Era... non c'era altra via d'uscita, ecco.»

«All'inferno!» la interruppe Reinhart. «Dove diavolo è vostro figlio?»

«Allora?» fece il commissario.

«Starà dormendo...» cominciò la signora Fingher. «Perché...?»

« Vuol dire che non sa dove sia? »

« No, come... »

A Van Veeteren non occorse molto tempo per capire che il suo stupore era genuino.

« Jung e Servinus! » ordinò. « Cercate al piano di sopra! Lauremaa e Tolltse portino la signora Fingher fuori alla macchina! »

« Ma... » tentò Mathias Fingher.

« Fatela vestire, prima! »

Il commissario scostò Servinus e si sedette di fronte al signor Fingher. Gli puntò gli occhi addosso da mezzo metro di distanza.

« Signor Fingher » attaccò. « È possibile che lei sia completamente all'oscuro di tutta questa faccenda, e in tal caso dev'essere terribile, per lei... Ad ogni modo, suo figlio è un assassino. Un assassino e uno stupratore... »

Fingher aprì e richiuse la bocca un paio di volte e di nuovo ebbe l'aria di essere sul punto di perdere conoscenza. Il colorito andava e veniva sulle sue guance e le mani che teneva sulle ginocchia tremavano.

« ... dobbiamo assolutamente prenderlo. Dov'è? »

« Io... io non lo so. »

« Quand'è stata l'ultima volta che l'ha visto? »

« È... ieri sera. »

« Stava guardando un film alla TV » si intromise la signora Fingher. « Noi siamo andati a dormire presto. »

« E perché adesso non è nel suo letto? »

Mathias Fingher scosse il testone.

« Sarà uscito, evidentemente » disse la signora Fingher, e si allontanò per mettersi addosso qualcosa. Tolltse e Lauremaa la seguirono a ruota. Seguì qualche secondo di silenzio.

« Vi prego » sbottò poi Mathias Fingher. « Ditemi che state solo scherzando... per la miseria, ditemi che state solo scherzando! »

« Purtroppo no » disse il commissario.

*

«Bicicletta!» esclamò Reinhart. «Quel bastardo si è allontanato in bicicletta!»

La carovana stava tornando indietro attraverso il bosco. Con qualche cambiamento nella composizione degli equipaggi: il commissario, Reinhart e Jung sulla prima macchina; Tolltse, Lauremaa e la signora Fingher sulla seconda; Kluuge, Servinus e il signor Fingher sulla terza.

«Che facciamo ora?» chiese Jung.

«Diramiamo un avviso di ricerca, è ovvio!» sibilò Reinhart. «Tiriamo in piedi ogni stramaledetto poliziotto di questo distretto e catturiamo quel bastardo. Bicicletta!»

Van Veeteren annuì.

«Telefona immediatamente a Suijderbeck» disse. «È vero che non sono ancora le cinque, ma non dobbiamo perdere altro tempo, adesso. Sì, chiedi che venga diramato un avviso di ricerca su ogni mezzo d'informazione possibile!»

Reinhart assecondò il desiderio del commissario e poi schiacciò l'acceleratore fino in fondo.

«Non sto bene» disse. «Cazzo, quanto odio tutto questo! Adesso siamo di nuovo punto e a capo.»

Van Veeteren non replicò.

«Abbiamo qualche foto?» domandò Jung.

«Merda» fece Reinhart. «Ovviamente dovremmo...»

«Przebuda» disse il commissario.

«Cosa?» disse Jung.

«Il quotidiano locale» spiegò il commissario. «Devono averne una. Telefonerò e sveglierò il redattore non appena saremo arrivati.»

Reinhart si schiarì la gola.

«Credi...?» cominciò. «Voglio dire, credi che sia di nuovo in azione?»

«E tu, tu cosa credi?» ribatté Van Veeteren.

E durante il resto del viaggio ognuno di loro rimase chiuso nel proprio silenzio.

38

Van Veeteren entrò portando personalmente il vassoio e lo mise davanti a Mirjan Fingher.

Tè. Spremuta. Tramezzini con formaggio e salsiccia. Poi tornò indietro e richiuse la porta. Si sedette sull'altra brandina.

«Prego» disse. «Ho qualche domanda. Do per scontato che lei voglia collaborare, non c'è nessuna ragione di peggiorare ulteriormente le cose.»

Lei annuì e bevve un sorso di tè. Lui la osservò. La sua figura robusta pareva essersi rattrappita durante il viaggio verso Sorbinowo. Afflosciata... come se l'involucro esterno fosse stato mangiato da dentro, pensò.

«Dove crede che possa essere?»

Lei cercò di alzare le spalle, ma il gesto si fermò a metà.

«Non lo so.»

La voce era in bilico sul filo sottile della rottura.

«Dobbiamo prenderlo prima che lo faccia di nuovo» disse il commissario. «Da come la vediamo noi, c'è il rischio abbastanza concreto che si sia allontanato proprio per quel motivo... oppure lei ha qualche altra idea?»

La donna scosse la testa.

«No.»

«Non può aver saputo che stavamo per arrivare?»

«No... no, assolutamente. Credo...»

«Sì?»

«... che può essere proprio come dice lei.»

Non molto più di un sussurro. Per quanto tempo potrà ancora resistere? pensò lui. Devo sorvegliare che continui a reggere.

«Prenda un tramezzino» le suggerì. «Adesso cercheremo di esaminare tutta questa storia.»

Lei lo guardò. Scostò una ciocca dell'opaca capigliatura castana e raddrizzò un po' la schiena. Prese un altro sorso di tè ma non toccò niente del resto.

«Sì» disse. «Probabilmente è così... ma è passato più tempo che fra le altre due volte.»

Van Veeteren annuì e voltò uno stuzzicadenti.

«Di quanto era a conoscenza lei?»

«Di parecchio.»

«Era lei a telefonare?»

«Sì.»

«Come faceva a sapere che l'aveva fatto?»

«Glielo leggevo in faccia. Sono sua madre.»

«Perché telefonava?»

«Per mettere fine a questa cosa.»

«Per allontanare le ragazze?»

«Non lo so... sì, probabilmente.»

«È andata a cercare i corpi e li ha spostati perché noi li trovassimo?»

«Solo uno.»

«Non era riuscita a trovare la prima?»

«Inizialmente no. Ma...»

«...»

«Credevo... no, non lo so cosa credevo. Con la prima non ho osato, ma poi sono stata costretta... sì.»

Lui esitò un attimo. Vide che adesso lei aveva cominciato a tremare; le mani e la faccia.

«Sua figlia?» chiese poi.

«Sì.» La donna si schiarì la gola e riprese slancio. «Lei... mia nuora mi raccontò tutto quando si separarono. Fu... Ecco, mi rifiutavo di crederle, ovviamente, ma in seguito capii. Se poi sia possibile capire. Pensavo che gli fosse passata, deve credermi... Non c'è stato mai niente in questi anni da che è ritornato a casa. Non prima dell'arrivo di quella setta, con le loro stupide ragazzine...»

«L'estate scorsa?» domandò il commissario.

Lei scosse la testa.

«No. Wim allora lavorò un paio di mesi a Groenstadt. Da mio fratello, che ha un vivaio... Ho solo trovato dei giornali che aveva in giro, così...»

Tacque.

«Capisco» disse Van Veeteren. «Ma tornando un attimo alla cosa più importante. Dove crede che sia, adesso? Deve cercare di aiutarci anche su questo.»

Lei guardò fuori della finestra e parve riflettere.

«Il bosco» disse alla fine. «È un po' come il suo rifugio, forse è andato lì... oh mio Dio!»

E d'improvviso fu come se qualcosa dentro di lei si spezzasse. Si gettò in ginocchio sul pavimento accanto alla branda, si circondò la testa con le braccia e cominciò a dondolare da una parte all'altra.

«Aiutatelo, vi prego! Aiutatelo!»

Il commissario si chinò in avanti e le passò goffamente una mano sulla schiena. Poi aprì la porta e chiamò a gran voce l'ispettrice Tolltse.

No, pensò. Non ci sto più.

«Non abbiamo dimenticato nulla?» chiese Reinhart.

«L'avviso di ricerca è pronto» disse Kluuge.

«Su tutto il territorio nazionale!» sbuffò Suijderbeck. «È qui che si nasconde, per la miseria! È in bicicletta, ve lo siete dimenticato?»

«Venticinque uomini sul posto» continuò Kluuge imperturbabile. «Altri venti in arrivo. Due elicotteri già in volo.»

«Le colonie sono state avvertite» disse Lauremaa.

«Quante ce ne sono?» volle sapere Jung.

«Troppe» sospirò Kluuge. «Al momento abbiamo fra trecento e quattrocento ragazze dell'età giusta distribuite tra diversi istituti.»

«Cazzo» imprecò Reinhart.

«Ma hanno ricevuto ordini severi» ripeté Lauremaa.

«Non è certo una garanzia» disse Servinus.

«No» fece Reinhart. «Garanzie non ce ne sono mai, in questo settore di merda.»

L'ispettrice Lauremaa si alzò irritata e andò alla finestra.

«Be'» disse. «Se quello si fa vedere qui in città... per le strade, è fatto. Lo riconoscerebbero anche i sassi. Lo prenderemo, è soltanto questione di tempo.»

«C'è anche un'altra questione di tempo» puntualizzò Reinhart.

«Lo so» affermò Lauremaa. «Non c'è bisogno che ce lo ricordi.»

La porta si aprì e Van Veeteren ritornò con uno stuzzicadenti per ogni angolo della bocca. Si lasciò cadere sulla sedia vuota di Lauremaa e si guardò intorno.

«Il bosco» disse. «Sua madre pensa che possa essere nel bosco.»

Ci fu silenzio per qualche secondo.

«Ok» disse Suijderbeck. «Non suona improbabile. Dovremmo dare ordine agli elicotteri di passare sopra il bosco. Intorno al lago... Probabilmente è lì che conta di far centro.»

«Probabilmente» confermò Jung. «Come siamo messi con le comunicazioni?»

«Le auto sono qui fuori» rispose Suijderbeck, e fece un cenno con la testa. «Io e Servinus ci mettiamo in macchina e ce ne occupiamo subito. Che cosa stanno facendo quei venticinque che sono arrivati?»

«Aspettano ordini» lo informò Kluuge.

«Mandiamoli nel bosco, allora» propose Suijderbeck. «L'altra sponda del lago in ampi cerchi. Che ne pensate voi?»

«Sì» disse Kluuge. «Direi che è giusto.»

«Merda» esclamò Jung. «La sapete una cosa? Mi è tornato in mente adesso che... ho visto un tizio con una bicicletta mentre andavamo a Waldingen. Stanotte. Stava pisciando contro un albero... con di fianco la bicicletta. Ho visto solo la schiena, però effettivamente poteva essere...»

«Santo cielo!» gemette Reinhart. «E uno come te l'hanno fatto ispettore?»

Jung scosse la testa e borbottò qualcosa.

«Il signor sovrintendente non era sulla stessa strada?» domandò Van Veeteren.

«Lasciamo stare» li interruppe Lauremaa. «Se davvero era

lui, allora almeno vuol dire che lo stiamo cercando nel posto giusto.»

«Sono le otto meno un quarto» constatò Suijderbeck. «Adesso muoviamoci e andiamo a beccare quel bastardo!»

Si svegliò e guardò l'ora.

Le otto meno cinque.

Un paio d'ore era riuscito a dormire. Era stato piacevole, piacevole e anche necessario.

Anche il posto era ben scelto. Riparato e caldo di sole. Fra gli abeti riusciva a intravedere il lago, e da lontano si sentivano salire voci allegre di ragazzine. Probabilmente le aveva sentite anche nel sonno, perché dentro si sentiva già un turbinio, e la sua erezione era dura come il manganello di gomma.

Si accorse che stava stringendo il bastone nella mano. Rise, con l'altra si afferrò il suo e li mise a confronto.

Una bionda, pensò. Dieci punti per una bionda.

Ma naturalmente andava bene anche di un altro colore.

Si alzò sui gomiti e scrutò in basso verso l'acqua.

«L'ho perso ieri» spiegò Helene Klausner. «Quando siamo andate là sopra.»

Indicò in mezzo agli alberi.

«Deve essere ancora là. Mi accompagni?»

Ruth Najda scosse la testa.

«Fra dieci minuti c'è la colazione. E hanno detto che non potevamo andare da nessuna parte. Dev'essere successo qualcosa, in questo momento hanno una riunione.»

«Ma ci vogliono solo cinque minuti.»

«Non voglio.»

«Potrai prendere in prestito la mia maschera da sub.»

«Non voglio, ti ho detto.»

«Mi aspetti qui se vado su da sola, allora?»

Ruth Najda scese dalla roccia.

«Penso che dovremmo andare in refettorio adesso. Le altre

sono già là. Puoi sempre recuperarlo dopo. In fondo è solo un fermaglio, uffa! »

Helene Klausner scosse i lunghi capelli biondi.

« Sì, però ne ho bisogno adesso. Io ci vado. Mi aspetti? »

« Ok » sospirò Ruth Najda. « Ma vedi di sbrigarti, perché ho fame. »

« Cinque minuti! » gridò Helene, e si incamminò frettolosamente tra gli alberi.

39

Jung prese posto dietro Suijderbeck e Servinus sulla pantera della polizia. Sentì che la stanchezza gli affondava lentamente le unghie nella carne mentre fissava le rosse cifre digitali che scandivano i tediosi minuti del mattino.

08.16

08.17

Quanti minuti sarebbero passati? pensò. Prima che succedesse qualcosa. Cento? Mille?

C'era davvero qualcosa che facesse presumere che Wim Fingher effettivamente si trovasse lì a Sorbinowo? E non da qualche altra parte, in un posto qualsiasi?

Se gli fosse capitato di sentire la radio anche solo per un minuto quel mattino, ormai doveva sapere che lo stavano cercando. Che era un capo di selvaggina che tutti stavano cacciando; e, anche se era un pazzo omicida, doveva comunque avere abbastanza buon senso da allontanarsi di lì, no?

In bicicletta oppure a piedi.

Attraverso i boschi.

Non si poteva supporre una certa logica anche in un pazzo della sua specie?

«Voi che ne pensate?» domandò.

«Mah, proprio non saprei» disse Servinus. «E tu, cosa pensi?»

«Difficile dirlo. Sarebbe più comodo se...»

«Zitti!» ruggì Suijderbeck, sistemandosi meglio gli auricolari. «Come hai detto?... Ok!... Bene!... Dove?... Dopo il ponte? Quale cazzo di ponte?... Sì, capisco. Ci indirizzo gli altri. D'accordo, chiudo!»

«Ah!» esclamò poi, abbassando gli auricolari così che gli

restarono appesi intorno al collo. «Hanno trovato la bicicletta. Ora non può essere troppo lontano, diavolo!»

«Dove?» chiese Jung.

«Sulla provinciale, il ponte fra i laghi. Subito oltre.»

«Ok» disse Jung. «Vado là a dare una mano.»

«Che cazzo...» imprecò Reinhart, aggiustando la messa a fuoco.

«Che c'è?» chiese il commissario.

Abbassò la leva del gas e il motore si spense.

«C'è una ragazzina seduta su un masso, sola, sull'altra sponda. Guarda!»

Reinhart passò il binocolo e indicò la riva opposta. Van Veeteren passò avanti e indietro sull'acqua e sul bosco prima di inquadrare il punto giusto.

«Sì, merda...» disse. «Sì, in effetti dev'esserci una colonia, lì da quelle parti.»

«Accendi di nuovo il motore» esclamò Reinhart. «Non può starsene seduta lì, cazzo!»

Dopo un paio di tentativi falliti, il fuoribordo ripartì scoppiettando e puntarono dritto attraverso il lago; Reinhart semidisteso a prua con il binocolo, Van Veeteren sulla panca di poppa, raggomitolato contro il vento e gli spruzzi.

Le canoe sono più adatte a me, pensò il commissario. Decisamente più adatte. Anche se ancora non sono uscito da questa ruota per scoiattoli, si capisce.

«Ehilà, ciao» disse l'uomo, alzandosi.

Lei si fermò. Si scostò i lunghi capelli dal viso e lo guardò socchiudendo gli occhi.

«Ciao» ricambiò il saluto.

«Che ci fai qui?» chiese lui.

«E tu?»

L'uomo rise.

«Mi piacciono, i tipi come te» rispose. «Mah, non faccio niente di speciale. Pensavo di cercare qualche fungo... se ce n'è già.»

«Ce n'è» disse lei, annuendo. «L'altro giorno ne abbiamo raccolti una cassetta intera... anche se la maggior parte l'abbiamo dovuta buttare. Le signorine sostenevano che non erano buoni, ma credo che era solo perché non avevano voglia di pulirli... Perché non hai niente dove metterli? E cos'è quello?»

Indicò l'aggeggio di gomma che lui teneva in mano.

«Questo...?» fece lui, sorridendo. «Vuoi che ti faccia vedere come si usa?»

Lei guardò l'ora.

«Mi sa che non c'è tempo» spiegò. «Dovevo solo cercare il mio fermacapelli, l'ho perso qui ieri...»

«Il tuo ferma...?» fece lui, e deglutì.

«Sì, dev'essermi caduto proprio qui intorno.»

Fece un gesto con il braccio.

«Ti aiuterò a cercare.»

Lei gli scoccò un sorriso.

«Grazie! Ottimo. Vieni, allora!»

«Che ci fai qui?» chiese Reinhart.

La ragazzina scivolò giù dal masso.

«Come?»

Loro smontarono dalla barca e la tirarono in secco sulla stretta striscia di sabbia.

«Stiamo cercando una persona» spiegò il commissario. «Non vi hanno detto che non dovevate rimanere da sole, oggi?»

«No... anzi sì, ma sto aspettando una compagna.»

«Una compagna?» le fece eco Reinhart.

«Sì. Doveva solo andare a prendere una cosa.»

«E cosa?»

«Un fermaglio per i capelli.»

«E dove l'ha lasciato, eh?» chiese Van Veeteren, impaziente.

«L'ha perso ieri su nel bosco.»

Indicò con un cenno del capo.

«Come ti chiami?» chiese Reinhart.

«Ruth Najda. Si può sapere chi siete voi?»

« Siamo poliziotti » spiegò Reinhart. « Quindi dici che la tua amica è andata su nel bosco per cercare il suo nastro... »

« Fermaglio » lo corresse Ruth Najda. « Non nastro. »

« Sì, sì. Quand'è che si è allontanata, allora? »

La ragazzina guardò l'orologio e fece spallucce.

« Dieci minuti fa, più o meno. Ha detto che ci avrebbe messo solo cinque minuti, ma ormai ne sono già passati tredici e mezzo. »

« Porca miseria! » esclamò Reinhart. « Vieni, facci vedere dove è andata! »

« Perché siete così...? » cominciò Ruth Najda, ma il commissario la interruppe.

« Spicciati! » ruggì. « Bisogna fare in fretta, e questo non è un gioco! »

« Ok, allora » disse la ragazzina, e fece strada attraverso gli ontani.

« Come va? » urlò Suijderbeck nel microfono. « Non potete spegnere quel cazzo di motore, così riesco a sentire cosa dite? »

« È difficile far volare gli elicotteri senza motore » spiegò la voce. « Ma abbiamo intravisto una persona, un attimo fa... potrebbe trattarsi del soggetto. E i ragazzi giù sotto si stanno muovendo nella direzione giusta. »

« Bene! » gridò Suijderbeck. « Fate solo in modo che non vi sfugga, perché altrimenti vengo su personalmente e vi sbatto fuori a calci. Sono stato chiaro? »

Ci furono un paio di scariche.

« Tu sei Suijderbeck, vero? »

« Sì. Perché? »

« Mi sembrava di aver riconosciuto il tuo stile, ecco tutto. »

« *Over and out* » disse Suijderbeck.

Fu Reinhart a scorgerli per primo.

I lunghi capelli biondi della ragazzina baluginarono un attimo in mezzo a un gruppo di pini, e poi comparve la schiena di Wim Fingher, che però scomparve di nuovo. Quindi eccoli a figura intera tra due massi erratici sporgenti e coperti di muschio, prima la ragazzina e poi... dietro di lei, vicinissimo, la mano stretta intorno a un manganello nero... l'assassino.

Van Veeteren si fermò di colpo. Reinhart inciampò; ritrovò l'equilibrio e cercò a tastoni la propria arma, ma non ce ne fu bisogno... perché nello stesso istante ci fu un crepitio fra le sterpaglie e due colleghi in uniforme si precipitarono sulle due figure. Il primo si lanciò su Wim Fingher, con un tuffo che non avrebbe sfigurato in qualsiasi film americano di serie B, pensò il commissario. Lo gettò a terra al primo colpo, mentre l'altro si piazzava a gambe larghe e dalla distanza di un metro puntava la pistola contro la testa dell'assassino.

«Prova a muoverti anche solo di un millimetro, brutto bastardo, e ti faccio schizzare le cervella» gli spiegò con pazienza.

Un intervento davvero molto professionale, e il commissario tutto d'un tratto si sentì sopraffare dalla stanchezza.

Una stanchezza infinita, e si rese conto che non dormiva da più di ventiquattr'ore.

«Perché l'avete fatto?» domandò Helene Klausner.

«È stato necessario» spiegò Reinhart. «Era malato.»

«Malato?»

«Sì» disse Reinhart. «Ti ha messo le mani addosso?»

«Le mani addosso? No, mi ha solo aiutato a ritrovare il mio fermaglio. Questo qui.»

Sventolò una cosa di stoffa color celeste. Il commissario annuì.

«Ottimo» disse. «Ma voi dovevate fare colazione. Filate via, adesso!»

«Okay. Ciao, allora!»

Rimasero a guardare le due ragazzine che, a passo lento e svogliato, si avviavano verso l'edificio rosso un po' più giù lungo la spiaggia.

«Posso avere in prestito la tua maschera adesso?» Sentirono che chiedeva la ragazzina castana. «Sono rimasta ad aspettarti tutto il tempo, e tu avevi promesso...»

«Certo» ripose allegramente la bionda, e si raccolse i capelli con un movimento esperto. «Facciamo colazione, prima.»

Il commissario si schiarì la gola e andò a sedersi sulla barca.

«Bene» disse. «Vuole essere così gentile da salpare, sovrintendente?»

Kluuge cercò di guardare dentro la cornetta del telefono.

Erano le tre del pomeriggio, lui era steso sul suo letto e Deborah stava giusto massaggiandogli le spalle e il torace. Era seduta cavalcioni sopra di lui e poteva sentire il suo pesante frutto contro la propria pancia. Sia in senso psichico che fisico era un momento divino... senza alcun dubbio. Ed ecco che c'era il commissario Malijsen al telefono!

«Perché diavolo non mi hai informato?» urlava. «Dovresti pur capire che non sei in grado di gestire faccende del genere per conto tuo, è stata solo una fortuna sfacciata che non sia andato tutto quanto a rotoli! Provvederò personalmente perché ti...»

Kluuge infilò il ricevitore sotto il cuscino e rimase tre secondi a riflettere. Poi lo tirò fuori di nuovo.

«Chiudi il becco, maledetto babbeo!» gridò, e mise giù.

«Bravo» disse Deborah.

40

Per quanto poteva ricordare, erano le stesse persone dell'altra volta, e gli ci volle un attimo prima di rimanere solo con il giornalista.

«Che te ne pare?» disse Przebuda. «Sì, ovviamente l'avevi già visto...»

Van Veeteren annuì.

«Altroché» confermò. «Cassavetes non è fra i miei preferiti, ma *Tempesta* è fra le sue cose migliori.»

«Esattamente la mia opinione» esclamò Przebuda. «*Tempesta* è sempre *Tempesta*. Forse anche per via di Creta.»

«Senza dubbio» disse Van Veeteren. «Posso offrirti un bicchiere?»

Przebuda scosse energicamente la testa. Poi sorrise.

«Non se ne parla nemmeno» disse. «Ma ho qualcosina in serbo... e un paio di vini discreti. Un Margaux del '71 e un Mersault.»

«E che cosa stiamo aspettando, allora?» chiese il commissario.

«*Case closed*, dunque?» constatò Przebuda dopo le sfoglie ai funghi, i medaglioni di vitello in salsa di limone, l'insalata di crescione e una bottiglia e mezzo di vino.

«Sì» rispose Van Veeteren. «*Case closed*. Una storia tremenda, non ci sono attenuanti, per così dire, quando le vittime sono dei bambini... e il cielo tace.»

«E il cielo tace» ripeté Przebuda. «Sì, proprio. Come hai fatto a scoprire... che era lui?»

Il commissario si appoggiò contro lo schienale e trattenne la risposta per un momento.

«Era scritto sull'elenco del telefono» disse poi.

«L'elenco del telefono?»

«Sì. Ti ricordi di Ewa Siguera?»

Il giornalista rifletté qualche secondo.

«La donna della fotografia?»

«Sì. Non si chiamava Siguera. Si chiamava Figuera. Avevi capito male... o scritto male, in ogni caso.»

«Dio santo» disse Przebuda, rimanendo con il bicchiere sospeso a metà strada verso la bocca. «Non vorrai mica dire che se...?»

Il commissario scosse la testa per respingere il suo dubbio.

«No, no. Niente paura. I morti erano già morti. Probabilmente si sarebbe risolto tutto solo un po' più velocemente...»

Anche se, riflettendoci, si rese conto che in effetti non era così. Al contrario, piuttosto. Se avesse avuto il nome giusto fin dall'inizio, poteva benissimo succedere che non avrebbe mai trovato la strada giusta. O non sarebbe mai arrivato in tempo... in tempo perché quella ragazzina bionda con il suo fermaglio non... no, non aveva nemmeno il coraggio di immaginarselo.

Przebuda sedeva in silenzio, con l'aria di lambiccarsi il cervello.

«Però non capisco» disse. «Che cavolo c'entrava Ewa Siguera... scusa, Figuera... con Wim Fingher?»

«Niente» spiegò il commissario. «Assolutamente niente... Ottimo vino, davvero. È raro trovare questo gusto rude che pizzica fin sotto la lingua...»

«Ne ho un'altra bottiglia» disse il redattore Przebuda. «Salute!»

Brindarono.

«Allora?»

«Niente di niente, come ti dicevo» riprese il commissario. «Ma quando stavo per telefonare alla Figuera, mi è capitato sott'occhio il nome Fingher sulla stessa pagina. Nella stessa colonna, perfino, solo un paio di righe più in basso. Non è un nome molto comune...»

Przebuda cercò di annuire e scuotere il capo al tempo stesso.

«... sì, e poi mi sono tornate alla memoria due frasi che avevo sentito quando ero passato da loro la seconda volta, il giovedì. Dev'essere stato Mathias Fingher, il padre, a dirle entrambe: prima aveva detto di avere soltanto un figlio, poi che la moglie stava andando a trovare una nipotina. Oppure è stata lei stessa a dirmelo...»

Przebuda rimase seduto in silenzio, facendo girare lentamente il vino nel bicchiere.

«Ma in ogni caso...?» chiese alla fine. «Difficilmente sarà stato granché, come indizio. Perché doveva diventare un assassino soltanto per il fatto di... di essere stato sposato in precedenza e di avere una figlia?»

Il commissario alzò le spalle.

«Mi era sembrato che mi avessi caldamente raccomandato il concetto di intuizione, l'ultima volta che ci siamo visti. La moglie aveva mantenuto il suo cognome; nemmeno lei sapeva dire perché, ma alla fine ha avuto un suo senso.»

«È incredibile» riconobbe Przebuda dopo una nuova pausa. «Sembra quasi frutto di una regia. Ma chi era Ewa Figuera, alla fin fine?»

Van Veeteren accese una sigaretta.

«L'amica di una delle tre donzelle» disse. «Non ha niente a che fare con la Vita Pura. Andò in visita alla colonia un solo giorno, l'estate scorsa, e...»

«... e proprio quel giorno io ero lì e scattai la fotografia» completò Przebuda. «È davvero una cosa straordinaria, perché se...»

Tacque, e alzò lo sguardo sul soffitto, come a cercare una risposta fra gli angoli bui.

«... perché se non ti avessi mostrato quella fotografia, e via dicendo... Che fantastica combinazione!»

«Non esistono combinazioni» obiettò il commissario. «Questo qui è stato solo uno dei fili che hanno condotto alla meta. Ne esistono centinaia d'altri possibili. Se la vita è un albero, non deve necessariamente esserci una così gran differenza se si finisce su un ramo o sull'altro... per trovare la radice. O dove diavolo si debba arrivare.»

Przebuda ci rifletté sopra un attimo.

«Vado a prendere quella famosa bottiglia» concluse.

«Le tre donne allora?» si domandò Przebuda un po' più tardi. «Quelle sacerdotesse con la bocca cucita, perché cavolo tacevano, in realtà?»

«Credevano che fosse quella, la linea da seguire» disse Van Veeteren. «Probabilmente, Jellinek ha fatto in tempo a mettere loro il bavaglio per quel che concerneva la scomparsa della seconda ragazza, prima di venire ammazzato e scomparire. Ecco, poi non c'era che da seguire la parola del profeta. Come al solito, si può dire. Sia Maometto sia Cristo sono morti da un bel pezzo, se non vado errato.»

Przebuda fece un rapido sorriso.

«E come stanno adesso? Le donne, intendo.»

Van Veeteren esitò un attimo.

«Non so esattamente» rispose. «Due di loro hanno lasciato Wolgershuus insieme, questo pomeriggio. La terza, Madeleine Zander, ha chiesto di poter rimanere.»

«Rimanere?»

«Sì.»

«Be', questo forse lascia presumere una certa consapevolezza di essere malata» borbottò Przebuda spremendo le ultime gocce del vino ormai terminato.

«E Wim?» chiese poi. «Wim Fingher?»

Il commissario alzò nuovamente le spalle.

«Compito dei dottori, direi. È ben curioso che possa essere più o meno normale per quasi tutto il tempo... Per quanto sappiamo, ha usato violenza solo a sua figlia e poi a queste due. Ma se gli daranno il carcere o la cura, questo non lo so... non sono nemmeno sicuro di quello che penso.»

«Mirjan Fingher però finirà dietro le sbarre?»

«Senza dubbio. Il suo agire è stato logico e razionale.»

«Difendibile anche, forse» rifletté Przebuda. «Ovviamente non si può andare in giro ad ammazzare preti così come capita... ma dal punto di vista di una madre...»

«Può essere» concesse Van Veeteren. «Ci si può anche domandare chi siano in realtà le vittime di tutta questa storia. Quelle povere ragazze e le loro famiglie, ovviamente, ma penso che non dovremmo dimenticarci di Mathias Fingher, in questo contesto. Potresti dargli un'occhiata, se capiti dalle sue parti. »

«Sì, per la miseria» disse Andrej Przebuda, alzando il bicchiere. «Povero diavolo! No, adesso pensiamo a bere, e basta. »

L'orologio segnava l'una e mezzo passata quando per l'ultima volta attraversò Kleinmarckt diretto al Grimm. Il bar che stava porta a porta con il municipio era ancora aperto, ma di una vita notturna degna di tal nome c'erano pochi segni. Era chiaro che tutti i giornalisti erano stati richiamati in sede non appena l'intera faccenda si era conclusa; non appena era risuonato il fischio di chiusura. Come succedeva sempre. Adesso bisognava gonfiare il ritratto psicologico dell'assassino, invece: infanzia, ingiustizie durante gli anni di scuola, perfidie varie e via dicendo.

I morti sono morti, pensò Van Veeteren. Ma i colpevoli continuano a vivere e fanno notizia. Tutto ha il suo tempo.

Anche Reinhart, Jung e gli altri avevano lasciato Sorbinowo nel corso del pomeriggio; solo lui si era fermato un giorno in più.

Come se l'avesse richiesto la decenza, lo colpì il pensiero. Come se tutte quelle persone coinvolte avessero sollecitato questo arrotondamento. Colpevoli come innocenti. Vittime come criminali.

Quelle creature alla deriva, pensò.

E quella malvagità. Quel buio maledetto, inarrestabile, che da trentacinque anni era il suo campo d'azione. Sempre presente e pronto a colpire non appena si voltava la schiena o si abbassava la guardia. Quel nemico in agguato che insudiciava ogni gioia, che rendeva indecente ogni riposo...

Era più che una malattia, questo buio? Fa lo stesso, se solo si guardava il risultato, e tutte le vittime; e forse era proprio in questi termini che si doveva descrivere il problema. Il suo e quello di tutti gli altri.

Come la differenza fra il movente delle azioni e le loro conseguenze. Era solo questo, a costituire la malvagità?

Difficile. Si rendeva conto che era solo un angolo d'incidenza. Uno fra le centinaia possibili. Mentre scendeva le scale verso il lago, cominciò anche a domandarsi se la Vita Pura sarebbe mai venuta a risorgere. Ma capì ben presto che nemmeno questo conteneva il vero nocciolo della questione.

Quelle persone, tutti quegli adepti fuorviati, sarebbero mai risorti? Ecco qual era la vera domanda. Risorti come... sì, solo come esseri umani.

Ora di spegnere, si rese conto. Ora di smettere di teorizzare solo per evitare di pensare a quei poveri corpi di ragazzine. Non riuscirò mai a liberarmene, pensò.

E quando entrò nell'albergo gli venne invece da pensare che era proprio quella sera, quella notte, che si sarebbe dovuto coricare all'hotel Christos. A cento metri dal porto veneziano di Rétimo.

In un modo o nell'altro.

Non importa, pensò. La chiamerò quando sarà tornata a casa, invece. Tempo e spazio sono concetti per i cretini.

Proprio, per i cretini.

VII

10 agosto

41

Quando si svegliò, il sogno era ancora lì.

Il quadro con le ragazzine pallide sullo sfondo; proprio sul bordo dell'acqua. Gracili corpi a gruppi di tre o quattro. Immobilità. E un chiarore singolare sopra il lago e il profilo del bosco a est. Mattino, sì, indubbiamente mattino.

In primo piano, i due cadaveri.

Nudi e piegati in un angolo innaturale. Con ferite e gonfiori e grandi buchi neri al posto degli occhi, che tuttavia sembravano fissare e lanciare un'accusa.

Corpi di bambine. Corpi di bambine violentate e uccise.

E poi l'incendio. Lingue di fuoco che arrivano come un turbine dall'acqua, e ben presto il quadro è tutto una fiammata. Un mare di fuoco che gli fa scottare la faccia; lui volta la schiena a tutto quanto e si allontana frettoloso.

Lo stesso brevissimo sogno. Non più di una sequenza o di una scena. La terza notte, adesso.

E quando l'immagine di Wim Fingher appare, lui è già sveglio. Inesorabilmente sveglio. L'assassino: che durante tutto lo svolgimento delle indagini si trovava a un tiro di schioppo dal luogo del delitto, e con il quale era stato faccia a faccia in due occasioni senza reagire.

Imperdonabile.

L'ultimo segnale.

Si alzò. Aprì la porta del balcone; cielo pallido, vento tiepido, quasi impercettibile.

Qualche titubante flessione di fronte allo specchio.

Poi colazione e lettura dell'«Allgemejne». Un'ora; lo scacco matto in tre mosse della rubrica scacchistica un'ulteriore mez-z'ora; era legato a un cavallo, il pezzo del gioco più difficile da dominare.

Fece la doccia, si vestì e uscì. Ancora un'altra di quelle giornate senza contrasti, notò. Piatta e indefinita, e con una temperatura che non faceva avvertire l'aria contro la pelle. Non molta gente in giro, in città. Tempo di ferie: in centro era peggio, probabilmente; intorno a Keymer Plejn e Grote Torg dove di solito si affollavano i turisti, ma non era lì che era diretto.

Guidò invece i propri passi giù verso Zwille. Attraversò Langgraacht e imboccò Kellnerstraat dall'altra parte, questa volta. L'orologio segnava appena le undici e lui si concesse prima una birra allo Yorrick.

Si sedette sotto uno dei tigli e non si mise nessuna fretta. Si guardò intorno, e basta. Le poche persone a passeggio. Le facciate liberty. Le chiome degli alberi e il cielo pallido. Cercò di essere attento a cogliere voci interiori e incertezze, ma non ne venne nessuna.

Che succeda, allora, pensò. Scolò le ultime gocce e attraversò diagonalmente la strada.

Abbassò la maniglia ed entrò. Un campanello sopra la porta annunciò il suo arrivo. Un signore attempato, quasi completamente canuto e con barba ben curata della stessa tonalità dei capelli, stava giusto per chinarsi a studiare una carta geografica con l'aiuto di una lente d'ingrandimento. Alzò gli occhi. Fece un cenno col capo, con aria cortese e un po' assonnata.

«Buongiorno» lo salutò Van Veeteren. «Sono qui per quel cartello in vetrina.»

«Benvenuto» disse l'uomo.

INDICE

HÅKAN NESSER

È nato nel 1950 a Kumla, cittadina della Svezia centrale. Ha insegnato lettere in un liceo, ma dopo il successo ottenuto dai gialli "interpretati" dal commissario Van Veeteren, ambientati nell'immaginaria cittadina di Maardam, si è dedicato esclusivamente alla scrittura. Dopo *La rete a maglie larghe*, sono usciti presso Guanda, suo editore italiano, *Una donna segnata*, *L'uomo che visse un giorno*, *Il commissario e il silenzio* e *Carambole* (vincitore nel 1999 del prestigioso premio Glasnyckeln per il miglior romanzo poliziesco scandinavo).

*Il nuovo giallo di uno dei più affermati
scrittori di noir del Nord Europa*

HÅKAN NESSER

IL RAGAZZO CHE SOGNAVA KIM NOVAK

Due adolescenti, Erik e Edmund, che vivono
in una piccola città della Svezia; una supplente
giovane e affascinante che per tutti è identica
a Kim Novak; un'estate trascorsa su un lago a parlare
di segreti e sofferenze. E poi il mistero: il fratello
maggiore di Erik che arriva con la bella supplente,
presentandola come la sua ragazza; l'ex fidanzato di lei
che li minaccia entrambi ma che viene infine ritrovato
morto poco distante dalla casa dove abitano
i due ragazzi... E il caso rimane insoluto per molti anni,
ancora quando Erik è un padre di famiglia e Edmund
un prete. Ma incontri imprevedibili e nuove scoperte
riporteranno a galla il mistero di quell'estate...

DA APRILE 2007

www.guanda.it

*Il ritorno del commissario Van Veeteren,
in uno dei casi più complessi di tutta la sua carriera*

HÅKAN NESSER

CARAMBOLE

Il commissario Van Veeteren è finalmente in pensione:
si occupa della sua libreria antiquaria e non sa nulla
della serie di omicidi che si sta abbattendo sulla sua città.
Tutto ha inizio quando un guidatore investe per caso
un ragazzo che cammina sul ciglio della strada:
il ragazzo muore e l'automobilista, dopo qualche
indecisione, fugge. Nei giorni seguenti tutto sembra
tranquillo e il colpevole si sente sempre più al sicuro.
Fino al giorno in cui riceve la lettera di un testimone
che comincia a ricattarlo, sostenendo di averlo visto
e di essere pronto a rivelare la sua colpa alla polizia.
Messo sotto pressione dagli eventi, l'incauto guidatore
dapprima scopre l'identità del misterioso testimone
e poi lo uccide. Ma la vittima è nientemeno
che Erich Van Veeteren, figlio del commissario,
che a questo punto non può che rientrare in scena,
a sbrogliare una matassa davvero complicata.

www.guanda.it

La prima indagine di Van Veeteren,
l'esordio di un maestro del «giallo nordico»

HÅKAN NESSER

LA RETE
A MAGLIE LARGHE

Brutta giornata per Janek Mitter: i postumi
di una sbornia colossale, i ricordi pochi e confusi
e il cadavere della sua giovane e amatissima moglie,
Eva, nella vasca da bagno. Fin troppo scontato
il verdetto: colpevole. Sei anni, la pena.
Ma il commissario Van Veeteren non è «convinto»
della sua colpevolezza e insieme alla sua squadra
comincia a scavare nei molti segreti del passato di Eva…
Separato dalla moglie, con due figli, il commissario
Van Veeteren vive da solo con il suo cane in una cittadina
del Nord Europa. Ama gli scacchi, ascolta Händel
e gioca a badminton con un collega.
L'esperienza lo ha reso scettico, solitario e malinconico,
ma anche profondamente umano e, nei casi che affronta,
ciò su cui la sua attenzione finisce per concentrarsi
sono i moventi più nascosti dell'animo umano.

HÅKAN NESSER

UNA DONNA SEGNATA

A Maardam, la cittadina svedese dove vive il commissario
Van Veeteren, si verifica uno strano ed efferato delitto:
un maturo imprenditore viene freddato dentro casa,
con l'aggiunta di due colpi sparati all'inguine.
A distanza di qualche giorno, un secondo uomo
è trucidato con la stessa brutale precisione.
Mentre Van Veeteren cerca indizi, scoppia un terzo caso,
identico ai precedenti. Dalle indagini emerge
un dettaglio importante: tutte e tre le vittime,
prima di morire, avevano ricevuto misteriose telefonate,
in cui, dopo una pausa di silenzio s'inserivano le note
di una musica anni Sessanta. A poco a poco,
tra l'assassino e Van Veeteren si apre una partita sottile,
costellata di altre morti e di scoperte sempre
più sconvolgenti, che si concluderà con una mossa
lucida e spietata, come un atto di accusa
verso l'inevitabile crudeltà della vita.

Quali sono i limiti della legge? E della giustizia?
Una nuova indagine del commissario Van Veeteren

HÅKAN NESSER

L'UOMO CHE VISSE UN GIORNO

Un tranquillo mattino di agosto un duplice omicida
esce di prigione, dopo dodici anni di detenzione.
Regge una piccola valigia, e s'incammina senza
voltarsi indietro. Quasi un anno dopo, durante una gita
scolastica, una bambina scopre il corpo di un uomo,
privo di testa, mani e piedi. Si tratta del cadavere
di Leopold Verhaven, ex campione di atletica,
caduto in disgrazia per uno scandalo sul doping
e rilasciato otto mesi prima, dopo aver scontato
una condanna per l'omicidio di un'ex fidanzata.
Per il commissario Van Vetereen comincia un'indagine
che non metterà in discussione soltanto la sua abilità
investigativa, ma soprattutto la sua etica professionale
e la sua morale di essere umano.

Finito di stampare nel mese di marzo 2007
presso il Nuovo Istituto Italiano d'Arti Grafiche - Bergamo
Printed in Italy

BEST THRILLER

Periodico mensile, anno VI, n. 109
Registrazione n. 124 del 7.03.2001 presso il Tribunale di Milano
Direttore responsabile: Stefano Mauri

Distribuzione per l'Italia: m-dis
via Cazzaniga, 1 - 20132 Milano